JN073110

よくわかる

2級 QC検定®

合格テキスト

品質管理検定®学習書

豊富な問題と詳しい解説
最新レベル表に基づく新傾向問題を満載
この一冊で合格できる！

東京大学
工学博士 福井清輔　編著

弘文社

まえがき

　昨今では，日本製品の品質が極めて高いレベルであるということが，世界の人々に広く認識されている時代と言っても過言ではないと思われます。

　それは，長年にわたって日本企業をはじめ，大学人や官公庁などの多くの日本人関係者が努力してきた結果と言えるでしょう。

　そのような努力の基礎として品質管理の理論や手法があります。

　本書は，品質管理の基礎知識に関して，一般財団法人日本規格協会，および，一般財団法人日本科学技術連盟が主催する検定（品質管理検定：QC検定)®を受験されようという方々のために，品質管理の理論や手法を学ぶための適切な学習書を提供する目的で用意しました。

　基礎からわかりやすく学習していただけるように編集してあります。

　品質管理2級は品質管理3級および4級の内容を含みながらも，さらに高度な内容となっていますが，本書はその範囲もカバーして学習できるようになっております。

　また，発刊以来多数の皆様方のご好評をいただいて版を重ねて参りましたが，このたび，改定レベル表に基づいた最新試験傾向をより多く反映させた新訂版として，さらに充実した内容で，新たに発刊いたします。

　多くの資格試験の合格基準は一般的に60〜70%の正解となっています。品質管理検定も（年度ごとの問題の難易度により多少の合格基準の変動もあるようですが）おおよそ70%で合格です。100%の問題の正解を出さなければいけないというものではありません。ですから，「問題をすべて解かなければならない」と思われる必要はありません。コツコツと着実に少しずつ解ける問題を増やしていきましょう。

　本書を活用されて，多くの方が目標とされる品質管理検定の資格を取得され，就職活動などで活かしていただくのはもちろんのこと，所属されます組織の仕事においてもその実力を十分に発揮されますよう，期待しております。

著者

目　　　次

品質管理検定®受検ガイド ……………………………………………… 10

本書の学習の仕方 ………………………………………………………… 12

第1章　品質管理概論 ……………………………………………… 15

1　品質管理の基礎 ……………………………………………… 16

　1　品質管理とは何か …………………………………………… 16

　2　JIS と ISO ……………………………………………………… 19

　3　品質マネジメントの 7 原則 ……………………………… 20

　4　品質マネジメントシステムの認証制度 ……………… 21

　確認問題 …………………………………………………………… 22

　実戦問題 …………………………………………………………… 23

2　品質とは何か ……………………………………………………… 27

　1　品質とは ……………………………………………………… 27

　2　品質要素 ……………………………………………………… 28

　3　品質に関する各種用語 …………………………………… 28

　4　デミング・サイクル ……………………………………… 30

　5　品質と消費者指向 ………………………………………… 31

　6　品質と社会的影響 ………………………………………… 32

　確認問題 …………………………………………………………… 33

　実戦問題 …………………………………………………………… 34

3　管理とは何か ……………………………………………………… 37

　1　方針管理 ……………………………………………………… 37

　2　日常管理 ……………………………………………………… 37

　3　事実に基づく管理（ファクトコントロール） ……… 39

　4　目的志向（目的指向） …………………………………… 39

　5　重点志向（重点指向） …………………………………… 40

　6　対策は源流にさかのぼる（源流志向あるいは指向） ………… 40

　7　見える化 ……………………………………………………… 41

　8　管理点と点検点 …………………………………………… 41

　9　トラブル対策 ………………………………………………… 41

　10　方針の管理 ………………………………………………… 42

11　マトリックス管理 ················· 42

12　職務分掌 ····················· 43

13　品質監査 ····················· 43

14　人材育成 ····················· 43

確認問題 ······················ 44

実戦問題 ······················ 46

4　標　準　化 ···················· 49

1　標準と規格 ··················· 49

2　標準化 ······················ 49

3　産業標準化 ··················· 51

4　社内標準化 ··················· 53

確認問題 ······················ 54

実戦問題 ······················ 56

第2章　品質管理の手法 ············· 61

1　データの採り方 ················ 62

1　データ ······················ 62

2　母集団と標本 ················· 63

3　データ採取において注意すべき事項 ··· 64

4　データの誤差 ················· 64

5　データを表わす統計量 ··········· 67

6　分散の加法性（加成性） ········· 76

7　データのための計測管理 ········· 76

確認問題 ······················ 77

実戦問題 ······················ 78

2　QC 七つ道具 ·················· 84

1　特性要因図（魚の骨図） ········· 85

2　パレート図（累積度数分布図） ····· 87

3　チェックシート ··············· 88

4　ヒストグラム（柱状図，度数分布図） · 88

5　散布図 ······················ 91

6　グラフ ······················ 91

7　管理図・工程能力図 ············ 94

8　層　別 ······················ 95

目　次

　　確認問題 ・・・ 96
　　実戦問題 ・・・ 98

3　確率分布 ・・・ 103
　　1　確率分布 ・・ 103
　　2　確率密度関数 ・・・ 104
　　3　確率変数の平均と分散 ・・・・・・・・・・・・・・・・・・・・・・・・・・・・ 105
　　4　統計で用いられる分布関数 ・・・・・・・・・・・・・・・・・・・・・ 107
　　確認問題 ・・ 119
　　実戦問題 ・・ 121

4　推定と検定 ・・・ 125
　　1　統計的推定 ・・・ 125
　　2　仮説の検定 ・・ 125
　　3　母集団と標本 ・・・・・・・・・・・・・・・・・・・・・・・・・・・・・・・・・・・・・・・ 126
　　4　検定の手順 ・・ 127
　　5　誤りの分類 ・・ 128
　　6　点推定と区間推定 ・・・・・・・・・・・・・・・・・・・・・・・・・・・・・・・・・ 129
　　7　計量値の検定・推定 ・・・・・・・・・・・・・・・・・・・・・・・・・・・・・ 129
　　8　検定・推定の計算例 ・・・・・・・・・・・・・・・・・・・・・・・・・・・・・ 131
　　9　分割表による検定 ・・・・・・・・・・・・・・・・・・・・・・・・・・・・・・・・ 138
　　確認問題 ・・ 139
　　実戦問題 ・・ 141

5　回帰分析と相関分析 ・・・・・・・・・・・・・・・・・・・・・・・・・・・・・・・ 145
　　1　回帰分析法 ・・ 145
　　2　最小二乗法 ・・ 145
　　3　平方和の分解と寄与率 ・・・・・・・・・・・・・・・・・・・・・・・・・・ 150
　　4　相関分析法 ・・ 151
　　5　散布図 ・・ 153
　　6　無相関の検定 ・・・・・・・・・・・・・・・・・・・・・・・・・・・・・・・・・・・・・・・ 154
　　7　z 変換 ・・・ 154
　　8　母相関係数の区間推定 ・・・・・・・・・・・・・・・・・・・・・・・・・・ 156
　　9　系列相関 ・・ 157
　　確認問題 ・・ 160
　　実戦問題 ・・ 163

6　実験計画法と分散分析法 ……………………………… 168

　1　実験計画法とは ……………………………………… 168

　2　実験計画法の基礎的な考え方 ……………………… 169

　3　直交表 ………………………………………………… 170

　4　分散分析 ……………………………………………… 172

　5　繰返しのない二元配置法 …………………………… 177

　6　主効果と交互作用 …………………………………… 182

　7　繰返しのある二元配置法 …………………………… 183

　8　データの構造 ………………………………………… 189

　確認問題 ………………………………………………… 191

　実戦問題 ………………………………………………… 193

7　新 QC 七つ道具 …………………………………………… 198

　1　親和図法 ……………………………………………… 198

　2　連関図法（原因の究明） …………………………… 199

　3　系統図法（達成手段の出し尽くし） ……………… 200

　4　マトリックス図法（行列図，行と列の図） ……… 202

　5　マトリックスデータ解析法 ………………………… 204

　6　アロー・ダイヤグラム法（PERT 図法） ………… 205

　7　PDPC 法（困難回避手法） ………………………… 207

　確認問題 ………………………………………………… 209

　実戦問題 ………………………………………………… 211

第3章　品質管理の実践 …………………………………… 217

1　製品検査および信頼性 ………………………………… 218

　1　製品検査で用いられる用語 ………………………… 218

　2　抜取検査の分類 ……………………………………… 219

　3　OC 曲線 ……………………………………………… 221

　4　抜取検査の実施 ……………………………………… 221

　5　サンプル中の不適合品数のばらつき ……………… 226

　6　無検査と全数検査の比較 …………………………… 228

　7　信頼性と信頼度 ……………………………………… 228

　8　故障発生の傾向 ……………………………………… 229

　9　保全性について ……………………………………… 229

　10　寿命分布 ……………………………………………… 230

11　故障の木解析（FTA, Fault Tree Analysis）・・・・・・・・・・・・・・・・ 231

12　故障モードと影響解析（FMEA, Failure Modes and Effects
　　　　　　　　　 Analysis）・・・・・・・・・・・・・・・・・・・・・・・・・・・・・・・・ 232

13　システムの信頼性 ・・・ 232

14　生産管理，設備管理，資材管理 ・・・・・・・・・・・・・・・・・・・・・・・ 234

15　VE，IE ・・・ 235

16　商品企画七つ道具 ・・・・・・・・・・・・・・・・・・・・・・・・・・・・・・・・・・・・・・ 235

確認問題 ・・・ 236

実戦問題 ・・・ 238

2　統計的工程管理 ・・・ 242

1　管理図（シューハート管理図）・・・・・・・・・・・・・・・・・・・・・・・・・ 242

2　管理における誤り ・・・・・・・・・・・・・・・・・・・・・・・・・・・・・・・・・・・・・・・ 243

3　管理図の種類とその内容 ・・・・・・・・・・・・・・・・・・・・・・・・・・・・・・ 243

4　工程能力指数 ・・・ 248

5　3H管理 ・・ 250

確認問題 ・・・ 252

実戦問題 ・・・ 254

3　問題および課題の解決 ・・・・・・・・・・・・・・・・・・・・・・・・・・・・・・・・・ 258

1　問題と課題 ・・・ 258

2　QCストーリー ・・・ 259

3　小集団活動 ・・・ 260

4　職場におけるその他の活動・行動 ・・・・・・・・・・・・・・・・・・・ 262

確認問題 ・・・ 266

実戦問題 ・・・ 268

4　品質の保証 ・・・ 271

1　品質要求 ・・・ 271

2　品質保証とは ・・ 271

3　品質保証体系図およびQC工程図（表）・・・・・・・・・・・・・ 272

4　苦情処理 ・・・ 274

5　段階別品質保証活動 ・・・・・・・・・・・・・・・・・・・・・・・・・・・・・・・・・・ 274

6　品質技術の展開 ・・・・・・・・・・・・・・・・・・・・・・・・・・・・・・・・・・・・・・・ 275

確認問題 ・・・ 276

実戦問題 ・・・ 277

第4章　模擬問題と解答解説 ·················· 283

　1　模擬問題 ······································ 284

　2　模擬問題の解答 ···························· 298

　3　模擬問題の解説 ···························· 300

付図・付表 ··· 313

索　引 ··· 327

品質管理検定®受検ガイド

1．品質管理検定®の概要

　品質管理検定®は QC 検定®と略称されるもので，一般財団法人日本規格協会，および，一般財団法人日本科学技術連盟が主催しています。

　この検定試験は，一般社団法人日本品質管理学会が認定しているもので，製品品質の改善，コストダウン，企業体質改善を目的として，日本の産業界全体のレベルアップを支援するために行われています。

　一般社会人や学生を対象として，品質管理や標準化の考え方，その実施内容や品質管理手法に関して，筆記試験によって知識や能力のレベルを評価して，認定を付与するものです。その内容レベルが1級（準1級），2級，3級，および4級に分かれています。この制度によって，個人のレベルアップに加え，企業の組織力の向上なども期待できます。なお，準1級とは，1級の一次試験（マークシート方式）の合格者をいいます。

2．品質管理検定®の内容

区分	認定する知識・能力レベル	対象とされる人材イメージ
1級 (準1級)	・発生する様々な問題に対して，品質管理の面からの高度な解決能力を有していて，自ら課題解決を推進するレベル ・組織における品質管理活動のリーダー	・部門横断型の品質問題解決リーダー ・品質問題解決に関する指導的立場の技術者
2級	・発生する様々な問題に対して，QC 七つ道具や新 QC 七つ道具を含む統計的手法を活用して問題解決に当たることができるレベル ・基本的な管理改善活動を自立的に行えるレベル	・属する部門の品質問題解決をリードできるスタッフ ・品質に関する部署の管理職やスタッフ
3級	・QC 七つ道具および新 QC 七つ道具をほぼ理解して，リーダー等からの支援によって問題解決に当たることができるレベル	・職場の品質問題解決を行う全構成員 ・品質管理を学ぶ学生・生徒
4級	・組織の構成員として仕事の進め方や品質管理の基本的な基礎知識を理解するレベル	・初めて品質管理を学ぶ人 ・新入社員

3．級ごとの試験要領

区分	受検資格	試験方式	試験時間
1級	必要ありません（誰でも受検できます）	論述・マークシート方式	120分
2級		マークシート方式	90分
3級		CBT方式（2025年9月より）	
4級			

　なお，関数電卓の持込みは許されておりません。一般電卓は可能です。

4．合格基準

区分	全体の成績	科目ごとの最低基準		
		品質管理の手法	品質管理の実践	論述
1級	70%以上（年度の難易度により若干の変化あり）	50%以上	50%以上	50%以上
2級		50%以上	50%以上	－
3級		50%以上	50%以上	－
4級		－	－	－

5．試験日程

　2級は毎年およそ3月と9月の2回において実施されています。

　申し込み受付は，その3〜4ヶ月前になりますので，念のため各自早めに事前確認をしておいて下さい。

　詳しくは，日本規格協会のホームページ（http://www.jsa.or.jp）をご覧下さい。

各科目で
50%以上を正解して
全体で約70%以上を正解すれば
合格なんですね

30%わからなくても
いいと思うと
気が楽に
なりますね

11

本書の学習の仕方

　品質管理検定に限りませんが，どの資格でもあきらめずにあくまでも続けて頑張ることが重要です。「継続は力なり」といいますが，まさにその通りです。こつこつと努力されれば，たとえ遅くとも確実に実力がつきます。

　頑張っていただきたいと思います。

　本書は各章のそれぞれの節にまずその節で重要な**学習ポイント**を挙げております。まずは，この項目を学習目標に試験に出やすい基本事項を解説しています。それを学習いただいた後に，基本的な問題として**確認問題**を用意し，さらにその後に仕上げとして**実戦問題**を載せております。また，巻末には**模擬問題**も付けてあります。これらを存分に活用いただけるとよろしいかと思います。

　本書の学習の方法につきましては，基本的に学習される皆さんが，ご自分の目的やニーズに合わせて，最適と思われる方法で取り組まれることがよろしいでしょう。そのための目安として，本書では，各章の各節およびそれぞれの実戦問題ごとに次のような**重要度ランク**を設けております。必要に応じて参考にして下さい。

各章の各節

重要度
A：出題頻度がかなり高く，とくに重要なもの

重要度
B：ある程度出題頻度が高く，重要なもの

重要度
C：それほど多くの出題はないが，比較的重要なもの

実戦問題

重要度 Ⓐ：出題頻度がかなり高く，とくに重要な問題

重要度 Ⓑ：ある程度出題頻度が高く，重要な問題

重要度 Ⓒ：それほど多くの出題はないが，比較的重要な問題

これらの重要度は，相対的なものではありますが，時間のないときには高いランクのものを優先して取り組むなど，学習にメリハリをつけるために参考にしていただくとよろしいかと思います。

　品質管理検定試験に合格される方は「約70％以上の問題を正解される方」です。合格されない方は，「約70％の問題の正解を出せない方」です。

　合格される方の中には，「すべてを理解してはいなくても，平均的に約70％以上の問題について正解が出せる方」が含まれます。逆に言いますと，約30％は正解が出せなくても合格できるのです。多くの合格者がこのタイプといってもそれほど過言ではないかもしれません。

　合格されない方の中には，「高度な理解力をお持ちであっても，100％を理解しようとして途中で学習を中断される方」も含まれます。優秀な学力をお持ちの方で，受験に苦労される方が時におられますが，およそこのようなタイプの方のようです。

　いずれにしても，試験勉強はたいへんです。その中で，最初から「すべてを理解しよう」などとは思わずに，少しでも時間があれば，一問でも多く理解し，一問でも多く解けるように努力されることがベストであろうと思います。

　なお，本書における数式計算はほとんどが高等学校の数Ⅰの範囲ですが，一部でp 74やp 79の自然対数 $\ln(x)$ は数Ⅱの範囲ですし，p 103の確率分布では数Ⅲの範囲の関数などが出てきます。しかし，お分かりにならない計算の過程は飛ばしていただいて結果だけを学習される形でも結構です。

> ふつうの国家試験では
> 法律の問題が
> 必ず出るものだけど‥

> QC検定は国家試験ではないので
> 法律の問題は出ないというのが
> 嬉しいですね

> でも，この資格は「公的資格」といわれるものなので
> 価値のある資格なんですね。

第1章

品質管理概論

品質管理って
どんなことなんだろう？

1 品質管理の基礎

学習ポイント

・品質管理とは何か
・TQM，TQC，SQC の関係について
・品質マネジメントシステム（QMS）について

重要度

A

● ● ● **試験によく出る重要事項** ● ● ●

1 品質管理とは何か

　企業をはじめとする各種の組織の目的は，お客様（顧客，ユーザー）の要求に合致した品質の製品やサービスを経済的に提供して社会に貢献することにあるとされています。つまり目に見える製品のみならず，サービスにも品質があるという考え方が現在の主流です。直接部門だけでなく，間接部門の仕事にも品質があるということです。

「客」という言い方をするのと
「お客様」という言い方をするのとでは
意味は同じでも，お客様を大事にする
気持ちが違っているわよね

最近では，「お客様」という
言い方が定着してきている
ようですね

　ここでいう「各種の組織」には，近年ではお役所なども含むと考えられていますが，このような形でそれらの組織を運営することが広く求められるようになっています。これが品質管理の出発点です。
　また，「後工程はお客様」という言葉もあります。同じ社内であっても，後

ろの工程はユーザーであるという考えも徹底されてきています。このような考え方も各工程での「品質の作り込み」に寄与していると言ってよいでしょう。

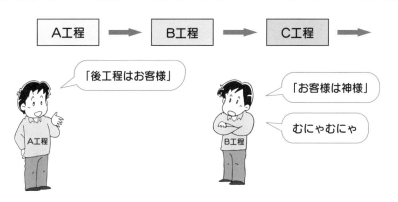

　品質管理の定義は，「買い手の要求に合った品質の品物またはサービスを経済的に作り出すための手段の体系」とされています。そのために，「市場の調査，研究・開発，製品の企画，設計，生産準備，購買・外注，製造，検査およびアフターサービスならびに財務，人事，教育など企業活動の全段階にわたり，経営者をはじめ管理者，監督者，作業者など企業の全員の参加と協力が必要である」とも書かれています。

　このような形で実施される品質管理を，通常は**総合的品質管理**（**TQC**, Total Quality Control，より最近では，**TQM**, Total Quality Management）と呼んでいます。

TQM の目的

1）お客様の要求に合致した商品
　　（製品，サービス）を
2）経済的な形によって提供する

ははぁ，
TQM の目的って
こういうことなんだね

　これに対して，これにも含まれますが，統計的な原理と手法に基づく品質管理を，**SQC**（Statistical Quality Control）と呼ぶことがあります。

　QC（品質管理）とQM（品質マネジメント）との関係について説明しますと，

・QC：品質要求を満たすことに絞った活動

・QM：品質に関して組織を指揮し，管理するための調整された活動で，一般に次の①～⑤を含みます。

　　①　品質方針および品質目標（品質に関する方針および目標）の設定

　　②　品質計画

　　③　品質管理

　　④　品質保証

　　⑤　品質改善

　また，QMをシステム（体系）としてとらえて，QMS（Quality Management System）ということもあります。

　TQMとTQCとSQCの関係は図のようなものとなります。

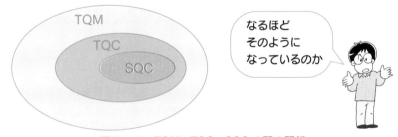

図1－1　TQM，TQC，SQCの間の関係

　いずれにしても，TQMの展開は，お客様の要求を重視して，全員参加で，管理方法を継続的に改善して行うことが基本となっています。

　そのような中でも，お客様だけではなく製造側の従業員も含めての人間性の尊重ですし，従業員の満足度も高くなければなりません。

2 JIS と ISO

国際標準化機構（ISO, International Organization for Standardization）は，電気分野を除く工業分野の国際的な標準である国際規格を策定するための民間の非政府組織ですが，その機構が品質の国際規格（国際標準）として ISO 9000 を定めています。ISO 9000が，JIS（日本産業規格，Japanese Industrial Standards）にも反映されて JIS Q 9000となっています。JIS については，p 51表1－6を参照下さい。

国際標準化機構では，グローバル化されている世界経済の中で，製品やサービスの自由な流通を促進するために，企業などの組織の品質マネジメントシステムを第三者がこの規格に基づいて審査して登録する制度を作っています。ISO 9000の仲間には一連のシリーズのものがあり，複数形として ISO 9000 s と表現されています。ISO 9000ファミリー規格とも言われています。

表1－1　ISO 9000ファミリーのコア規格

規格の番号	その内容
ISO 9000	品質マネジメントシステム（基本および用語）
ISO 9001	品質マネジメント（要求事項）
ISO 9004	品質マネジメントアプローチ（組織の持続的成功のための運営管理）
ISO 19011	品質および／または環境マネジメントシステム監査のための指針

注）JIS ではこれらの番号に Q を付けて反映されています。（JIS Q 9001など）

3 品質マネジメントの7原則

　組織のトップにとって必要となる原則です。以前の8項目に代わって，ISO 9001：2015で表1-2の7項目になりました。p18に出てきた三本柱もここには含まれていますね。

表1-2　品質マネジメントの7原則

7原則	その内容
1．顧客重視	組織は，その顧客（お客様）に依存しているため，現在および将来の顧客ニーズを理解し，顧客要求事項を満たし，顧客の期待に添えるように努力すべきこと
2．リーダーシップ	組織のトップたるリーダーは，組織の目的と方向とを一致させるべきこと
3．人々の積極的参加	組織を構成するメンバー全員の積極的な参画によってその能力を活用すべきこと
4．プロセスアプローチ	組織の活動と関連資源（原材料や用役等）とが好ましいプロセス（処理過程）として合理的に運営管理されることで，望まれる結果が効率よく達成されるべきこと
5．改善	組織の総合的パフォーマンス（実行力）の継続的改善を組織のたゆまざる目標とすべきこと
6．客観的事実に基づく意思決定	客観的事実（データや情報）の分析に基づいて，効果的に意思決定を行うべきこと
7．関係性管理	組織および組織に対する供給者，並びに，組織が供給する相手は，相互に依存していて，両者の互恵関係（互いにメリットを受ける関係）を重視すべきこと

これらの原則は
それぞれ言われてみれば
当然のことだと思われるけど
こういうことが
品質マネジメントには
大事なのね

　この品質マネジメントの原則は，それぞれがかなり重要な意味を持っています。検定試験対策として表1-2は何度も目を通しておかれるとよいでしょ

う。この表において，プロセスとは「手順」あるいは「手続き」，リーダーは
指導者，メリットは利益ですね。

4 品質マネジメントシステムの認証制度

品質マネジメントシステムの認証制度とは，組織を利用する顧客が組織を直
接審査することは困難ですので，代わりに第三者である認証機関（審査登録機
関）が審査，登録，公表を実施する制度（第三者認証制度）です。

組織は認証機関の審査を受け，認証機関は認定機関の認定を受ける構造とな
っています。認証機関を認定する認定機関は，基本的に各国に一つだけとされ
ており，日本の場合にはJAB（公益財団法人日本適合性認定協会）となってい
ます。

ISO 9001を認証取得して，このシステムに基づいて品質管理および品質保証
活動を運用してゆくことの主なメリットには次のようなものがあります。

① 顧客満足度の向上
② 国際競争力の獲得
③ 業務のマニュアル化が可能となり信頼性が向上

ISO9000 シリーズが品質の規格で
ISO14000 シリーズが環境の規格なんだね

確認問題

知識・実力の確認をしましょう。○か×か考えてみて下さい。

（　）**問 1**：管理という用語について，比較的狭い意味の管理は英語でコントロールに対応し，比較的広い意味の管理はマネジメントに対応しているとされる。

（　）**問 2**：国際標準化機構は，英語では International　Organization　for　Standardization であるので，IOS と略される。

（　）**問 3**：ISO の各規格の多くは，日本産業規格にも反映されている。

（　）**問 4**：TQM の展開は，顧客の要求を重視して，管理方法を継続的に改善して行うことが基本となっているが，一般に全員参加までは要求されていない。

（　）**問 5**：品質マネジメントシステムの認証機関を認定する認定機関は，基本的に各国に一つだけとされている。

・・●● **正解と解説** ●●・・

| 正解 | 問 1：○　問 2：×　問 3：○　問 4：×　問 5：○ |

問 1 解説 （○）

コントロールとマネジメントの違いを把握しておきましょう。マネジメントのほうが広い概念ですね。

問 2 解説 （×）

国際標準化機構の英語は International Organization for Standardization ですが，略される場合には ISO とすることになっています。これは，発音しやすいことやギリシャ語のイソス（ISOS：平等，一様性という意味）という言葉に基づいているとされています。

問 3 解説 （○）

かなりの ISO 規格が，日本産業規格にも反映されています。

問 4 解説 （×）

TQM の展開は，お客様の要求を重視して，管理方法を継続的に改善して行うことはもちろんですが，全員参加で行うことも基本となっています。

問 5 解説 （○）

記述の通りです。基本的に各国で一つずつとなっています。

実戦問題

問題1

重要度 Ⓑ

　ISO 9000ファミリー規格のいくつかを示す表において，(1)～(4)のそれぞれに対して適切なものを選択肢欄から選んでその記号を解答欄に記入せよ。ただし，各選択肢を複数回用いることはない。

規格番号	その内容
(1)	品質マネジメントシステム（基本および用語）
(2)	品質マネジメント（要求事項）
(3)	品質マネジメントアプローチ（組織の持続的成功のための運営管理）
(4)	品質および／または環境マネジメントシステム監査のための指針

【選択肢】

ア．ISO 9000　　イ．ISO 9001　　ウ．ISO 9002

エ．ISO 9003　　オ．ISO 9004　　カ．ISO 9005

キ．ISO 9006　　ク．ISO 9007　　ケ．ISO 9008

コ．ISO 9009　　サ．ISO 9010　　シ．ISO 19011

【解答欄】

(1)	(2)	(3)	(4)

問題２

　　品質管理について，次の文章の　　　　　に入るもっとも適切なもの
を下欄の選択肢から選んでその記号を解答欄に記入せよ。ただし，各
選択肢を複数回用いることはない。

　　企業や組織の　(5)　である製品や　(6)　の品質は，企業や組織を構成す
る全員の　(7)　の進め方に影響を受けると言ってもよい。そのための　(8)
を効果的に推進するためには，企業や組織のあらゆる部門のメンバーが参画し
て全員の　(9)　を合わせて行動することが必要である。これが　(10)　であ
る。

【選択肢】

　ア．サービス　　　　　イ．全員参加　　　ウ．礼儀

　エ．アウトプット　　　オ．ベクトル　　　カ．しきたり

　キ．品質管理　　　　　ク．習慣　　　　　ケ．仕事

【解答欄】

(5)	(6)	(7)	(8)	(9)	(10)

実 戦 問 題 解答と解説

問題1

解答

(1)	(2)	(3)	(4)
ア	イ	オ	シ

解説

(3)および(4)などは若干難しくなりますが，これらを正しく表に入れますと，次のようになりますね。

規格の番号	その内容
ISO 9000	品質マネジメントシステム（基本および用語）
ISO 9001	品質マネジメント（要求事項）
ISO 9004	品質マネジメントアプローチ（組織の持続的成功のための運営管理）
ISO 19011	品質および／または環境マネジメントシステム監査のための指針

本問に出ている規格については，それぞれ重要です。ただし，ここに挙げられていない規格もありますが，それらはとくに押さえておく必要はないでしょう。

問題2

解答

(5)	(6)	(7)	(8)	(9)	(10)
エ	ア	ケ	キ	オ	イ

解説

正解を入れて，あらためて文章を掲載しますと，次のようになります。

　企業や組織のアウトプット（あるいは特性）である製品・サービスの品質は，企業や組織を構成する全員の仕事の進め方に影響を受けると言ってもよい。そのための品質管理を効果的に推進するためには，企業や組織のあらゆる部門の人たちが参画して全員のベクトルを合わせて行動することが必要である。これが全員参加である。

　文中のベクトルとは数学上の用語ですが，最近では一般にも使われる言葉になっているかもしれませんね。ベクトルとは，大きさと向き（方向）を持っている量のことで，同じ向きのベクトルは足し算すれば大きさが大きくなるのに対し，反対方向のベクトルを足し算すると大きさはその差となって小さくなるという性質があります。

2 品質とは何か

学習ポイント

・品質の概念と品質要素について
・デミング・サイクル
・顧客満足について

重要度
B

●●● 試験によく出る重要事項 ●●●

1 品質とは

　品質とはよく使われる言葉ですが，JIS におけるその定義は「本来備わっている特性の集まりが，要求事項を満たす程度」（JIS Q 9000）ということになっています。「品質」という用語は，Quality の訳語としての日本語で，漢字の「品」も「質」も意味としてはほぼ同じです。1954年に来日して日本の品質管理の発展に寄与したジュラン博士の定義も「品質とは，使用目的に対する適合（fitness for use）」となっています。

　品質管理における品質とは，品物（つまり，製品）の特性だけではなく，近年ではサービスの特性も含むこととして考えられています。つまり，お役所などの行政サービスも含むことになります。また，その特性も，その品物の目的特性だけではなく，使いやすさ，安全性，無害性などの周辺特性も含むものとして考えられています。

　コスト（Cost，原価，価格）およびデリバリー（Delivery，納期，供給生産量）をそれぞれ C および D とし，通常にいう品質（狭義の品質，製品・サービスの特性そのものの品質）を Q として，**QCD を広義の品質**と呼ぶこともあります。さらには，安全性（Safety）を S として加えて，**QCDS** とする場合もあります。

広い意味で言うと
君らのことを
まとめて品質と言うんだね

また，品質を最優先に考えて企業活動をすることを**品質第一の行動**と呼び，これにより消費者の信頼を得ることができて売上も向上するという考え方が重要です。これがp16で述べた「お客様を優先する立場」ということです。

2 品質要素

品物やサービスの品質を検討するに当たり，品質を構成する基本事項に分解して，行うことが重要です。そのような検討方法を**品質展開**ということがあります。その基本品質事項を**品質要素**と呼びますが，それには，機能，性能，操作性，信頼性，安全性などが含まれます。それらをより具体的に表現した尺度レベルなどを**品質特性**といいます。

3 品質に関する各種用語

品質に関係した多くの用語がありますので，整理してみます。

表1-3　品質に関する各種用語

用　語	内　容
要求品質	製品に対する要求事項の中で，品質に関するもののことです。
設計品質（ねらい品質）	要求品質を正しく把握して，それを実現することを意図した品質です。
品質規格	品質に要求される具体的事項をいいます。
品質水準	品質特性の程度をいいます。
製造品質（できばえ品質，合致品質，適合品質）	設計品質を実現できた程度をいいます。
品質目標	現在は実現できていない品質であるが，ある時期までに実現できることが期待される品質水準のことです。主に，研究部門や設計・技術部門に与えられます。
品質標準	現時点の技術によって実現できる品質水準で，現在では一応満足されているレベルです。通常は，製造部門に与えられます。
使用品質	品物を使用するときの使い良さをいいます。
官能特性（感性品質）	品質のうち，人間の感覚によって判断されるものをいいます。
代用特性	直接に測定することが困難な品質特性を，別な品質特性で置き換えたものをいいます。

設計品質とか製造品質と言われても
いまいちピンとこなかったけど
ねらい品質とかできばえ品質と言えば
意味がわかりやすいですね

第1章

表1－4　代表的な品質要素

品質要素	その内容
一元的品質要素	それが満たされれば満足，満たされなければ不満を引き起こす品質要素をいいます。
当たり前品質要素	満たされれば「当たり前」と受け取られるが，満たされなければ不満を起こす品質要素をいいます。一元的品質要素が進んで「当たり前」となるような場合です。
魅力的品質要素	満たされれば「当たり前」と受け取られるものではあるが，満たされなくても「仕方ない」と受け取られる品質要素をいいます。
無関心品質要素	満たされていてもそうでなくても，満足感を与えず不満も起こさない品質要素です。「あってもなくても私には影響ない」というような場合です。
逆品質要素 （逆評価品質）	（表現が逆説的になりますが）満たされているのに不満を引き起こす品質要素や，逆に満たされていなくても満足感を与える品質要素があることもあります。満たされていることが一部のユーザーにとっては不快になるようなものも，まれにはあります。

ぼくは
パソコンソフトのワードの
お節介機能がとっても不快だね

そうだね
①を文の始めに書いて改行すると
勝手に見出し数字にされてしまったり
小文字のままでいい時に
頭文字を大文字にされてしまうことも
あるよね

4 デミング・サイクル

　アメリカのデミング博士が品質管理の活動を次のような段階としてとらえ，これを図のような回転する車輪のような図で表わしています。これをデミング・サイクルと呼んでいます。

　このデミング・サイクルが回っていくと進歩や発展につながるということです。

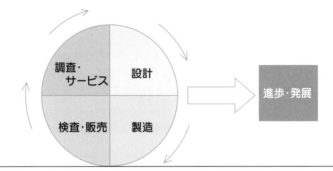

図1-2　デミング・サイクル

5　品質と消費者指向

　品物の品質を**ハードの品質**と表現しますと，サービスの品質は**ソフトの品質**ということができます。いわゆるハードウエアとソフトウエアの考え方です。この両面から顧客の満足(CS, Customer Satisfaction, あるいは Consumer Satisfaction)を満たすことが重要とされます。このような消費者優先の考え方を**コンシューマリズム**（消費者主義）ということがあります。

　顧客という概念は近年では広く捉えられていて，直接に品物を購入する立場の顧客に加えて，工場の中でも「後工程は前工程のお客様」とも言われ，また，経理や労務などの事務部門やサービス部門などにとっても担当する部署を「お客様」と捉えることで業務改善を図ることが多くなっています。

　さらに，従来型の**プロダクトアウト**（製品を作る側の都合を優先する立場）よりも，**マーケットイン**（市場，すなわち，製品を消費する側のニーズを優先する立場）が重要視されてきています。

　つまり，最終的な品質管理の目標は，基本的に顧客の満足を得ることであるという考え方が，より徹底されてきています。

6 品質と社会的影響

　顧客の満足に加え，とくに重要度を増しているものとして，社会的影響があります。つまり，次のような側面の品質問題です。

a）生産過程における品質問題

　資源・エネルギーの使用（資源調達，省エネルギー），振動や騒音，工場廃棄物などが与える影響

b）製品使用段階の品質問題（製品安全）

　使用中の変質，安全性，他者への危害，保守サービスなどの側面

c）使用後の品質問題

　廃棄物としての公害，環境保全，資源リサイクルなどの側面

　これらのような企業の社会的責任という考え方も近年重要視されています。製品が与える様々な影響に対する製造側の責任を**製造物責任**（PL，Product Liability）といっています。これには，場合によっては**無過失責任**（製造者に過失がなくても実害がある場合の責任）も含まれます。PL は**製造物責任法（PL法）**に基づいています。これらを含めて，品物の生産から使用を経て廃棄に至るまでのトータルコストを（通常の生産コストと対比して）**ライフサイクルコスト**（LCC，Life Cycle Cost）と呼んでいます。

ぼくらそれぞれの段階での品質というものがあるんだね

使用前　使用中　使用後

確認問題

知識・実力の確認をしましょう。○か×か考えてみて下さい。

（　）問1：「広い意味の品質」はQCDSからなるとされるが，このSは一般に顧客満足のサティスファクションのSである。

（　）問2：品質管理における品質に，サービスの特性を含むことは一般にはありえない。

（　）問3：基本品質事項を品質要素と呼ぶが，それには，機能，性能，操作性，信頼性，安全性などが含まれる。

（　）問4：製品が与える様々な影響に対する製造側の責任は，製造物責任とよばれ，PLと略記される。

（　）問5：製品の製造において，従来の考え方としてマーケットインが主流であったが，最近ではプロダクトアウトが多くなってきている。

●●● 正解と解説 ●●●

正解　問1：×　問2：×　問3：○　問4：○　問5：×

問1 解説（×）

「広い意味の品質」におけるQCDSのSは，通常は顧客満足のサティスファクションではなくて，安全のセイフティのSとされています。

問2 解説（×）

品質管理における品質とは，品物の特性だけではなく，近年ではサービスの特性も含むこととして考えられています。

問3 解説（○）

記述の通りです。それらをより具体的に表現した尺度レベルなどを品質特性といいます。

問4 解説（○）

これも記述の通りです。PLはプロダクト・ライアビリティーの略です。

問5 解説（×）

記述は逆になっています。従来はプロダクトアウト（製品を作る側の都合を優先する立場）が多かったのですが，最近ではマーケットイン（製品を消費する側のニーズを優先する立場）が重要視されてきています。

実戦問題

問題1

　品質に関する次の文章において，正しいものには○を，正しくないものには×を解答欄に記入せよ。

① 品物を使用するときの使い良さを使用品質という。　　　　　　(1)

② 品質のうち，人間の感覚によって判断されるものを官能特性という。
　　　　　　　　　　　　　　　　　　　　　　　　　　　　　(2)

③ 現在は実現できていない品質であるが，ある時期までに実現できることが
期待される品質水準を品質目標という。　　　　　　　　　　(3)

④ 満たされているのに不満を引き起こす品質要素や，逆に満たされていなく
ても満足感を与える品質要素を，対立品質要素といっている。　(4)

⑤ 満たされていてもいなくても，満足感を与えず不満も起こさない品質要素
を，零次品質という。　　　　　　　　　　　　　　　　　　(5)

【解答欄】

(1)	(2)	(3)	(4)	(5)

問題2

　品質に関する次の文章において，(6)～(9)のそれぞれに対して適切なものを選択肢欄から選んでその記号を解答欄に記入せよ。ただし，各選択肢を複数回用いることはない。

　消費者を別として，製造者側の事情を優先して企画や設計および製造，販売する活動を ▢(6) といい，その逆に，消費者の要望を重視してそれに適合させるように製造者が企画や設計および製造，販売する活動を ▢(7) という。近年では，顧客の ▢(8) ニーズをいかに察知して具現化するかということが ▢(9) を向上させることにとって重要とされている。

【選択肢】

ア．マーケットイン　　イ．プロダクトミックス　　ウ．潜在的

エ．顕在的　　　　　　オ．顧客満足度　　　　　　カ．プロダクトアウト

キ．マーケッティング　ク．市場開拓

【解答欄】

(6)	(7)	(8)	(9)

実 戦 問 題 解答と解説

問題1

解答

(1)	(2)	(3)	(4)	(5)
○	○	○	×	×

解説

①〜③はそれぞれ正しい記述となっています。

④　満たされているのに不満を引き起こす品質要素や，逆に満たされていなくても満足感を与える品質要素は逆品質要素といいます。

⑤　零次品質と言う言葉はありません。満たされていてもいなくても，満足感を与えず不満も起こさない品質要素は，無関心品質要素といわれます。

問題2

解答

(6)	(7)	(8)	(9)
カ	ア	ウ	オ

解説

　正解を入れて，あらためて文章を掲載しますと，次のようになります。それぞれの用語の意味をご確認下さい。

> 　消費者を別として，製造者側の事情を優先して企画や設計および製造，販売する活動をプロダクトアウトといい，その逆に，消費者の要望を重視してそれに適合させるように製造者が企画や設計および製造，販売する活動をマーケットインという。近年では，顧客の潜在的ニーズをいかに察知して具現化するかということが顧客満足度を向上させることにとって重要とされている。

3 管理とは何か

第1章

学習ポイント

・方針管理と日常管理
・PDCA と SDCA
・事実に基づく管理と重点志向

重要度
C

● ● ● 試験によく出る重要事項 ● ● ●

管理とは，英語では比較的狭い意味ではコントロール，比較的広い意味では
マネジメントに対応しています。組織の目的を効率的かつ合理的に達成するた
めの計画と統制を行う組織的な活動を指していう言葉です。その中には，**方針
管理**や**日常管理**があります。

1 方針管理

方針管理とは，組織において組織目的を達成するための手段として制定され
た中長期的経営計画，あるいは，年度毎の経営方針を体系的に実行するための
すべての活動をいいます。

その方針の策定においては，組織の使命，理念，あるいは，ビジョン，およ
び中長期経営計画に基づいて，組織の進むべき方向を明確にした方針を策定す
ることが重要です。

2 日常管理

日常管理とは，組織に属する各部門の担当業務について，その目的を効率
的，合理的かつ継続的に達成するため，日常に行うべきすべての組織的活動を
いいます。品質においても，その品質水準を維持し向上していくという管理が
あります。当然のことですが，この日常管理の進行は，方針管理における方針
とのすり合わせができていなくてはなりません。

日常管理には，次の４つのステップがあり，**管理のサイクル**（頭文字をとっ
て，**PDCA** と略されます）と呼ばれます。以前は，**PDS**（plan-do-see）と
言われていました。

a）計画（**プラン　P，plan**）：目的を決めて，達成に必要な計画を設定します。

b）実施（ドゥー　D, do）：計画に従って実行します。

c）確認（チェック　C, check）：実行した結果を確認して評価します。

d）処置（アクト　A, act）：確認して評価した結果に基づいて適切な処置や改善をします。

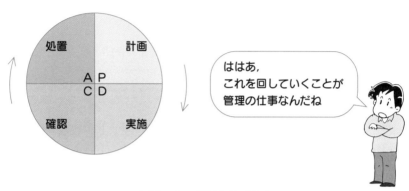

図1－3　管理のサイクル

　本章の2（p30）で出てきましたデミング・サイクルのような形をしていますが，このようなサイクルを実行してゆくことを管理のサイクルを回す（PDCAを回す）ともいいます。処置Aが終われば次の計画Pがスタートします。この段階では，一回前のPより水準が向上していなければなりません。つまり，徐々に上がっていきますので，スパイラルアップ（螺旋的向上），あるいは，スパイラルローリングともいわれます。これが進歩や発展につながります。

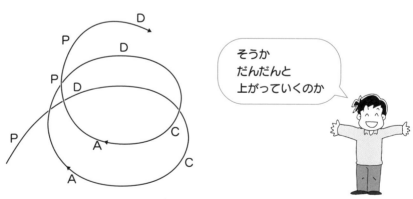

図1－4　スパイラルローリングによる
　　　　改善のイメージ

　一旦向上すると，その段階では以前より高い水準の状態が**標準**（S, standard）となりますので，標準のSから始まってSDCAと表現されることもあります。Dだけの場合に対して，Sが加わり，CAが加わり，さらに，Pが機能した場合の比較をしてみて下さい。PDCAがSDCAより相対的に改善度（傾き）が大きい図になっています。

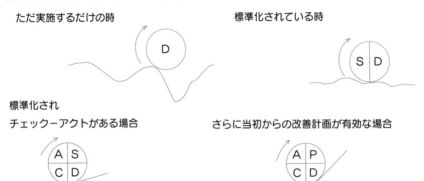

ただ実施するだけの時

標準化されている時

標準化され
チェック－アクトがある場合

さらに当初からの改善計画が有効な場合

図1－5　S, CA, Pの意義

3　事実に基づく管理（ファクトコントロール）

　品質管理においては，事実に基づく管理であるということが，近代的な科学的品質管理の特徴です。事実をデータで示して現状を把握し，原因と結果の関係を調べて対処することが重要です。手法としてできるだけ統計的手法を活用して解析を実施し，改善効果もデータという事実で評価します。

　なお，事実に基づかない管理をKKD管理などということもあります。経験・勘・度胸ということだそうです。そういうことではよろしくないですね。

4　目的志向（目的指向）

　基本的に全ての組織の全ての業務には目的があるはずですね。したがって，すべての業務において，行われる仕事はその目的に向かってなされるべきです。これを目的志向といいます。

5 重点志向（重点指向）

　取り組むべき対象が複数ある場合には，特に重要とみられるものや効果の大きいものから取り組むという原則があります。後述のパレート図（QC七つ道具の一つ，第2章の2，p87）においても効果や影響の大きい順に並べるという意義はそこにあります。

6 対策は源流にさかのぼる（源流志向あるいは指向）

　現状を検討して策定する対策は，可能な限りおおもと（源流）の原因にさかのぼったものでなければなりません。この考えについて「対策は源流にさかのぼる」と表現することがあります。

　一般にさかのぼればさかのぼるほど根本的な対策となります。ただし，根本的な対策は，実行しようとするとお金がたくさんかかることが多く，実際にもう少し簡単な（現実的な，コストの安い）案を実行するか，抜本的な改善案を実施するべきかを判断するのが，組織の管理者の仕事でしょう。

7　見える化

　データなどを対象に，現実がよく見えるように視覚化することも，管理にとって重要です。これを「見える化」と呼んでいます。最近は，警察の取り調べなども映像に残そうという話がありますが，これも「見える化」の一種でしょう。

　「潜在トラブルの顕在化」ということも言われます。目に見えるように工夫することが顕在化に寄与します。これも管理方式の重要な側面でしょう。

8　管理点と点検点

　管理項目は「管理点」と言われ，管理のサイクルのチェック段階で活用し，結果でチェックできるもので数量化し，判定基準（目標値・計画線・処置限界線）をもち，管理図や管理グラフなどを用いてグラフによる管理をするのがよろしいでしょう。

　これに対し，結果に影響を及ぼす個々の原因系の点検項目を「点検点」といいますが，点検点は，「要因をチェックする」，あるいは，「プロセスを管理する」もので，管理項目に影響する要因・環境のうちチェックしておく必要のある項目のリスト（管理項目一覧表）ということになります。

9　トラブル対策

　製造現場においても，あるいは，販売現場などにおいても，日常では，思いもよらないトラブルが起こることがあります。

　まず，そのようなトラブルが発生した場合には，とりあえず取るべき処理としての**応急処置**が重要です。当面の処置が済んだ後は，今後において同じトラブルが起こらないような方策をとる必要があります。これが**再発防止**です。さらには，今後似たようなトラブルをも防御するために，起る前に防ぐという**未然防止**という姿勢が肝要です。あらかじめ起こりそうなトラブルを**予測予防**することが求められます。

そりゃあ
再発防止は
しないとね…

10 方針の管理

　ここまで述べてきた管理というのは，いずれも仕事の基本です。はじめに設定した方針管理の方針に沿って全ての業務が進められているかどうかの確認を必要とします。そしてその達成度を評価し反省する工夫が必要です。それを次期の方針に反映させなければなりません。

11 マトリックス管理

　従来のタテ型の組織管理に対してヨコ型の機能別体系にした組織で管理される形態を言います。

　より詳しく言いますと，日本の企業組織はピラミッド型組織，つまり部門別のタテ割り組織を重視して発展してきましたが，マトリックス管理とは，タテ組織とヨコ組織である「職能別管理」を組み合わせた組織運営のマネジメントを意味することになります。さらには顧客志向の企業横断組織のマネジメントとして発展しているものもあります。

　これらの形をした組織をマトリックス組織ということもあります。また，タテの組織に「横ぐし」としての機能を持たせることで，機能横断組織ということもあります。タテ組織の各部門から特定の目的のためにメンバーを集めて構成するチームを機能横断型チーム（クロスファンクショナルチーム，cross-functional team, CFT）といいます。

マトリックスって数学では行列という意味ですよね

そうですが，ここではタテ組織とヨコ組織が入り混じっていることを言っているのですね

12 職務分掌 (ぶんしょう)

職務分掌とは，あらゆる組織においてそれぞれの部門の担当者が職務として果たすべき責任（職責）や，その職責を果たす上で必要な権限（職権）を明確にするために，職務ごとの役割を整理・配分することをいいます。

多くの企業や組織では，個別の部門・部署や役職，あるいは特定の担当者について，それぞれの仕事の内容や権限・責任の範囲などを定義し，明示しています。このような文書を「職務分掌規定」または「職務分掌表」などと呼んでいます。

13 品質監査

品質監査とは，品質に関する組織活動が組織および品質方針，プロセス，手順にしたがっているかどうかを第三者が体系的にレビューを行うことをいいます。ISO における監査には，内部監査，外部監査などがありますが，内部監査とは，組織の内部のメンバーが業務遂行部署から独立した立場をとって，組織内での業務遂行を検査することをいいます。組織のトップが自らの組織の現状把握のために行えばトップ監査ですが，逆にトップ意識行動等を監査することもトップ監査ということになります。外部監査とは，組織外の監査人（監査組織）による監査をいいます。

14 人材育成

これまでに述べてきました各項目の基礎になるものとして，**人材育成**が挙げられます。「組織作りは人作り」とまで言われるように，これが品質経営の根幹となるものでしょう。それぞれの組織において，品質教育あるいは品質管理教育を体系的に行うことが重要です。

確認問題

知識・実力の確認をしましょう。○か×か考えてみて下さい。

( )　**問1**：方針管理とは，組織において組織目的を達成するための手段
として制定された中長期的経営計画や年度毎の経営方針を体
系的に実行するためのすべての活動をいう。

( )　**問2**：日常管理とは，組織に属する各部門の担当業務について，そ
の目的を効率的，合理的かつ継続的に達成するため，日常に
行うべきすべての組織的活動をいう。

( )　**問3**：日常管理には4つのステップがあり，管理のサイクルと呼ば
れているが，それはそれぞれの頭文字をとって，PDACと略
される。

( )　**問4**：管理のサイクルは，一回回すたびに少なくとも前回より水準
が上がっていることが望ましいので，これをスパイラルアッ
プと呼ぶことがある。

( )　**問5**：管理のサイクルは，以前はPDCと呼ばれていた。

● ● ● 正解と解説 ● ● ●

正解	問1：○	問2：○	問3：×	問4：○	問5：×

問1 解説 （○）

　記述の通りです。方針を立てることによって，活動の実（じつ）が上ることを狙い
ます。

問2 解説 （○）

　これも記述の通りです。問1の方針管理と問2の日常管理は，いずれも重
要な概念です。これらをどの立場の人がどのように行うべきなのかについ
て，よく考えておいて下さい。

問3 解説 （×）

　日常管理の4つのステップが管理のサイクルと呼ばれていることは正しい
ですが，それはPDACではなくて，PDCAと略されます。ISO 9001では品
質について，ISO 14001では環境について，このような管理のサイクルを回
しながら改善を推進することが求められます。

問4 解説 （○）

　記述の通りです。スパイラルアップは日本語でいうと，螺旋（らせん）的向上で，ス

パイラルローリングといわれることもあります。結局,「ネジのように回り
ながら上に昇っていくこと」なのですね。

問5　解説（×）

　管理のサイクルであるPDCAサイクルは,以前はPDSと呼ばれていまし
た。S（シー）がCA（チェック・アクト）に分解されて,より詳しくなっ
たのですね。Sはsee（発音はCと同じですが）の頭文字です。なお,以前
はPDCAのAをアクションといっていた時期もありましたが,他のPDCが
それぞれ動詞形（プラン,ドゥー,チェック）になっていますので,アクシ
ョンだけ名詞形なのは統一性がないという意見が出てきました。そのため,
最近では動詞形に揃えてアクトとする立場が一般的になっています。もちろ
んアクションとアクトは,どちらかが正しいというものではなく,「どちら
の立場もある」ということでご理解下さい。

問題 1

重要度 B

品質管理に関する次の文章において，(1)～(5)のそれぞれに対して適切なものを選択肢欄から選んでその記号を解答欄に記入せよ。ただし，各選択肢を複数回用いることはない。

日本における ⌷(1)⌷ は，⌷(2)⌷ が顧客の要望を反映させつつ主体的によい品質を作り上げてきた。これによって ⌷(3)⌷ の性能は世界において冠たる位置に到達したと言える。これは内容として総合的な ⌷(1)⌷ であって，⌷(4)⌷ と呼ばれる。一方，⌷(5)⌷ は，⌷(1)⌷ に関する規格であるが，これは総合的というよりも組織のシステムを対象とした規格であり，⌷(4)⌷ に含まれる多くの改善手法までを含むものではない。

【選択肢】

ア．ISO 9001 　　イ．ISO 14001 　　ウ．日本製品

エ．海外製品 　　オ．品質管理 　　カ．TQM

キ．TQP 　　ク．製造者・供給者 　　ケ．消費者

【解答欄】

(1)	(2)	(3)	(4)	(5)

問題2

重要度 Ⓐ

　PDCA サイクルに関する次の文章において，正しいものには〇を，正しくないものには×を解答欄に記入せよ。

① 　PDCA サイクルにおいて，D の do も A の act もともに行動することに関係するが，D は P の plan に基づいて行動することであって，A は C の check に基づいて行動することである。　(6)

② 　以前 PDS と呼ばれていたサイクルのうち，S の see を分解して，C と A，すなわち，check と act にしたことによって，PDCA サイクルとなった。　(7)

③ 　計画に基づいて実行する場合のサイクルは PDCA であるが，それによって標準化された後のサイクルは SDCA サイクルとなる。この S は see のことである。　(8)

④ 　SDCA のサイクルは，改善され向上する時に回され，PDCA のサイクルは，一定の水準が維持される時に回される。　(9)

【解答欄】

(6)	(7)	(8)	(9)

実戦問題 解答と解説

問題1

解答

(1)	(2)	(3)	(4)	(5)
オ	ク	ウ	カ	ア

解説

　それぞれの　□　に正解となる用語を入れて，あらためて文章を掲載しますと，次のようになります。TQM と ISO の違いを確認下さい。

> 　日本における品質管理は，製造者・供給者が顧客の要望を反映させつつ主体的によい品質を作り上げてきた。これによって日本製品の性能は世界において冠たる位置に到達したと言える。これは内容として総合的な品質管理であって，TQM（トータル・クオリティ・マネジメント）と呼ばれる。一方，ISO 9001は，品質管理に関する規格であるが，これは総合的というよりも組織のシステムを対象とした規格であり，TQM に含まれる多くの改善手法までを含むものではない。

問題2

解答

(6)	(7)	(8)	(9)
○	○	×	×

解説

③　SDCA サイクルの S は，see の S ではなく，標準化の standard の S です。

④　記述は逆です。SDCA のサイクルは，標準化されて一定の水準が維持される時に回され，PDCA のサイクルは，改善され向上する時に回されます。

> 標準化がなされたり
> 管理のサイクルがまわったり
> すると組織の業務は安定して
> しかも高い所に登れるんだね

4 標 準 化

学習ポイント

・標準と規格
・標準化とは？
・標準化の各階層

重要度
C

●●● 試験によく出る重要事項 ●●●

1 標準と規格

　何かの行動をする際に多くの方法があって，一概には一つに確定していない場合，それぞれがてんでばらばらなやり方をしては収拾がつかなくなります。

　用紙のサイズも，一定の基準を作り，そのちょうど半分，更にその半分というようなサイズを標準としておけば，大きなものから小さなものまで一連の標準となる規格が作られます。メーカーが違っても使いやすいものとなります。

　標準とは，関連する人の間で利益や利便が公正に得られるように取り決められたものとされます。もう少しわかりやすく言えば，多くの仕事のやり方がある中で，最も効率の上がるものを，全員に適用する方式のことです。

　また，**規格**とは，一定の状況において最適な秩序を保つことを目的として，規則，指針または特性を共通にするために定めるものであって，合意によって確立され公認の機関によって承認されたものとされています。

　標準や規格の対象は，品物（製品）に関することから組織に関するものまで広く捉えられています。例えば，ISO 9001などは，組織に関する品質管理レベルの規格と言えます。

　標準値とは，標準に記載されている規定された数値をいい，規格の場合には**規格値**といいます。標準値は，一般に**基準値**（もとになる値）と**許容値**（あるいは**許容限界値**，許される限界の値）からなっています。

2 標準化

　標準化とは，「標準を設定し，これを活用する組織的行為」と定義されてい

ます。

　標準化されているものも，世の中には非常に多く，用紙のサイズなどの例を見るまでもなく，工業的製品の多くが標準化されています。昨今のようなグローバル化の時代には特に必要になっていると言えるでしょう。

　標準や規格を作成して使用していく活動を**標準化活動**と呼んでいます。規格には，世界的レベルから企業内レベルまで多くの階層があります。表1－5を参照下さい。国をまたがる場合には，二国間の相互承認協定（MRA, Mutual Recognition Agreement あるいは Mutual Recognition Arrangement）や多国間の国際相互承認協定（MLA, Multilateral recognition Agreement あるいは Multilateral recognition Arrangement）という協定によって相互承認をする仕組みとなっています。

表1－5　各階層の標準化規格

規格	規格の内容（例）
国際規格（世界規格）	ISO 規格，IEC 規格注）
国際地域間規格	複数の国家間における規格等（EU の EN 注）など）
国家規格	JIS（日本産業規格），JAS（日本農林規格），BS（英国の規格），ANSI（米国の規格），DIN（ドイツの規格），GB（中国の規格）等
業界規格（団体規格）	各種の業界規格，団体規格等
企業規格	個別の社内基準（企業規格，社内規格）等

注）IEC：国際電気標準会議（International Electrotechnical Commission）の略で，電気分野の国際規格を策定する組織です。電気分野以外は ISO が担当します。
　　また，EN とは欧州統一規格のことです。

　標準化の目的としては次のようなものが挙げられます。

① **目的適合性**：特定の条件の下で，複数の製品や方法またはサービスが所定の目的を果たすこと

② **両立性（共存性）**：特定の条件の下で，複数の製品や方法またはサービスが相互に不当な影響を及ぼすことなく，それぞれの要求事項を満たしながら，ともに使用可能であること

③ **互換性（または，インターフェースの確保）**：製品や方法またはサービスが同一の要求事項を満たしながら，別のものに置き換えたり接続したりして使用可能であること

④ **多様性の調整（多様性の制御）**：多くの必要性を満たすように，製品や方法またはサービスの形式やサイズを最適な数に選択できること

⑤ **安全性**：容認できない危険性のリスクが少ないこと

⑥ **環境保護**：製品や方法またはサービスそれ自体，および，その運用において生じる容認できない被害から環境を守ること

⑦ **製品保護**：使用中，輸送中，保管上，あるいは，気候に関する好ましくない条件などから製品を守ること

⑧ **貿易障害の除去**：国家間の異なる規格によって貿易障害が起こることを防ぐこと

3　産業標準化

産業分野における標準化のことを**産業標準化**と呼んでいます。日本では産業標準化法に基づいて JIS（日本産業規格，Japanese Industrial Standards）が定められています。

JIS には大きく次表のような 3 分類があります。

表1-6　JIS の分類

分類	内　　容
基本規格	用語，記号，単位，標準数など適用範囲が広い分野にわたる規格，または特定の分野についての全般的な事柄に関する規格
方法規格	試験方法，分析方法，生産方法，使用方法などの規格で，所定の目的を確実に果たすために，方法が満たされなければならない要求事項に関する規格
製品規格	鉱工業品，データ，サービス等が特定の条件のもとで所定の目的を確実に果たすために，満たされなければならない要求事項（要求事項の一部だけである場合を含む）に関する規格

また，JIS マーク表示制度という制度があり，一定水準の品質や性能を有す

る鉱工業品を安定して製造することが可能な技術的能力を持つ工場に対して
JIS マークの表示を認定しています。JIS マークには図 1 - 6 に示しますよう
な種類があります。

(a) 鉱工業品　　　　　(b) 加工技術　　　　　(c) 特定側面

図 1 - 6　JIS マーク

　さらに，すべての鉱工業品に係る試験方法に関して，その試験を行う機関が
適切な試験結果を提供する能力があるかどうかを第三者が認定する制度があ
り，**試験所認定（登録）制度**と呼ばれています。これは試験に対する国際的な
要求事項である ISO/IEC 17025（JIS Q 17025）の適合性について，その管理体
制，要員，試験施設，あるいは試験機器などが適切であるかどうかを審査し
て，認定された場合に通知がなされるものです。

4　社内標準化

社内標準（社内規格）とは，個々の企業内で企業の運営やその成果物に関して定めた標準とされています。社内標準を作っていくことが**社内標準化**です。

社内標準化の目的および効果としては，次のようなものが挙げられます。

① 固有技術を企業として蓄積し技術力を向上させること
② 部品や製品の互換性やシステムの整合性の向上によるコスト低減
③ 社内への企業方針ならびに計画の周知
④ 取扱説明書やカタログなどによる顧客への的確な情報伝達
⑤ 業務のルール化や統一化による能率向上，ならびに，部門間の連携強化
⑥ ばらつき管理による品質安定化
⑦ 設備保全や災害予防体制の確立による労働災害の未然防止や作業者の安全管理向上
⑧ 製品規格などによる安全性や信頼性ある製品の消費者への提供と社会利益への貢献

確認問題

知識・実力の確認をしましょう。○か×か考えてみて下さい。

( )問1：標準とは，関係する人々の間で利益や利便が公正に得られる
ように取り決められたものとされる。

( )問2：規格という概念は，基本的に物品にのみ当てはまるものであ
る。

( )問3：ISO 9001は組織に関する環境管理の規格であり，ISO 14001
は組織に関する品質管理の規格である。

( )問4：次のマークは加工技術に関するJISマークである。

( )問5：試験所認定制度は，試験に対する国際的な要求事項である
ISO/IEC 17025に基づいている。

● ● ● 正解と解説 ● ● ●

| 正解 | 問1：○ | 問2：× | 問3：× | 問4：× | 問5：○ |

問1 解説 （○）

　標準という用語がどのように定義されているのかを確認しておいて下さ
い。

問2 解説 （×）

　規格という概念は，（歴史的な出発点としては物品にのみが対象であった
時代もありますが），現今では組織のような形のないものについても適用さ
れる概念になっています。

問3 解説 （×）

　記述は逆になっています。ISO 9001は組織に関する品質管理の規格であっ
て，ISO 14001が組織に関する環境管理の規格となっています。

問4 解説 （×）

　問題に示されたマークは加工技術のものではなくて，鉱工業品に関する
JISマークです。加工技術に関するJISマークは次のものとなっています。

微妙な違いですが，外側の円があるかないかを確認下さい。

問5 解説 （○）

　これは記述の通りです。ISO/IEC 17025は，近年広く採用されるようになっています。

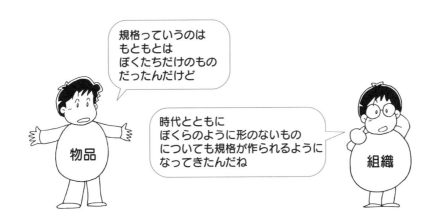

実戦問題

問題1

重要度 Ⓐ

標準化に関する次の文章において，正しいものには○を，正しくないものには×を解答欄に記入せよ。

① 作業者の誤作業や誤動作によって生じる不適合品の発生，あるいは，作業者の危険を未然に防ぐ手法としてファクトコントロールがある。 ⬚ (1)

② 試験所認定制度とは，試験に対する国際的な要求事項である ISO/IEC 14025（JIS Q 14025）の適合性について，その管理体制，要員，試験施設，あるいは，試験機器などが適切であるかどうかを審査して認定された場合に通知がなされるものである。 ⬚ (2)

③ 標準はできるかぎり広く活用されることが望ましいので，似たものであっても重複をおそれずに作成しなければならない。 ⬚ (3)

④ 標準化は，生産の段階において重要であるが，それだけにとどまらず，設計の局面においても大きな役割を果たすものである。 ⬚ (4)

⑤ 日本産業規格である JIS マークは，鉱工業品，加工技術，および特定側面に分類されているが，そのうち鉱工業品のものは次のようになっている。

⬚ (5)

⑥ 標準化された工程からは不適合な製品は発生しないので，製品検査を省略することができる。 ⬚ (6)

⑦ 多品種少量生産の製品製造においては，標準化の意味はほとんどないと言ってよい。 ⬚ (7)

【解答欄】

(1)	(2)	(3)	(4)	(5)	(6)	(7)

問題2

重要度 Ⓑ

標準に関する次の文章において，(8)～⑿のそれぞれに対して適切なものを選択肢欄から選んでその記号を解答欄に記入せよ。ただし，各選択肢を複数回用いることはない。

標準に記載されている規定された数値を　(8)　という。それが規格による場合には　(9)　ということがある。　(8)　は　⑽　と　⑽　からの幅としての　⑾　からなるが，上限や下限などの形で表現される場合には　⑿　と呼ばれる。

【選択肢】

ア．作業値　　　　イ．規格値　　　ウ．緩和値

エ．閾値　　　　　オ．基準値　　　カ．許容限界値

キ．標準値　　　　ク．許容差　　　ケ．平均値

【解答欄】

(8)	(9)	⑽	⑾	⑿

さぁーて
よく考えてみよう

実戦問題 解答と解説

問題1

解答

(1)	(2)	(3)	(4)	(5)	(6)	(7)
×	×	×	○	×	×	×

解説

① 作業者の誤作業や誤動作によって生じる不適合品の発生，あるいは，作業者の危険を未然に防ぐ手法は標準作業といいます。ファクトコントロールとは，経験や勘に頼るのではなく，客観的な事実やデータに基づいて管理をすることをいいます。

② 試験所認定制度がISO/IECに基づいていることはその通りです。しかし，細かいですが，ISO/IEC 14025（JIS Q 14025）ではなくて，ISO/IEC 17025（JIS Q 17025）によっています。

③ 標準ができるかぎり広く活用されることが望ましいことはその通りですが，類似のものを多く作ってもどれを適用すべきかで混乱をきたすおそれもありますので，「重複をおそれずに作成」することには問題があります。

⑤ 日本産業規格であるJISマークの鉱工業品は，問題の図とは微妙に違っていて次のようになっています。ご確認下さい。

⑥ 標準化された工程といっても，標準化された通りに生産できないことや，その他の要因で不適合な製品が発生することはありえます。したがって，製品検査を省略することは通常はできません。

⑦ 標準化とは，繰返し生産する製品の製造に限るものではなく，多品種少量生産の製品を製造する際においても，部品や作業の共通部分があるはずですので，そのようなものを含めて標準化の余地は大いにあるはずです。

問題2

解答

(8)	(9)	(10)	(11)	(12)
キ	イ	オ	ク	カ

解説

それぞれの ☐ に正解となる用語を入れて，あらためて文章を掲載しますと，次のようになります。図とともにご覧下さい。

> 標準に記載されている規定された数値を標準値という。それが規格による場合には規格値ということがある。標準値は基準値と基準値からの幅としての許容差からなるが，上限や下限などの形で表現される場合には許容限界値と呼ばれる。

図1-7　標準値（規格値）の構成

連続の勉強は疲れますよ

コーヒータイムにしましょう

 ブレーンストーミング法

　ブレーンとは脳のこと，ストーミングのストームは嵐です。つまり，頭の中に嵐を巻き起こして，これまでにないアイデアを生み出そうという手法で，アメリカのオズボーン博士の提案されたものです。

　方法としては，次の４つの原則を守りながら，あるテーマについて，複数のメンバーが一人につき一回に一件のアイデアを提出していくということです。一巡したらまた先頭に戻っていつまでも出し続けます。だんだんと苦しくなりますが，それでも出し続けることでよい案を得ようとするものです。まずは，質より量を優先して数を出すこと，その中にいいものが少しでも出てくればよしとします。皆さんも一度試してみられてはいかがでしょうか。たとえば，「新聞紙の使い方」というテーマでも数十個のアイデアが出ると思います。

【ブレーンストーミング法の４原則】
① 　自由奔放を歓迎
② 　他人の案の批判厳禁
③ 　質より量を重視
④ 　結合・便乗・改変の歓迎

第2章

品質管理の手法

品質管理には
どういう武器が
あるのだろう？

1 データの採り方

●●● 試験によく出る重要事項 ●●●

1 データ

　品質管理は事実に基づいて行われますが，客観的な事実を示すものとしてデータが重要です。データとは，解析の対象となるものを観察や測定した結果として記録される情報のことです。同一のものを測定しても，そのデータは必ずしも常に同一になるとは限らないこともあり，それは**ばらつき**と呼ばれますが，データを適切に処理することによって，そのばらつきの程度や対象となるものの真の姿を把握することもできます。

　データを採るべき対象（管理の着眼点）として，あるいは，検討の着眼点として，一般に**4M**（原材料 Material，機械・設備 Machine，作業者 Man，加工方法 Method）や，**QCDS**（第1章の2，p27）などが検討されます。4Mに計測・測定 Measurement を加えて**5M**とすることや，環境 Environment を加えて**5M+E**などとする場合もあります。また，P（生産性，Productivity），M を「人」（man）に限定して，**QCDSPME**とまとめることもあります。

データには次のような種類があります。

a）数値データ

　　数量（数字）で表わされたデータです。これには**計量値**（重さ，長さ，面積，濃度などのように，測定して得られる連続量のデータ）と**計数値**（人の数，個数など，整数値をもとにするデータ）とがあります。

b）言語データ

　　数値になっていないデータのことです。例示しますと，「しなやかさ」，「安定性」などという品質特性が挙げられます。

c）分類データ

　　対象となる集団を分類した場合において，分類の各クラスに名前の付されるデータです。各クラスに順序のある場合を**順序分類データ**，順序がない場合を**純分類データ**と呼ぶことがあります。

d）順位データ

　　測定した結果について，対象集団の中で第一位から順に相対的な順序を付ける場合のデータです。

e）官能評価データ

　　肌ざわりや味などのように，直接には数値にしにくいもので，人間の五感に基づいて評価されるデータのことです。

2　母集団と標本

　　データの対象となる集団の全体を**母集団**といいますが，対象集団の全体をデータにすることは一般には困難ですので，通常はその一部を測定することで全体を推定することになります。「測定する一部」を**標本（サンプル，あるいは試料）**といいます。サンプルを採取することを**サンプリング**といっています。

　　母集団のうち，特定の条件のものだけを集めたものを**ロット**といいます。ロットは一般に有限個の対象ですので，**有限母集団**と呼ぶこともあります。これに対して，数の特定のできない全体の集団を**無限母集団**ともいいます。ロットは通常，同一工程の同一条件で得られた製品などに対して使われる用語です。

　　母集団とサンプルの関係は図2－1のようになっています。ここにはp 37で説明しましたPDCAサイクルの要素が含まれています。また，制御理論でいうフィードバック・ループ（結果を見て，対象を調整する方式のループ）にもなっています。

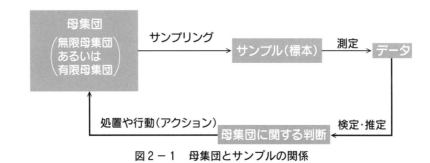

図2－1　母集団とサンプルの関係

ははぁ，ここにも
P－D－C－Aの精神が
活かされているんだね

③ データ採取において注意すべき事項

事実を正しく把握して管理に反映させるために次のような点に注意します。

① データをとる目的を明確にしておきます。

② データの対象とする母集団を明確にします。

③ データの履歴を明らかにします。具体的には，5W1H（いつ，誰が，どこで，どのようにして，何のために，なぜ得られたデータなのか）です。

④ できるだけランダムにとられたサンプルを測定します。ランダムとは無作為に（特定の条件に影響されないように，各サンプル対象にとって公平に）ということです。

⑤ 影響要因と結果とが互いに対応するようにデータをとります。

④ データの誤差

母集団の情報とデータの情報とのずれを**誤差**といいますが，誤差は測定値から真の値を引いたものです。すなわち，

誤差＝測定値－真の値

　誤差の要因はサンプリングの際の誤差（**サンプリング誤差**）と測定の際の誤差（**測定誤差**）とに分類されます。これらは，次のような関係になります。

> 測定値＝真の値＋サンプリング誤差＋測定誤差

　また誤差には，**かたより（かたより誤差）** と **ばらつき（ばらつき誤差）** とがあります。

a) **かたより**：真の値からのずれ（測定値の平均から真の値を引いた値）

　　　　　　　　データの全体が下駄をはいたように（あるいは，下駄を脱いだように）ずれている誤差

b) **ばらつき**：測定値の大きさがそろっていないこと（不ぞろいの程度）

　　　　　　　　（全体がずれているようなことではなく，）個々のデータがばらばらであるような誤差

統計学では
「かたより」と「ばらつき」
の二つが
とっても大事なんだそうですね

そうなんです
その二つが大事なんです

　誤差と似たような用語で，次のようなものがあります。若干意味が違いますので注意を。ここで，**母平均** とは母集団（対象とする集合の全部）の平均を意味します。ただし，母平均は無限母集団では一般に求められませんし，有限母集団であっても対象の数が，極めて多い場合には計算が困難ですね。しかし，推定することはできます。また，試料平均とは，文字通り試料（サンプル）の平均のことです。

> 残差＝測定値－試料平均

> 偏差＝測定値－母平均

　これらを図に示しますと次のようになります。

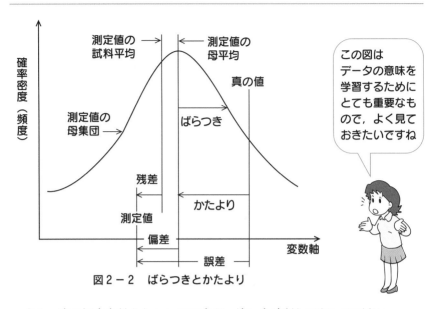

図２−２　ばらつきとかたより

　また，次の概念も紛らわしいのですが，違いを確認しておいて下さい。

正確さ：かたよりの小さい程度

精密さ（精密度）：ばらつきの小さい程度

精度（精確さ，総合精度）：正確さ＋精密さ

5　データを表わす統計量

　母集団の平均を母平均と呼び，ギリシャ文字によって通常 μ で表わします。また母集団のばらつき具合である分散（**母分散**，p 70に分散の計算式を示します）を σ^2，その平方根である標準偏差（**母標準偏差**，これも p 70に標準偏差の計算式を示します）を σ と書きます。これらはサンプリングや測定方法によらない値のはずですので，**母数**といいます。これに対して，母数を推定するために計算する量を**統計量**と呼んでいます。母平均 μ や母標準偏差 σ は実際には正確にわかることはないのですが，その推定値として表現する場合にそれぞれ $\hat{\mu}$ や $\hat{\sigma}$ と書くことがあります。

このあたりは
とても重要なところなので
よく学習しておいてください

a）母平均を推測するための統計量（かたよりを推測するための統計量）

（1）　相加平均値（単純平均値，代数平均値，算術平均値）$\bar{x}$ または $E(x)$

　n 個のデータ（測定値）$x_1, x_2, \cdots, x_n$ から次の式で求めたものをいいます。$\bar{x}$ はエックスバーなどと読みます。

$$\bar{x} = \frac{x_1 + x_2 + \cdots + x_n}{n} = \frac{\sum_{i=1}^{n} x_i}{n} = \frac{\sum x_i}{n}$$

　ここで，$\sum$ はギリシャ文字 σ（小文字）の大文字です。その下の $i=1$ と上の n が示す意味は，i を 1 ずつ増やしながら 1 から n まで足しなさい，ということです。明らかにわかる場合には，「$i=1$」や「n」を書くことを省略します。$\sum$ の計算は見慣れないとなかなかややこしいと思われがちですが，少しずつでも練習しておきましょう。

　平均値は，データ数 n が20個くらいまでの場合には，測定値の 1 桁下の桁まで求め，それ以上の場合には 2 桁下の位まで求めることが普通です。

(2)　メディアン（またはメジアン，中央値）$\tilde{x}$ または $Me(x)$

　得られたデータを大きさの順に並べた場合の中央に位置するデータをいいます。$\tilde{x}$ はエックスウェーブと読みます。データの数が偶数の場合には，中央の二つのデータの平均値を採用します。メディアンは，平均値に比べて母平均の推定精度は劣りますが，迅速に求められる点が優れています。また，データの中に特別に外れた値があってもその影響を受けにくいことも利点です。

(3)　モード（最頻値，最多値）

　データの中で最も多く表れている値をいいます。「最頻値」がそれをよく表していると言えるでしょう。度数分布図（後述のヒストグラム，p 88）において，最も高い階級の値になります。

　分布の形が違ってくると，平均値とモード，メディアンの相対関係が変化します。図2－3でご覧下さい。左右対称に近いほど，これらが一致します。

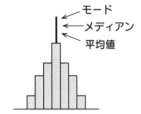
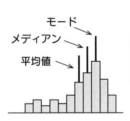

非対称でかたよりがあると平均値やモードなどが一致しなくなるのですね

a）ほぼ左右対称な分布の場合　　b）非対称で右にかたよった分布の場合
図2－3　　分布の違いによる平均値とモード，メディアンの関係

b）ばらつきを推測するための統計量

(1)　範囲 R または $R(x)$

　データの中の最大値 $x_{\max}$ と最小値 $x_{\min}$ の差をいいます。最も簡便に求められますが，外れデータに引きずられて推定精度が落ちるという欠点があります。

$$R = x_{\max} - x_{\min}$$

アールはそんなにもアールんですか？

(2)　偏差平方和（平方和）S または $S(x)$，S_{xx}

偏差とは各データ x_i から平均値 $\overline{x}$（正確には母平均ですが，一般に試料平均で代用します）を引いたもの $(x_i - \overline{x})$ ですので，この2乗和のことを偏差平方和といいます。

$$S = \sum_{i=1}^{n} (x_i - \overline{x})^2 = \sum_{i=1}^{n} x_i{}^2 - \frac{\left(\sum_{i=1}^{n} x_i\right)^2}{n} = \sum_{i=1}^{n} x_i{}^2 - n\overline{x}^2$$

S の右に三つの式があるのは，$(x_i - \overline{x})^2$ を展開して計算すると，右側の式に等しくなるからです。一番右側の式が最も多く用いられます。比較的よく出てくる計算ですので，計算練習を兼ねて一度計算してみられることをお勧めします。計算過程を示します。次式が成立することはよろしいでしょうか。

$$\sum_{i=1}^{n} x_i = n\overline{x} \qquad \sum_{i=1}^{n} \overline{x}^2 = n\overline{x}^2$$

これらを用いますと，次のように計算されます。

$$\begin{aligned}
\sum_{i=1}^{n} (x_i - \overline{x})^2 &= \sum_{i=1}^{n} \left(x_i{}^2 - 2\overline{x}x_i + \overline{x}^2\right) \\
&= \sum_{i=1}^{n} x_i{}^2 - 2\overline{x}\sum_{i=1}^{n} x_i + \sum_{i=1}^{n} \overline{x}^2 \\
&= \sum_{i=1}^{n} x_i{}^2 - 2\overline{x}\cdot n\overline{x} + n\overline{x}^2 \\
&= \sum_{i=1}^{n} x_i{}^2 - n\overline{x}^2 \\
&= \sum_{i=1}^{n} x_i{}^2 - \frac{\left(\sum_{i=1}^{n} x_i\right)^2}{n}
\end{aligned}$$

このあたりの式の変形をむつかしいと思われる方はパスして結果だけを見て下さいね

(3)　分散（不偏分散，平均平方）V（データの分散ですので，母分散のσ^2と区別してVと表記する形です。母分散も計算方法は同様です）または$V(x)$

　　平方和Sを**自由度**（データ数が変化しうる度合い）で割ったものを分散といいます。通常は，自由度は$n-1$となります。nで割っていないことに留意下さい。

$$V = \frac{S}{n-1}$$

　　ばらつきという量は，データの中での相対的なものですので，中央値や平均値など何か一つ与えても（あるいは全体をスライドしても）相対関係は不偏である（偏らない）という性質から自由度は$n-1$とするのが普通です。（一つを固定して，それと他の$n-1$個との相対関係で見ています。データの数はn個ですが，データの相対関係の自由度が$n-1$個となると見て下さい。一方，nで割って求める立場もあり，その場合は**標本分散**といいます。）

　　なお，自由度nが50〜100を超えるレベルでは，誤差が小さくなりますので，$n-1$の代わりにnを用いても，その誤差はかなり小さくなります。

(4)　標準偏差s（データの標準偏差ですので，母標準偏差のσと区別してsと表記しています。母標準偏差も計算方法は同様です）または$s(x)$

　　分散の平方根です。これによって，データと同じ単位（次元）となります。

$$s = \sqrt{V} = \sqrt{\frac{S}{n-1}}$$

　　標準偏差の数値として，通常は有効数字を最大3桁に取ります。

　　ここまで，(2)〜(4)の計算は，何かもってまわったような印象かもしれません。（少しアバウトな説明になりますが）実は，平均値からのずれ$x_i - \overline{x}$という量の大きさ（絶対値）を平均したいのですが，$|x_i - \overline{x}|$を足して平均しても計算式として面倒なので，2乗して平方根をとっているのだと考えていただければと思います。（平均をとる量$n-1$とその割り算のタイミングに違和感を覚えるかもしれませんが，おおむねそういうものだと思って下さい。）

標準偏差とは
おおよその話だけど
平均値からのばらつき度合いの
平均だと思えばいいんだね

なので，平均との差の2乗を合計して
（平均して）ルートをしているんだね

(5)　変動係数 *CV* または *CV(x)*

標準偏差を平均値で割ったものです。通常はパーセント（％）表示をすることが多いです。変動係数は平均値に対するばらつきの相対的な大きさです。

$$CV = \frac{s}{\bar{x}} \times 100 = \frac{\sqrt{V}}{\bar{x}} \times 100 \quad （\%）$$

標準
偏差

$\times 100 =$

平均値

変動係数

代表値やばらつきを
示すにも
いろんな方法が
あるんだなぁ

c）母集団とサンプルの量の表記

母集団とサンプル（標本）とでは，表2−1のように，用いる変数記号を一般に区別しています。

表 2 － 1　母集団とサンプルの量の表記

	母集団（母数）	サンプル（統計量）
平均	母平均 μ	平均値 $\overline{x}$
ばらつき	－	偏差平方和 S
	母分散 σ^2	不偏分散 V
	母標準偏差 σ	標準偏差 s

お茶にしますか？ 　　　　　標準偏差とは？

　標準偏差は，英語で standard deviation といいます。この言葉は初めての方にはその意味がピンと来ないかもしれませんね。

　簡単に言うと「平均からのブレの程度」，あるいは「平均からの差の程度」ということで，命名者はピアソンという有名な統計学者です。

　単純に言って偏差 $x_i - \overline{x}$ を平均したものですが，偏差をそのまま足し算しますとプラスマイナスが相殺されて意味をなさなくなりますので，偏差を 2 乗して平均して平方根を取っています。相殺しないようにするには，絶対値 $|x_i - \overline{x}|$ を平均したらよいのではないかという意見も出そうですが，それでは計算がかなりややこしくなりますし，実はもっとむつかしい理屈もあって，次の式のように 2 乗して平均をとる 2 乗平均という方法を採っています。n で割らずに $n-1$ で割っている理由は本文中で説明した通りです。

$$\sqrt{\frac{\sum_{i=1}^{n} (x_i - \overline{x})^2}{n-1}}$$

標準偏差にはそういう意味があったのか

d）データの標準化

　n 個の計量値がある時，それぞれから平均値を引き，標準偏差で割ることを「データを標準化（規準化，あるいは，正規化）する」といいます。第1章の4（p 49）に出てきた「作業等の標準化」とは意味が異なりますので，混同しないようにして下さい。標準化されたデータは，平均が0，分散が $1^2 = 1$ となって，単位を持たない量となります。英語では，標準化や規準化は standardization，正規化は normalization と訳す場合があります。

e）平均値の種類

　先に出てきた平均値（単純平均）は，最もよく用いられるもので，相加平均などと呼ばれますが，その他にもいくつかの平均値があります。二つの数 a と b の何らかの平均値を $m(a, b)$ としますと，平均値には次のような性質があります。

　①　$a = b$ の時，$m(a, b) = a$，つまり　$m(a, a) = a$
　②　a と b を入れ替えても同じ，つまり　$m(a, b) = m(b, a)$
　③　$m(a, b)$ の次元（単位）は，a と b に同じ。
　④　$a > b$ ならば，$a > m(a, b) > b$
　以下，いくつかの平均値を紹介します。

（1）　相乗平均

　二つの正数 a と b の相乗平均は，掛け算して平方根をとったものですので，次のように書かれます。

$$\sqrt{ab}$$

　相乗平均の例を考えてみますと，たとえば，大きさが10,000（つまり，1万）と1の平均の場合（大きさが大幅に違っている数字の場合），普通に単純平均をとることも，もちろんありえます。その場合，$(10,000 + 1) \div 2 = 5000.5$ となりますね。

　そういう場合もありますが，桁数として（桁数的に）平均を取りたい場合もあります。そういう時は $\sqrt{10,000 \times 1} = 100$ となります。

　現実の例として，裁判の事例などで多いのですが，要求する側が10,000円，支払い側が1円を主張する時，5000.5円が妥当か，100円が妥当か，どちらが落としどころとしてよろしいと思われますか？もちろん，これはどちらが正解ということではありませんが，裁判官の判断として，相乗平均の場合が多いようです。要求する側が数字を吊り上げれば上げるほど単純平均の

数字は要求側に近づきますね。それを少しでも緩和しようとして相乗平均が使われることが多いようです。もちろん，裁判でいつもそういう判断がなされるとは限らないことをお断りしておきます。

(2)　調和平均

二つの数 a と b の調和平均とは，それぞれの逆数の相加平均の逆数です。

$$\frac{1}{\dfrac{\dfrac{1}{a}+\dfrac{1}{b}}{2}} = \frac{2ab}{a+b}$$

例として，山に登って降りる場合を考えてみましょう。登りは時速 3 km で登り，下りは時速 6 km で降りたとして，その平均をとりたいという問題があったとします。登る距離と降りる距離は（勾配の違いはあっても）同じですね。その距離を A［km］としておきましょう。

単純平均では，（3＋6）÷2＝4.5 km／時となります。しかし，より正確には，往復の距離を往復した時間で割るべきですね。その場合，往復の距離は 2A［km］になります。かかった時間は，上りで

A［km］÷3［km/時］＝A／3［時］

一方，下りでは，

A［km］÷6［km/時］＝A／6［時］

となりますから，往復の時間は A／3［時］＋A／6［時］＝A／2［時］です。

よって，往復の距離を時間で割って，2A［km］÷A／2［時］＝4［km／時］となります。さきほどの 4.5［km/時］よりもこのほうが正確ですね。これが調和平均になっています。

$$\frac{2\times3\times6}{3+6} = 4 \text{［km/時］}$$

(3)　対数平均

二つの正数 a と b の対数平均は次のように書かれます。

$$\frac{a-b}{\ln(a)-\ln(b)}$$

ここで，$\ln$ は自然対数（底が $e = 2.718\cdots$）を表わしています。

対数平均の例を挙げたいところですが，これはやや専門的なものが多いので割愛します。$\ln$ は次のような関数なのですが，おなじみでない方はこの

部分をスルーしていただいても結構です。

$$\ln(x) = \log_e(x)$$

(4)　重み付け平均（重み付き平均）

　重要度（頻度など）をかけて平均することを重み付け平均といいます。二つの数 a と b の重みをそれぞれ，W_a，W_b としますと，重み付け平均は，次のようになります。

$$\frac{aW_a + bW_b}{W_a + W_b}$$

　一例として，ある学年に生徒の数が 30 人と 20 人の二つのクラスがあって，テストの平均点がそれぞれ 80 点と 70 点であったとします。

　学年の平均点を出したい場合，単純平均では，$(80+70) \div 2 = 75$ 点となります。

　しかし，クラスの生徒の数に違いがありますので，多少の正確さを欠くことになります。より正確には，クラスの全点数をもとに平均を出すべきですね。

　つまり，80 点 $\times$ 30 + 70 点 $\times$ 20 = 2,400 + 1,400 = 3,800 点

　これを学年全体の生徒数で割りますと，3,800 点 $\div (30+20) = 76$ 点

　これらを比較すると，75 点も概算としては構わないのですが，76 点のほうがより正確ですね。これが重み付け平均です。生徒数の重みを加味して計算しているということです。

平均にも
いろいろあるんだなぁ

どれを使えばいいのか
考えなくちゃ
いけないなぁ

6 　分散の加法性（加成性）

　製品の特性には，多くの変動要因があります。項目別の要因（製造条件 A，製造条件 B など）や，段階的な要因（製造段階，サンプリング段階，測定段階など）が考えられます。それがばらつきの原因ですが，全体のばらつき（分散）は，個々の要因のばらつき（分散）の合計となります。これを分散の加法性（加成性）と言います。要因 A，B，C があるとして，それぞれが起因する分散を $\sigma_A{}^2$，$\sigma_B{}^2$，$\sigma_C{}^2$ としますと，全体の分散 σ^2 は，次のようになります。

$$\sigma^2 = \sigma_A{}^2 + \sigma_B{}^2 + \sigma_C{}^2$$

7 　データのための計測管理

　データを採るために正確な計測が必要なことは当然ですね。そのために計測体制の整備，計測器の管理（精度管理，計器の保全，その他）などが必要なことも，言うまでもありません。

　当然のことながら，計測管理は日常管理の中の重要な業務として位置づけられることがなければなりません。

確認問題

知識・実力の確認をしましょう。○か×か考えてみて下さい。

（　）**問1**：誤差とは，真の値から測定値を引いたものである。

（　）**問2**：残差とは測定値から母平均を引いたものであり，偏差とは測定値から試料平均を引いたものである。

（　）**問3**：分散とは，一般に偏差平方和をデータの大きさで割ったものである。

（　）**問4**：範囲は R と書かれ，次式で算出される。
$$R = x_{max} - x_{min}$$

（　）**問5**：変動係数とは標準偏差を平均値で割ったものであって，無次元表示の場合もパーセント表示の場合もある。

● ● ● **正解と解説** ● ● ●

正解　問1：×　問2：×　問3：×　問4：○　問5：○

問1 解説 （×）

　　正確に言いますと，誤差とは，本質的に真の値を基準としますので，測定値から真の値を引いたものとなります。

問2 解説 （×）

　　似たような用語なので混同しやすいのですが，残差とは測定値から試料平均を引いたもの，偏差とは測定値から母平均を引いたものとなっています。

問3 解説 （×）

　　分散とは，一般に偏差平方和をデータの自由度で割ったものですが，自由度は通常データの大きさから1を引いたものとして扱われます。「データの大きさで割ったもの」は一般には誤りです。

問4 解説 （○）

　　これは記述の通りです。R はレンジの頭文字です。実社会では，「このデータのアールはどのくらいですか」などと，範囲のことを単に「アール」と言う人もかなりいます。

問5 解説 （○）

　　これも記述の通りです。変動係数はパーセント表示が多いのですが，それだけとは限りません。

実戦問題

問題1

統計データの扱いに関する次の文章において，(1)～(7)のそれぞれに対して適切なものを選択肢欄から選んでその記号を解答欄に記入せよ。ただし，各選択肢を複数回用いることはない。

ある製品ロットより大きさが $\boxed{(1)}$ のサンプルを採って計測したところ，次のような結果が得られた。

1.5, 1.0, 2.5, 3.0, 2.5

このデータの平均値は $\boxed{(2)}$ ，データの自由度は $\boxed{(3)}$ ，偏差平方和は 2.70, 不偏分散は $\boxed{(4)}$ ，標準偏差は $\boxed{(5)}$ である。また，範囲は $\boxed{(6)}$ となる。このデータを小数第二位までの値として標準化すると

$-0.73, -1.34, 0.49, 1.10, \boxed{(7)}$

となる。

【選択肢】

ア. 0.333	イ. 0.456	ウ. 0.49	エ. 0.579	オ. 0.675
カ. 0.822	キ. 0.925	ク. 2	ケ. 2.0	コ. 2.1
サ. 2.10	シ. 4	ス. 4.0	セ. 5	ソ. 5.0

【解答欄】

(1)	(2)	(3)	(4)	(5)	(6)	(7)

問題2

重要度 **B**

平均値に関する次の文章において，正しいものには〇を，正しくないものには×を解答欄に記入せよ。

① 二つの正数の相加平均は，常に相乗平均より大きい。 (8)

② 二つの数 a，b の調和平均は次のように書かれる。

$$\frac{ab}{2(a+b)}$$ (9)

③ 二つの正数 a，b の対数平均は，次のように書かれる。

$$\frac{a-b}{\ln(a)-\ln(b)}$$ (10)

④ 二つの数 a，b の重みをそれぞれ W_a，W_b とすると，重み付け平均は次のようになる。

$$\frac{aW_a+bW_b}{W_a+W_b}$$ (11)

【解答欄】

(8)	(9)	(10)	(11)

さて
どうだったかなぁ

実戦問題 解答と解説

問題1

解答

(1)	(2)	(3)	(4)	(5)	(6)	(7)
セ	サ	シ	オ	カ	ケ	ウ

解説

　若干の計算が必要な問題ですね。

　まず(1)ですが，データの大きさとはデータの数のことですので，数えて5とします。ソ．に5.0という選択肢がありますが，データの数は整数でなければなりませんので5.0を選んではいけません。平均値はデータを足し算してデータ数で割ればよいのですが，電卓でも手計算でもかまいません。2.5が二つで5.0，それに3.0と1.0で9.0，これに1.5を足せば，合計が10.5となります。これを5で割るのですから，2.1と出ます。

　ただし，ここで選択肢に2.10と2.1とがあります。通常はデータより詳しくするという原則（平均値は，データ数が20個くらいまでの場合には，測定値の1桁下の桁まで求めることが普通です）から，2.10を選びます。

　(3)の自由度は，データ数から1を引いたものですね。偏差平方和が与えられていますので，これを自由度4で割って不偏分散を求めます。その平方根を求めて標準偏差とします。平方根の計算は電卓を用いてよいのですが，0.675の平方根ということで，（2乗して0.675になりそうなものとして）選択肢の中の0.822を選びます。

　(6)の範囲は最大データの3.0から最小の1.0を引きますが，有効数字をデータと同じにするために，2ではなくて2.0を選びます。

　最後の(7)については，標準化が「平均値を引いて標準偏差で割った値」ということですので，そのような計算をすればよいのですが，よく見ますとデータの中の3番目のものと同じ値のはずですので，標準化データも二つ前のものをそのまま用いればよいことになります。

　以上の結果，それぞれの　　　　　に正解となる数値を入れて，再掲しますと，次のようになります。

ある製品ロットより大きさが5のサンプルを採って計測したところ, 次のような結果が得られた。

1.5, 1.0, 2.5, 3.0, 2.5

このデータの平均値は2.10, データの自由度は4, 偏差平方和は2.70, 不偏分散は0.675, 標準偏差は0.822である。また, 範囲は2.0となる。このデータを小数第二位までの値として標準化すると

−0.73, −1.34, 0.49, 1.10, 0.49

となる。

第2章

ロットという言葉は
よく耳にするけど
同じ条件で作られた
製品ということなんだね

問題2

解答

(8)	(9)	(10)	(11)
×	×	○	○

解説

① 二つの正数を, a, b (>0) としますと, その相加平均は,

$$\frac{a+b}{2}$$

相乗平均は,

$$\sqrt{ab}$$

となります。

これらの間には, 次のような大小関係が成立します。

$$\frac{a+b}{2} \geqq \sqrt{ab}$$

これを証明する方法はいくつかありますが，例えば，$a = A^2$，$b = B^2$ と置いて，左辺から右辺を引いてみます。

$$\frac{a+b}{2} - \sqrt{ab} = \frac{A^2+B^2}{2} - AB = \frac{A^2-2AB+B^2}{2} = \frac{(A-B)^2}{2}$$

このようになって，この式は非負（$\geqq 0$）ですから，これで証明が出来たことになります。この式の等号は $a = b$ の時ですから，等号が成立する場合があるということは，「常に大きい」とは言えないことになります。

② 調和平均は，逆数の平均の逆数です。a と b の調和平均を x としますと，

$$\frac{\frac{1}{a}+\frac{1}{b}}{2} = \frac{1}{x}$$

となりますので，これからを x 求めますと，次のようになります。

$$\frac{2ab}{a+b}$$

③ 記述の通りです。対数平均は，対数関数の性質上，次のようにも書かれます。

$$\frac{a-b}{\ln\left(\frac{a}{b}\right)}$$

これは，対数関数の $\ln(a) - \ln(b) = \ln(a/b)$ という性質（公式）に基づいています。対数を学んでおられない方は，そういうものかと思ってスルーしていただくだけで構いません。なお，$\ln$ という対数関数は一般の対数関数 $\log$ の底（てい）が e であるものを意味しています。

この式で，$a = b$ の時に対数平均が a や b に等しくなるのだろうかと心配される方もあろうかと思いますが，x の値が 1 よりかなり小さい時に，次の近似ができますので，

$$\ln(1+x) = x - \frac{x^2}{2} + \frac{x^3}{3} + \cdots \fallingdotseq x$$

という関係を使うことで，$a \fallingdotseq b$ すなわち $\frac{a}{b} \fallingdotseq 1$ の時に，

$$\frac{a-b}{\ln\left\{1+\left(\frac{a}{b}-1\right)\right\}} \fallingdotseq \frac{a-b}{\frac{a}{b}-1} = \frac{(a-b)b}{a-b} = b$$

となって，いきなり $a = b$ とすると $0 \div 0$ で計算ができませんが，a が b に限りなく近づくという意味の極限としては a および b にほぼ等しくなることがわかります。

④　これは，重み付け平均の問題です。それぞれのデータに重要度を掛けて平均を求めるものですが，具体的には，データ a に a の重みの W_a を掛け，データ b に b の重みの W_b を掛けて，それらを合計したものを，全体の重みの $W_a + W_b$ で割って求めます。このような計算によって重みを付けた平均が求まります。

2 QC 七つ道具

学習ポイント

・数値データの活用法
・QC 七つ道具とは？
・QC 七つ道具の使い方

重要度
A

●●● 試験によく出る重要事項 ●●●

　品質管理（QC）には，その手段方法として，**QC 七つ道具**と**新 QC 七つ道具**というものがあります。前者は，主として数量的なデータを統計的に扱う方法で，この節で説明します。後者は主として言語データを扱う方法で，本章の 7 （p 198）で説明します。ここで「主として」と断っているのは，それぞれに若干の例外があるからです。

　QC 七つ道具には次の表のようなものがありますが，以下に説明しますように二つの立場があります。

表 2 - 2　QC 七つ道具

種　　類	内　　容
特性要因図（魚の骨図）	要因が結果に関係し影響している様子を示す図
パレート図（累積度数分布図）	発生頻度を整理して，頻度の順に棒グラフにし，累積度数を折れ線グラフで付加したもの
チェックシート	頻度情報を加筆しつつ整理できるようにした表
ヒストグラム（柱状図）	計量値のデータの分布を示した棒グラフ
散布図	二つの変量を座標軸上のグラフとして打点したもの
グラフ	数量データを表わすための図形
管理図（工程能力図）	工程などを管理するために用いられる折れ線グラフ

　ここで，管理図と工程能力図は類似のものですが，必ずしも同一ではありません。また，グラフと管理図を合体させて，新たに次の層別を加える立場もあります。

層別	データを，何らかの視点で仕分けし整理すること

| 特性要因図
パレート図
チェックシート
ヒストグラム
散布図
管理図
グラフ | 特性要因図
パレート図
チェックシート
ヒストグラム
散布図
グラフ・管理図
層別 | QC 七つ道具と言っても
立場によって
少し違うものが入っている
ものもあるんだね |

図2-4　QC 七つ道具の二つの立場

1　特性要因図（魚の骨図）

　石川 馨（かおる）博士が始めたものとされていますが，原因（要因）が結果（品質特性など）にどのように関係し，また影響しているかを示す図として，**特性要因図**があります。特性に対してその発生の要因と考えられる事項とを矢印で結んで図示したものです。その形から**魚の骨図**（Fishbone Diagram）とも呼ばれます。提唱者の名前から石川ダイヤグラムともいいます。図2-5にその例を示します。

　この手法は，七つ道具の中では，例外的に（数量データではなくて）言語データを扱う手法ですが，多くの人が共同で作成することによって，一部の人の情報や考え方を全員で共有することもできます。

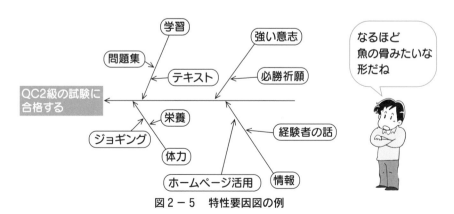

図2-5　特性要因図の例

特性要因図では，魚の骨とも言うくらいですから，次の図のように，背骨，大骨，中骨，小骨（時には，孫骨，その時は小骨でなくて子骨とも）などという言葉も使われます。

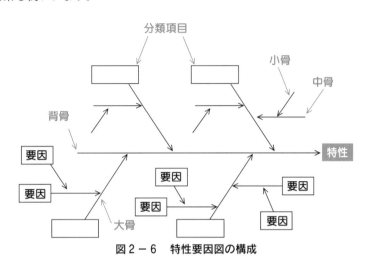

図２－６　特性要因図の構成

2 パレート図（累積度数分布図）

　なんらかの現象の発生頻度を，その分類項目別に整理して，頻度の大きい順に棒グラフにし，その累積の度数を折れ線グラフにしたものです。折れ線グラフは最後には100％になります。分類項目の「その他のもの」を最後に書くことが原則です。頻度の大きい順に表わすことは，効果の大きいものについて重点的に対策を取ることがしやすいよう配慮したものです。p40で示しました重点志向という考え方に添った方法といえます。また，p102のパレートの法則とも多少の関連があります。参考にして下さい。

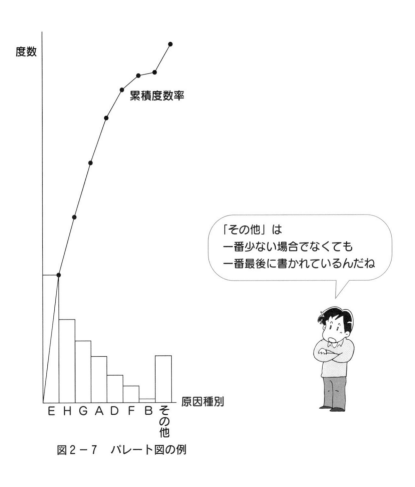

「その他」は
一番少ない場合でなくても
一番最後に書かれているんだね

図2-7　パレート図の例

3 チェックシート

　管理に必要な項目や図などがあらかじめ印刷されていて，テスト記録，検査結果，作業点検記録等の確認や記録が，簡単なチェック・マークを付けることでできるようになっている用紙を**チェックシート**といいます。目的によって，次のような分類がなされます。a）〜c）は**データシート**とも呼ばれます。

a）工程分布調査用チェックシート
b）不良項目別調査用チェックシート
c）欠点発生位置調査用チェックシート
d）不良要因調査用チェックシート
e）点検結果確認用チェックシート（チェックリスト）
f）その他のチェックシート

工程異常のチェックシート

異常項目	A工程	B工程	C工程
回転不良	正	下	一
劣化	丁	一	丁
液漏れ	下		下
腐食	一		正
その他	丁	一	下

そうだよね
こうやって
カウントして
いくよね

漢字の国では
そうだけど
欧米では ////
という書き方が
使われるらしいね

図2−8　チェックシートの例

4 ヒストグラム（柱状図，度数分布図）

　数量データの分布を示した棒グラフ（柱状グラフ）で，全体の分布状況を一目で把握することができます。一般にデータ数や平均値，標準偏差などが付記されることも多く，また，品質規格の上限値と下限値が表示され，規格から外れているものがどの程度あるのかを把握することもできます。
　横軸にとる柱の幅を**区分（区間）**あるいは**級**といいます。

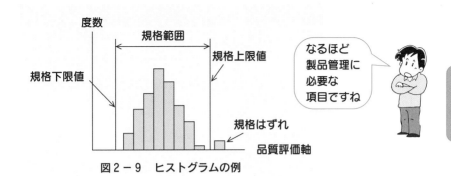

図2－9　ヒストグラムの例

　ヒストグラムには，図2－10に示しますような形の上からの呼び方があります。通常は中心から両側に頻度が小さくなる一般型（正常型）になりますが，時には，その他の形になることもあります。絶壁型は特定の選別などが行われた場合に起こりやすく，離れ小島型は一部の異種なものが混じっている場合，また，二山型は性格の異なる集団が混在している場合などに起こりやすいものとなっています。歯抜け型は，測定上の問題や区分の不適切などが原因になることがあります。絶壁型には，図2－10にありますような右側が絶壁になっている右絶壁型の他に左側が絶壁になっている左絶壁型もあります。

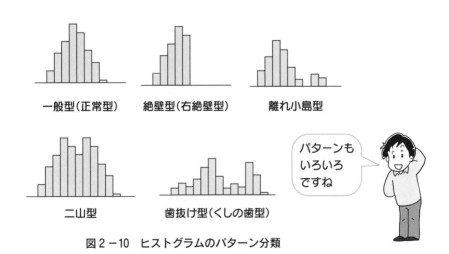

図2－10　ヒストグラムのパターン分類

学者と豆腐屋の話

　江戸時代，ある偉い学者さんが，いつも豆腐を買っている豆腐屋さんに声をかけたそうです。当時ですから，豆腐の重さの単位は「もんめ」です。

学者「これ，豆腐屋，お前のとこの豆腐は何もんめか」
豆腐屋「へい，10もんめです」
学者「けしからん。お前は，わしに9もんめの豆腐をくれることもある」
豆腐屋「へい，すみません。これからはそうしないようにします」

　それから，しばらくたったある日，
学者「これ，豆腐屋，お前は，作った豆腐のうち，10もんめ以上のものだけをわしに売ってくれて，それより軽い豆腐を他の客に売っているだろう」
豆腐屋「えっ，どうしてそれが分かるのですか？」

　豆腐屋さんにはわからないでしょうが，この学者さんの理屈をお教えしますと，ヒストグラムを作ったところ，次の図のように左絶壁型になったからなのです。一般に，ばらつきは左右対称になるはずですから，豆腐屋さんが一部カットして売っていると判断したのです。ヒストグラムについて学習された皆さんには，この理屈はおわかりのことと思います。

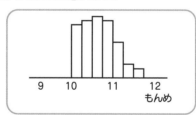

　実は，この話は落語や講談・浪曲で有名な演目「徂徠豆腐」にこじつけたお話ですが，ほんとうのところは，学者の荻生徂徠と豆腐屋さんの涙の人情物語なのです。貧しい学者が豆腐すら買えずに豆腐屋さんの情けによって「おから」をただでもらっていたのですが，そのうちに学問をして出世します。そして，火事にあって困っていた豆腐屋さんに恩返しをするという美談のお話です。

5 散布図

　二つの変量の間の関係を把握しやすくするために，座標軸上のグラフとしてプロット（打点）したものです。この図にも，データ数や相関係数（第2章の4，p151で説明します）などが付記されることがあります。相関係数は一般に r と書かれ，－1から1までの間の数値（$-1 \leqq r \leqq 1$）となって，r が0の場合に「相関がない」，r が1に近いほど「正の相関が強い」（右上がりの傾向），r が－1に近いほど「負の相関が強い」（右下がりの傾向）ということになっています。$r=1$ や $r=-1$ の場合には，打点が完全に一直線上に並ぶことになります。

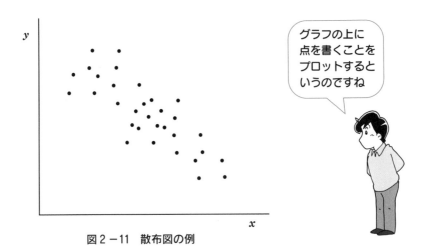

グラフの上に点を書くことをプロットするというのですね

図2−11　散布図の例

6 グラフ

　これまでに説明してきましたパレート図，ヒストグラム，散布図などもグラフの仲間ですが，他にもより多くのグラフが数量データを表わすためにいろいろと工夫されて用いられます。

　主なグラフの種類を挙げてみますと，次のようになります。

a）棒グラフ，折れ線グラフ

b）円グラフ，ドーナツグラフ（二重円グラフ）

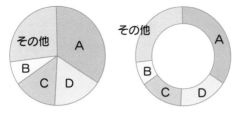

円グラフ　　　　　　ドーナツグラフ

図2−12　円グラフとドーナツグラフの例

c）帯グラフ，ガントチャート

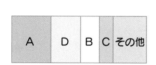

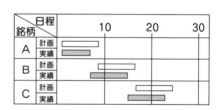

帯グラフ　　　　　　　　　　　　ガントチャート

図2−13　帯グラフとガントチャートの例

d）三角グラフ（三角座標によるグラフ），**レーダーチャート**（中心から広がる形のグラフ）

　この三角グラフは，初めはどのように読むのか戸惑われるかと思いますが，よく眺めてみて下さい。

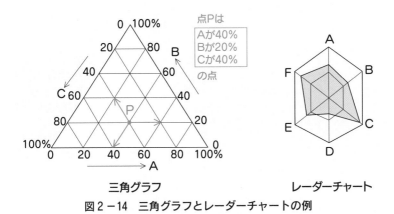

三角グラフ　　　　　　　　　　　レーダーチャート

図2−14　三角グラフとレーダーチャートの例

三角グラフの点は
どこから読んだらよいか
一見わかりにくいですが
外側の目盛を
よく見るといいですよ

e）絵グラフ，地図グラフ（絵や地図の大きさで量を示します）

絵グラフにはいろいろ工夫
されたものがあるよね
たとえば，人口ピラミッド
などもそうだし
都道府県の人口に比例した
面積で地図を描くような
ものもあるんだね

そうかぁ
グラフにも
いろんな種類が
あるんだね

　グラフにおいて，各種の線を書くことがあり，線種を使い分けますと見やすくなることがあります。なお，波線と破線は音で読むと同じ発音になりますので，区別のために波線は「はせん」と読まず「なみせん」と読む習わしになっています。

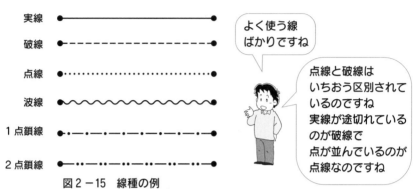

図2－15　線種の例

7　管理図・工程能力図

　工程などを管理するために用いられるプロット図（打点した図）や折れ線グラフなどを**管理図**，あるいは，**工程能力図**などと呼んでいます。詳細は第3章の2（p 242）で詳しく説明します。

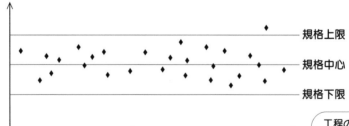

図2－16　品質特性の工程能力図の例（プロット図）

8 層　別

　データを要因ごとに分けて整理したものを**層別**といい，その作業を「層別する」といいます。これによって正確に情報が把握でき，問題の原因判別につながる有効な手段となる可能性があります。図2-17において全体のデータを散布図に表わしたものはとくに相関がないように見えますが，□と△を分けて（層別して）散布図にしてみますと，□は正の相関が見えますし，△のデータには負の相関が見えると考えられます。七つ道具に8番目があるのもおかしなことですが，p85の図2-4の話のような理由です。

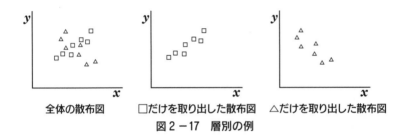

全体の散布図　　□だけを取り出した散布図　　△だけを取り出した散布図

図2-17　層別の例

層別っていうのは
何かの条件などで
データを区分してみる
ことなんですね

そうすると
はじめのデータからは
見えなかったものが
見えてくることもあるんですね

確認問題

知識・実力の確認をしましょう。○か×か考えてみて下さい。

（　）**問1**：ヒストグラムにおいて，二山型は性格の異なる集団が混在して
　　　　　いる場合などに起こりやすいものとなっている。

（　）**問2**：QCの七つ道具とは，ほとんど数値データを扱う手法となっ
　　　　　ているが，例外的にパレート図だけは言語データだけを扱う
　　　　　手法となっている。

（　）**問3**：図のような三角グラフにおいて，点Qに関するAの目盛は
　　　　　80％と読むべきである。

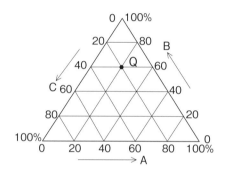

（　）**問4**：散布図において，相関係数が付記されることもあるが，相関
　　　　　係数をrと書くとき，rが1に近いほど「正の相関が強い」
　　　　　とされる。

（　）**問5**：層別をすることによって，問題の原因が明確になる場合もあ
　　　　　るので，適切な層別は原因を見出すための有効な手段となる
　　　　　ことも多い。

●・●● 正解と解説 ●●・●

正解	問1：○　問2：×　問3：×　問4：○　問5：○

問1 |解説|　（○）

　　ヒストグラムの形がどのような意味を持っているのかという点はたいへん
重要です。確認しておいて下さい。

問2 |解説|　（×）

　　QCの七つ道具がほとんど数値データを扱う手法となっていることは確か

ですが，その中で例外的に特性要因図だけが言語データを扱う手法となっています。

問3 解説 （×）

図において，点Qに関するAの目盛は点Qから斜め右下に伸ばすのではなくて，斜め左下に伸ばして20％と読むべきです。3方向に伸ばす際に次の図のように互いに120度ずつずらした角度に伸ばして読みますので，Bは60％，Cは20％と読めます。

仮に，斜め右下に伸ばしてAを80％と読んでしまいますと，Bも80％，Cは40％と読めて，結局合計して100％にならなくなってしまいます。

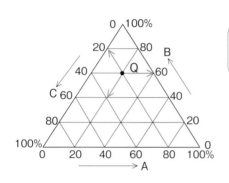

正三角形のグラフではどちらの軸で読むのかがとても大事ですね間違いやすいから‥

問4 解説 （○）

相関係数のrの大きさとその意味の対応を十分理解しておいて下さい。とても重要です。

問5 解説 （○）

これも記述の通りです。層別もかなり役に立つことがあります。

チャレンジ！ 実戦問題

問題1

　QCの七つ道具に属する次の手法・手段について，①〜⑦のそれぞれに対して適切なものを選択肢欄から選んでその記号を解答欄に記入せよ。ただし，各選択肢を複数回用いることはない。

① 数量データの分布を示した柱状グラフ 　　　　　　　　　　　　(1)
② 工程などを管理するために用いられる折れ線グラフ 　　　　　　(2)
③ 特性に対してその発生の要因と考えられる事項とを矢印で結んで図示したもの 　　　　　　　　　　　　　　　　　　　　　　　　　(3)
④ 管理に必要な項目や図などがあらかじめ印刷されていて，テスト記録，検査結果等が，簡単なマークを付けることで確認あるいは記録ができるようになっている用紙 　　　　　　　　　　　　　　　　　　　　(4)
⑤ 現象の発生頻度を，その分類項目別に整理して，頻度の大きい順に棒グラフにし，その累積の度数を折れ線グラフにしたもの 　　　　　(5)
⑥ 2つの変量の間の関係を把握しやすくするために，座標軸上のグラフとしてプロットしたもの 　　　　　　　　　　　　　　　　　　　(6)
⑦ データを要因ごとに分けて整理したもの 　　　　　　　　　　(7)

【選択肢】

　　ア．パレート図　　　イ．チェックシート　　ウ．系統図法
　　エ．ヒストグラム　　オ．管理図　　　　　　カ．特性要因図
　　キ．層別　　　　　　ク．親和図法　　　　　ケ．PDPC法
　　コ．散布図　　　　　サ．グラフ　　　　　　シ．ブレーンストーミング

【解答欄】

(1)	(2)	(3)	(4)	(5)	(6)	(7)

問題2

　ヒストグラムの例として挙げられた①〜⑤について，それぞれが現れる原因と考えられるものに対して適切なものを選択肢欄から選んでその記号を解答欄に記入せよ。ただし，各選択肢を複数回用いることはない。

第2章

①

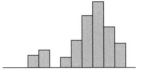

(8)

②

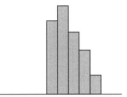

(9)

③

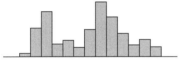

(10)

④

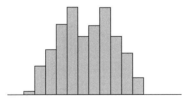

(11)

⑤

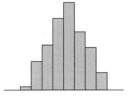

(12)

【選択肢】

ア．規格以下のものを作為的に選別した場合や，測定に作為的なごまかしが入り込んだ場合などに現れる。

イ．異なった分布のサンプルがわずかに混入した場合や，散発的な異常が発生した場合などに現れる。

ウ．区間幅を測定単位に適切に合わせていない場合や，測定者の目盛りの読み方にくせがある場合などに現れる。

エ．特に異常がなく，問題にならないような小さなばらつき要因だけが存在する場合などに一般に現れる。

オ．平均値の異なる複数のサンプルがまじりあっている場合などに現れる。

【解答欄】

(8)	(9)	(10)	(11)	(12)

なんか
いろいろなヒストグラムが
あるんだなぁ

実戦問題 解答と解説

問題1

第2章

解答

(1)	(2)	(3)	(4)	(5)	(6)	(7)
エ	オ	カ	イ	ア	コ	キ

解説

　それぞれの手法の名称に自信のない場合には，本文を参照していただき確認をお願いします。非常に出題されやすい問題と言えます。

　系統図法や親和図法，PDPC法などは，本章の7で学習する新QC七つ道具に属します。

　ブレーンストーミング（p60）は発想法の一種ですが，QC七つ道具や新QC七つ道具には含まれていません。

問題2

解答

(8)	(9)	(10)	(11)	(12)
イ	ア	ウ	オ	エ

解説

① 　離れ小島型となります。
② 　左絶壁型と呼ばれるパターンです。
③ 　これは歯抜け型（くしの歯型）と呼ばれるものですね。
④ 　二山型ですね。
⑤ 　正常型あるいは一般型と呼ばれる分布です。

パレートの法則

　　パレートの法則というものがあります。経済において，全体の量の大部分は，全体を構成するうちの一部の要素が生み出しているというものです。「法則」という名前になっていますが，実際には，説あるいは，経験則です。

　　「全体の20%の原因で80%の結果が起こっている」「上位２割が全体の８割を占める」というようなことから「80対20の法則」などと呼ばれることもあります。

　　経済以外にも自然現象や社会現象など様々な事例に当てはめられることがあります。自然現象や社会現象は決して平均的に影響しているのではなく，ばらつきやかたよりが存在し，それらの一部が全体に対して大きな影響を持っていることが多い，というごく当たり前の現象をパレートの法則の名を借りて説明しているものも多いです。

　　例を挙げますと，
「企業の利益の８割は，全従業員のうちの２割で生み出している」
「仕事の成果の８割は，使った時間のうちの２割の時間から生み出されている」
「故障の８割は，全部品のうち２割に原因がある」
などです。

世界の20%の人たちが
世界の富の80%を持っている
というのもありそうですね

3 確率分布

学習ポイント

・確率分布の種類と性質
・正規分布の活用法
・その他の確率分布

● ● ● **試験によく出る重要事項** ● ● ●

1 確率分布

　確率的に値が定まる変数を**確率変数**といいます。確率変数の分布（**確率分布**）とは，変数の値が一定の傾向で多く集まっている所や少ない所などに分かれる性質をいいます。中央に多く周辺に少なく集まる分布は**山形分布**，あるいは，**凸形分布**などといいます。横軸に変数の値を，縦軸に度数（変数の同じ値がどのくらい表れるかという頻度）を取ってグラフにしますと，山形分布は，例えば図のようになります。

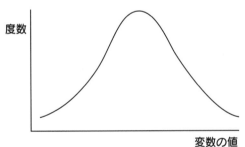

この分布は
山の形の分布ということで
山形県の分布では
ないんですね

図 2 − 18　山形分布

　一般に，現実の分布の形は山形をすることが多いですが，同じ山形でも細く（鋭く）とんがっていたり，左右に対称であったり，非対称であったりします。分布にもいくつかの分類や種別があります。

　データの数が増えれば，それによって求められる確率は，理論的な確率に近づくということを**大数の法則**といいます。

a) 連続分布：連続的な値をとる量を**計量値**といって，その分布は一般に連続分布といわれます。

b) 離散分布：とびとびの値をとる変数を**計数値**といい，その分布はとびとびのグラフとなって離散分布と呼ばれます。

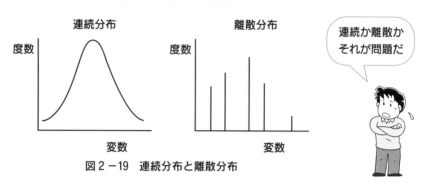

図2−19　連続分布と離散分布

2 確率密度関数

連続的な確率分布は，**確率密度関数** $f(x)$ で表現されて，次のような性質があります。

① $f(x) \geqq 0$ （マイナスの確率はありませんね）

② 区間 $(a, b]$ に変数 x の値が入る確率を $Pr(a < x \leqq b)$ と書きますと，

$$Pr(a < x \leqq b) = \int_a^b f(x)\,dx$$

③ $\int_{-\infty}^{\infty} f(x)\,dx = 1$ （確率を全部合計すると1になるはずですね）

3 確率変数の平均と分散

　確率変数の特徴を示す数字として，平均（期待値）と分散（あるいは標準偏差）があります。ある確率変数 X の期待値を $E(X) = \mu$ とし，分散を $V(X)$ としますと，確率密度関数 $f(X)$ から次のように求められます。

$$E(X) = \int_{-\infty}^{\infty} X f(X) \, dx = \mu$$

$$V(X) = E((X - \mu)^2)$$

　ここでいう平均や分散は，p 67〜70で出てきましたものと（言葉は同じですが），やや内容が異なっています。p 67〜70のものは，有限個のデータ（つまり，n 個のデータ）のものであり，しかも，個々のデータ一つ一つに分布があることは考慮されていないものです。それに対して，本節で出てきた平均や分散は，確率変数として連続関数 $f(X)$ という分布を持つ無限個のものを対象としています。

　平均と分散には次のような重要な性質があります。確率変数を X, Y，定数を a, b として，

$$E(aX + b) = aE(X) + b$$

$$E(X \pm Y) = E(X) \pm E(Y) \quad （複号同順）$$

$$V(aX + b) = a^2 V(X)$$

> $E(X)$ の式では ± や a や b がそのままなのに
> $V(X)$ の式では ± が＋だけになるし a は2乗
> になって定数の b が消えてしまうんだね

　ここで，複号同順とは同じ式の中で，はじめの ± を ＋ としたときには，次の ± も上の記号の ＋ を採用することを意味します。かりに，はじめに ± があり次に ∓ があるような場合には，∓ のうち上の記号の － を採用します。

　分散 V についての式の誘導について説明します。分散 V は平方和 S を $n-1$ で割ったものでした。S の定義は

$$S = \sum_{i=1}^{n} (x_i - \overline{x})^2$$

ですので，x_i を $ax_i + b$ という変数に置き換えてみますと，

$$S = \sum_{i=1}^{n} \left(x_i - \overline{x}\right)^2 = \sum_{i=1}^{n} \left(ax_i + b - \overline{ax_i + b}\right)^2$$

$$= \sum_{i=1}^{n} \left(ax_i - a\overline{x}\right)^2 = a^2 \sum_{i=1}^{n} \left(x_i - \overline{x}\right)^2 = a^2 S$$

ということになります。分散 V についても同じ要領で計算できます。

> $E(X)$ は線形だけど
> $V(X)$ は
> 線形とは言えないんですね

また，確率変数 X, Y について，$E\left[\{X - E(X)\}\{Y - E(Y)\}\right]$ を X と Y の**共分散**と呼び，$Cov(X, Y)$ と書きます。

$$V(X \pm Y) = V(X) + V(Y) \pm 2Cov(X, Y) \quad \text{（複号同順）}$$

この式の複号の位置に注意して下さい。$V(Y)$ の前は $E(Y)$ の時と違って常に＋（プラス）です。複号は $Cov(X, Y)$ の前に付いています。確率変数 X, Y が互いに独立である場合には，$Cov(X, Y) = 0$ となりますので，次のようになります。右辺には複号はありませんので，常にプラスとなります。

$$V(X \pm Y) = V(X) + V(Y)$$

この関係を**分散の加法性（加成性）**といい，互いに独立な変数の間に成立します。これを標準偏差で表現しますと，次のようになります。ピタゴラスの定理のような関係は p 76 でも出てきましたね。

$$(\sigma_{X \pm Y})^2 = (\sigma_X)^2 + (\sigma_Y)^2$$

> Cov はコバリアンス
> つまり共分散ということ
> なんですね

4　統計で用いられる分布関数

a）正規分布（ガウス分布，誤差分布，Normal Distribution）

　正規分布は統計において最も重要な分布で，ド・モアブル，ラプラスなどにより整備・確立され，有名な数学者のガウスが誤差論として詳細に論じたものですが，データの多いものの分布などが一般にこの形（ベル曲線）になります。データの数が少ないうちは，山の形をしつつも形は必ずしも一定しませんが，データの数が多くなるにつれて，この分布に近づきます。

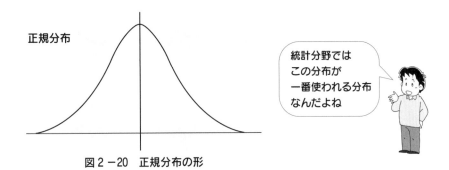

正規分布

統計分野では
この分布が
一番使われる分布
なんだよね

図2−20　正規分布の形

　このグラフを表す式の形は次のようなものになって，少し難しいですが，試験ではこの式を用いて計算することまでは通常要求されません。しかし，おなじみでない方もおられると思いますが，式の形とグラフの形はよく見ておいて下さい。次式は正規分布の確率密度関数で，exp は $\exp(x) = e^x$ という関数です。e は $2.71828\cdots$ という一つの数字ですが，数学ではよく出てくる数字です。e^2 は e の2乗ですが，$e^x = \exp(x)$ は e の x 乗です。

$$f(x) = \frac{1}{\sqrt{2\pi}\sigma} \exp\left\{ -\frac{1}{2}\left(\frac{x-\mu}{\sigma} \right)^2 \right\}$$

　この式の分布を簡単に $N(\mu, \sigma^2)$ と書きます。μ は平均値，σ^2 は分散に当たります。$\mu = 0$，$\sigma^2 = 1$ の場合，すなわち，$N(0, 1^2)$ を**標準正規分布**といいます。$N(0, 1)$ と書いてもよいのですが，1が分散であることを意識して $N(0, 1^2)$ と書くことが多くなっています。

いま，仮に，無次元の量（つまり，単位のない量）u を導入して，

$$u = \frac{x - \mu}{\sigma}$$

という式で変換しますと，分布の式は，

$$f(u) = \frac{1}{\sqrt{2\pi}} \exp\left(-\frac{1}{2}u^2\right)$$

となります。これは，一般の正規分布が変換式

$$u = \frac{x - \mu}{\sigma}$$

によって，標準正規分布に変換されることを意味しています。この変換は，第2章の1（p73）に出てきました**データの標準化**（規準化，正規化）に当たります。この $f(u)$ の式を計算することはなかなか大変ですので，通常は $N(0, 1^2)$ の数表を引いて求めます。$N(\mu, \sigma^2)$ に従う確率変数の値も，$N(0, 1^2)$ に変換して数表（巻末 p314）を引くことによって求められます。数表の引き方は練習をしておいて下さい。

> **例題** $N(9, 3^2)$ の正規分布に従う確率変数 X が，6と12の間の値をとる
> 確率 $Pr(6 < X \leq 12)$ を求めてみます。ただし，$N(0, 1^2)$ に従う X につい
> て，$Pr(0 < X \leq 1) = 0.3413$ とします。

第2章

まず，

$$Z = \frac{X-9}{3}$$

と置きますと，Z は $N(0, 1^2)$ に従うことになりますから，$X = 6$ の時 $Z = -1$，
$X = 12$ の時 $Z = 1$ なので，

$$Pr(6 < X \leq 12) = Pr(-1 < Z \leq 1)$$

となります。$N(0, 1^2)$ の数表があれば使いますが，ここでは，$Pr(0 < X \leq 1)$
が与えられています。しかし，数表を引く練習として，巻末（p 314）の正規
分布表を引いてみて下さい。$K_p = 1.0$ の時の右側確率から $P = 0.1587$ が得られ
ますので，次のように求まります。

$$Pr(0 < X \leq 1) = 0.5 - 0.1587 = 0.3413$$

問題に戻りますと，グラフが左右対称であることも使って，

$$Pr(-1 < Z \leq 1) = 2Pr(0 < Z \leq 1)$$
$$= 2 \times 0.3413$$
$$= 0.6826$$

すなわち，

$$Pr(6 < X \leq 12) = 0.6826$$

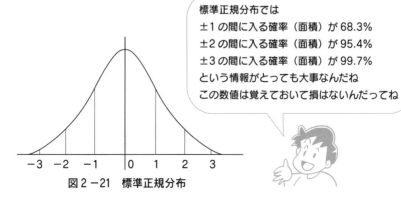

標準正規分布では
±1 の間に入る確率（面積）が68.3%
±2 の間に入る確率（面積）が95.4%
±3 の間に入る確率（面積）が99.7%
という情報がとっても大事なんだね
この数値は覚えておいて損はないんだってね

図2－21　標準正規分布

確率変数 x が正規分布 $N(\mu, \sigma^2)$ に従うことを，次のように書くこともあります。

$$x \sim N(\mu, \sigma^2)$$

これによりますと，p 108 で出てきました u は，次のように書けます。

$$u \sim N(0, 1^2)$$

b）t 分布（スチューデント分布）

スチューデントは人名です。正規分布 $N(\mu, \sigma^2)$ をする母集団から独立に採られた n 個のサンプル x_i（$i = 1 \sim n$）について，

$$t = \frac{\overline{x} - \mu}{\sqrt{\dfrac{V}{n}}}$$

の形の t は，自由度 $f = n - 1$ の t 分布と呼ばれる分布をします。確率密度関数はかなり複雑になりますので省略します。この分布は n が大きくなれば標準正規分布に近づくのですが，n が有限の時は少し正規分布からずれます。現実的にも有限個のデータが多いので実用上よく用いられます。やはり，計算式は難しいので t 分布表（簡単に，t 表ともいいます。巻末 p 315）を引いて求めます。

t 分布の性質をまとめて示します。
① 左右対称です。
② 正規分布に比べてやや末広がりで，中央部はややとがって見えます。
③ 自由度 f が大きくなると，$N(0, 1^2)$ に近づきます。
④ t 分布表は，通常両側確率で表示されています。（正規分布表は片側確率で与えられることが多いので，混同しないようにしましょう。）

c）F 分布

2 組の母集団の母分散の違いを調べるための分布で，統計では分散分析表などに用いられます。使用例は p 174 など参照下さい。確率密度関数は複雑なので省略しますが，二つの正規分布母集団から得られた大きさ n_1, n_2 のサンプル（自由度 $f_1 = n_1 - 1$, $f_2 = n_2 - 1$）の分散を

$$V_1 = \frac{S_1}{f_1} \qquad V_2 = \frac{S_2}{f_2}$$

としますと，

$$F = \frac{V_1}{V_2}$$

という変数 F は，自由度 f_1，f_2 の F 分布に従うことになります。一般に，検定のため有意水準（何％の危険率で言えるかという指標）α とともに，$F_{f_2}^{f_1}(\alpha)$，あるいは，$F(f_1, f_2; \alpha)$ と書きます。これも数表（F 分布表，簡単に，F 表ともいいます。巻末，p 317〜319）を使いますので，数表を引く練習をお願いします。

図 2−22 に示しますように，ピークが数値の小さい側に寄って，右側に裾を引いた形となっています。$F(f_1, f_2; \alpha)$ より F が大きくなる確率が，α となります。

ある事象（確率的な現象）Aの起こる確率を $Pr(A)$ と書きますと，

$$Pr\left(F > F_{f_2}^{f_1}(\alpha)\right) = \alpha$$

と書けます。

F が $F_{f_2}^{f_1}(\alpha)$ より大きい時に「危険」，小さい時に「安全」とみなします。

F 分布も一般に数表を利用しますが，注意すべきことを挙げてみます。

① f_1 と f_2 を入れ替えますと，

$$F_{f_2}^{f_1}(\alpha) = \frac{1}{F_{f_1}^{f_2}(1-\alpha)}$$

のようになります。α が $1-\alpha$ に変わっています。

② 通常は，F 分布表は F の値が 1 以上（$V_1 \geqq V_2$）の場合のみの表になっていますので，$F < 1$ の時は，

$$F_{f_2}^{f_1}(\alpha) = \frac{1}{F_{f_1}^{f_2}(1-\alpha)}$$

によって求めます。

③ 他の分布の数表の扱いと同様に，F 分布においても両側確率と片側確率のどちらであるかをよく考えて混同しないように使用しなければなりません。通常片側（上側確率）で書かれています。両側の時は，α を 2 で割って表を引きます。

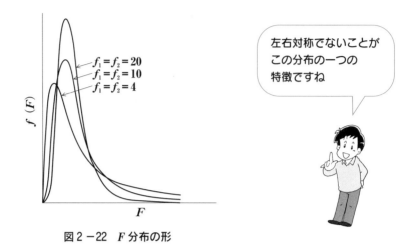

図 2 − 22　*F* 分布の形

d）χ^2 分布

　正規分布に従う変数が多数あって，それらの 2 乗和を扱うことが多くあります。そのような 2 乗和が従う分布が χ^2 分布で，ピアソンが提唱したものです。χ（カイ）は英語の x（エックス）に似ていますが異なるもので，ギリシャ語の文字です。χ^2 **分布**は「カイ 2 乗分布」と読みます。例えば，次のような量の分布に当たります。

$$\chi^2 = \frac{(x_1 - \overline{x})^2 + (x_2 - \overline{x})^2 + \cdots + (x_n - \overline{x})^2}{\sigma^2}$$

　これは，自由度 $f = n - 1$ の χ^2 分布に従います。χ^2 分布についての特記事項として次のような点が挙げられます。

① 　形は自由度によってかなり変化しますが，左右非対称で基本的に右に裾を引いています。

② 　期待値 $E(\chi^2)$，分散 $V(\chi^2)$，標準偏差 $s(\chi^2)$ は，それぞれ，
　　　$E(\chi^2) = f$
　　　$V(\chi^2) = 2f$
　　　$s(\chi^2) = \sqrt{2f}$

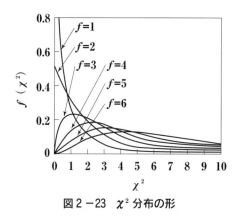

図2−23 χ^2 分布の形

③ 2つの χ^2 分布に従う変量 χ_1^2（自由度 f_1）と χ_2^2（自由度 f_2）がある時，$\chi_1^2+\chi_2^2$ は自由度 f_1+f_2 の χ^2 分布に従います。これを χ^2 分布の**加法性**といいます。

④ χ^2 表は，χ^2 がある値 χ_0^2 より大となる確率を表わしたものです。χ^2 分布は正規分布などと違って左右対称ではありません。そのため，両側で α となる危険率を設定した場合，上側は $\alpha/2$ で値が求まりますが，下側の場合は $1-\alpha/2$ で表を引かなければなりません。やはり，数表（p316）を見ておいて下さい。

e）正規母集団における R の分布

範囲 R の分布です。正規母集団 $N(\mu, \sigma^2)$ からランダムに n 個ずつのサンプルを採って，その範囲（最大値−最小値）をグラフにしますと図2−24のようになります。n が小さい時，その山は左側（小さい側）に，n を大きくしてゆくと右側に移っていくはずです。その平均値（期待値），分散，標準偏差は，それぞれ次のようになっています。

$$E(R) = d_2\sigma$$
$$V(R) = d_3^2\sigma^2$$
$$s(R) = d_3\sigma$$

ここで，d_2, d_3 は一般に計算することは難しいので数表として与えられる数値です。

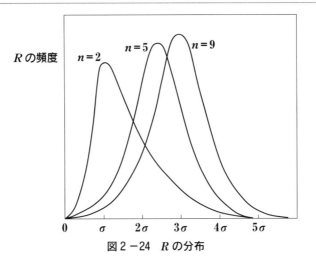

図２－24　R の分布

また，k 個の R の平均値 $\overline{R}$ の分布について，平均，分散，標準偏差は，それぞれ次のようになります。

$$E(\overline{R}) = d_2\sigma$$

$$V(\overline{R}) = \frac{d_3^2\sigma^2}{k}$$

$$s(\overline{R}) = \frac{d_3\sigma}{\sqrt{k}}$$

この後ろの二つの式は，n 個の変量の平均の分散が n 分の 1 になること（p 123〜124の問題 1 解説⑤）からも分かりますね。

表２－３　R の分布における係数 d_2, d_3 の値

n	d_2	d_3
2	1.128	0.853
3	1.693	0.888
4	2.059	0.880
5	2.326	0.864
6	2.534	0.848
7	2.704	0.833
8	2.847	0.820
9	2.970	0.808
10	3.078	0.797

f）二項分布

　コインの表裏のように二つの現象（事象）しかない時の分布です。二つの事象の確率をpおよびqとしますと，

$$p+q=1$$

それをn回繰返した時，pがx回，qがy回起こる確率は $(x+y=n)$，

$$_n\mathrm{C}_x p^x q^y = {}_n\mathrm{C}_x p^x (1-p)^{n-x}$$

となります。ここで，$_n\mathrm{C}_x$ は（初めてお目にかかる方もおられると思いますが）n個のものからx個を取り出す組合せと言って，その組合せの場合の数（何通りあるかという数）を示します。$_n\mathrm{C}_x$ は $\begin{pmatrix} n \\ x \end{pmatrix}$ とも書きます。

　これとは別に，n個のものからx個を取り出して並べる場合の数を表わすのが順列といって$_n\mathrm{P}_x$と書かれますが，二項分布では扱いません。

$$_n\mathrm{C}_x = \frac{n!}{x!(n-x)!}$$

　ここで，$n!$ は「nの階乗」と読んで，以下のように定義されます。「nのビックリ」とかわいい読み方をする人もいます。
$$n! = 1 \times 2 \times 3 \cdots \times (n-1) \times n$$
$$0! = 1$$

nの階乗とは，
1からnまでを
掛け算したものなんだね

　ためしに，$n=4$ の時に $_n\mathrm{C}_x$ を少し計算してみましょう。

${}_4\text{C}_2$ などは
すぐにはどうやって求めるのか
とまどうけれども
順に公式に代入してみれば
どんなものなのか
わかりますよ

$${}_4\text{C}_0 = \frac{4!}{0!(4-0)!} = \frac{4\times 3\times 2\times 1}{1\times(4\times 3\times 2\times 1)} = 1$$

$${}_4\text{C}_1 = \frac{4!}{1!(4-1)!} = \frac{4\times 3\times 2\times 1}{1\times(3\times 2\times 1)} = 4$$

$${}_4\text{C}_2 = \frac{4!}{2!(4-2)!} = \frac{4\times 3\times 2\times 1}{(2\times 1)\times(2\times 1)} = 6$$

$${}_4\text{C}_3 = \frac{4!}{3!(4-3)!} = \frac{4\times 3\times 2\times 1}{(3\times 2\times 1)\times 1} = 4$$

$${}_4\text{C}_4 = \frac{4!}{4!(4-4)!} = \frac{4\times 3\times 2\times 1}{(4\times 3\times 2\times 1)\times 1} = 1$$

　この結果は，次の展開式の係数と見比べていただくと，二項係数と呼ばれる
意味がおわかりになるかと思います。

$$(x+1)^4 = x^4 + 4x^3 + 6x^2 + 4x + 1$$

$n!$ は n の階乗と読むのだけれど
n のビックリと読む人もいるね

${}_n\text{C}_x$ は，次のように計算すると楽ですよ。
分母と分子に同じ数だけ数字を並べます。

$${}_5\text{C}_3 = \frac{5!}{3!(5-3)!} = \frac{5\times 4\times 3}{3\times 2\times 1} = 10$$

　確率 p の事象が n 回繰り返される二項分布を $B(n,p)$ と書くこともあります。
　二項分布の平均，分散，および，標準偏差は

$$E(x) = np \qquad V(x) = np(1-p) \qquad s(x) = \sqrt{np(1-p)}$$

例題 表裏が同じ確率で出る硬貨を無作為に5回繰り返して投げる時，表が x 回出る回数の確率分布 $p(x)$ はどのようになるか。

　まず，二項分布の式を立ててみます。5回のうち，x 回だけ表が出る確率ですから，

$$p(x) = {}_5C_x \left(\frac{1}{2}\right)^x \left(\frac{1}{2}\right)^{5-x}$$

　これは，二項分布 $B(5, 0.5)$ に当たります。x に 0～5 を代入して計算しますと，${}_5C_0 = {}_5C_5 = 1$，${}_5C_1 = {}_5C_4 = 5$，${}_5C_2 = {}_5C_3 = 10$ ですから，次のように計算されます。

表2-4　二項分布の回数と確率

表の回数 x	0	1	2	3	4	5
その確率 $p(x)$	$\frac{1}{32}$	$\frac{5}{32}$	$\frac{10}{32} = \frac{5}{16}$	$\frac{10}{32} = \frac{5}{16}$	$\frac{5}{32}$	$\frac{1}{32}$

0回と5回，1回と4回，そして，2回と3回は同じ確率になるんだね

g) ポアソン分布

　二項分布において $np = \lambda$ を一定として，p を小さく（n を大きく）した分布をポアソン分布といいます。すなわち，「あまり起こらないこと」が起こる確率になります。λ をポアソン分布の定数ということがあります。

$$f(x) = \frac{\lambda^x}{x!} e^{-\lambda}$$

　ポアソン分布について（計算は割愛しますが），平均は $E(x) = \lambda$，分散は $V(x) = \lambda$，標準偏差は $\sqrt{\lambda}$ となります。

> **例題** ある遺伝子を持つ人の確率が 2 ％である時，100 人中にこの遺伝子を持つ人が 3 人以上いる確率を求めてみましょう。ただし，$e^{-2} = 0.135$ とします。

　この分布は，その遺伝子を持つ人の確率を p としますと，$p = 0.02$ で $n = 100$ の二項分布 $B(100, 0.02)$ に相当します。p が小さく，n が大きいので

$$\lambda = np = 100 \times 0.02 = 2$$

のポアソン分布と考えられます。従って，100 人中にこの遺伝子を持つ人が x 人いるとして，条件 A の確率を $Pr(A)$ と書くとき，0 ～ 2 人の場合を除く計算によって，

$$
\begin{aligned}
Pr(x \geq 3) &= 1 - Pr(x \leq 2) \\
&= 1 - \{Pr(x = 0) + Pr(x = 1) + Pr(x = 2)\} \\
&= 1 - \left(e^{-2}\frac{2^0}{0!} + e^{-2}\frac{2^1}{1!} + e^{-2}\frac{2^2}{2!} \right) \\
&= 1 - (0.135 + 0.270 + 0.270) \\
&= 1 - 0.675 \\
&= 0.325
\end{aligned}
$$

確認問題

知識・実力の確認をしましょう。○か×か考えてみて下さい。

( ) 問1：確率密度関数を $-\infty$ から $+\infty$ まで積分すると1となる。

( ) 問2：変数 x に関する区間 $(a, b]$ とは，$a \leqq x < b$ という意味である。

( ) 問3：確率変数 X の分散 $V(X)$ については，確率変数 X，Y が互いに独立であれば，次式が成り立つ。

$$V(aX - bY + c) = a^2 V(X) - b^2 V(Y) + c$$

( ) 問4：正規分布に従う複数の変数において，それらの2乗和が従う分布が χ^2 分布である。

( ) 問5：t 分布表（巻末，p 315）より，$t(10, 0.05)$ を求めると，2.228 となり，F 分布表（巻末，p 317〜319）より，$F(10, 5, 0.05)$ を求めると，4.74となる。

●●● 正解と解説 ●●●

正解 問1：○ 問2：× 問3：× 問4：○ 問5：○

問1 解説 （○）

記述の通りです。すなわち，確率密度関数 $f(x)$ について次の式が成り立ちます。

$$\int_{-\infty}^{\infty} f(x)\, dx = 1$$

問2 解説 （×）

変数 x に関する区間 $(a, b]$ とは，$a < x \leqq b$ のことです。丸かっこは端を含まず，角かっこは端を含みます。

問3 解説 （×）

この記述も誤りです。正しくは，次の通りです。$V(X)$ の前は常にプラスで，かつ定数はなくなります。

$$V(aX - bY + c) = a^2 V(X) + b^2 V(Y)$$

問4 解説 （○）

χ^2 分布は，おもに分散などの2乗和の量を扱う統計変数です。

問5 解説 （○）

これも記述の通りです。数表は，いろいろあって，はじめはどのように引

くべきか，まごつく方もおられるかと思いますが，落ち着いて確認していきましょう。

　まず，t 分布表について，t (10, 0.05) ということは，$P = 0.05$，$\phi = 10$の位置の数字を読むことになります。2.228で正しいですね。

　次に，F 分布表ですが，巻末にいくつかあります。F (10, 5, 0.05) を求めるには，p 318 の F (0.05 0.01) を利用します。$\phi_1 = 10$，$\phi_2 = 5$ ですから，縦の欄より $\phi_2 = 5$，横の欄より $\phi_1 = 10$ に相当する数字を読みますと，4.74になっていますね。

数表から目的とする数字を
探せるように
よく練習して
おきましょう。
何度も引いてみて
感覚をつかんでおきましょう

問題 1

ガウス分布に関する次の各々の文章において,正しいものには〇を,正しくないものには×を解答欄の(1)〜(5)に記入せよ。

① ガウス分布 $N(\mu, \sigma^2)$ に従う確率変数 x については,

$$E(x) = \mu, \quad V(x) = \sigma^2$$

となる。 $\boxed{(1)}$

② ガウス分布 $N(\mu, \sigma^2)$ に従う確率変数 x を,ガウス分布 $N(0, 1^2)$ に従う確率変数 u に変換する式は,

$$u = \frac{x - \sigma}{\mu}$$

である。 $\boxed{(2)}$

③ ガウス分布 $N(6, 5^2)$ に従う確率変数 x について

$$w = \frac{2x + 3}{5}$$

という変換を施すと,$E(w) = 3$,$V(w) = 2^2$ となる。 $\boxed{(3)}$

④ ガウス分布 $N(\mu, \sigma^2)$ に従う確率変数 x について

$$w = ax + b$$

という変換を施すと,$E(w) = 0$,$V(w) = 1^2$ となる。 $\boxed{(4)}$

⑤ $N(\mu, \sigma^2)$ に従う確率変数 x について,ランダムにサンプリングされた大きさ n のサンプルの測定値平均 $\overline{x}$ は,$N\left(\mu, \dfrac{\sigma^2}{n}\right)$ に従う。 $\boxed{(5)}$

【解答欄】

(1)	(2)	(3)	(4)	(5)

問題2

重要度 Ⓑ

統計分布を表わす式について，①～③のそれぞれに対して適切なものを選択肢欄から選んでその記号を解答欄に記入せよ。ただし，各選択肢を複数回用いることはない。

① $N(\mu, \sigma^2)$ が表わす統計分布　　　　　　　　　　　　(6)

② 確率 p の事象が n 回のうち x 回起こる二項分布確率　　(7)

③ 定数が λ であるポアソン分布に従う生起確率　　　　(8)

【選択肢】

ア． $f(x) = \dfrac{1}{\sqrt{2\pi}\sigma}\exp\left\{-\dfrac{1}{2}\left(\dfrac{x-\mu}{\sigma}\right)\right\}$

イ． $f(x) = \dfrac{1}{\sqrt{\pi}\sigma}\exp\left\{-\dfrac{1}{2}\left(\dfrac{x-\mu}{\sigma}\right)^2\right\}$

ウ． $f(x) = \dfrac{1}{\sqrt{2\pi}\sigma}\ln\left\{-\dfrac{1}{2}\left(\dfrac{x-\mu}{\sigma}\right)^2\right\}$

エ． $f(x) = \dfrac{1}{\sqrt{2\pi}\sigma}\ln\left\{-\dfrac{1}{2}\left(\dfrac{x-\mu}{\sigma}\right)\right\}$

オ． $f(x) = \dfrac{1}{\sqrt{2\pi}\sigma}\exp\left\{-\dfrac{1}{2}\left(\dfrac{x-\mu}{\sigma}\right)^2\right\}$

カ． ${}_n\mathrm{C}_x p^x (1-p)^{n-x}$　　　　　　　　キ． ${}_n\mathrm{P}_x p^x (1-p)^{n-x}$

ク． ${}_n\mathrm{C}_x p^{n-x} (1-p)^x$　　　　　　　　ケ． ${}_n\mathrm{P}_x p^{n-x} (1-p)^x$

コ． $\dfrac{\lambda^x}{x!}\exp(\lambda)$　　　　　　　　　　サ． $\dfrac{\lambda^x}{x!}\exp(-\lambda)$

シ． $\dfrac{\lambda^x}{x!}\ln(\lambda)$　　　　　　　　　　ス． $\dfrac{\lambda^x}{x!}\ln(-\lambda)$

【解答欄】

(6)	(7)	(8)

実戦問題 解答と解説

問題1

解答

(1)	(2)	(3)	(4)	(5)
○	×	○	×	○

解説

②

$$u = \frac{x - \sigma}{\mu}$$

という変換式は正しくありません。正しい変換式は，次のようになります。

$$u = \frac{x - \mu}{\sigma}$$

試しに計算してみましょう。

$$E(u) = E\left(\frac{x - \mu}{\sigma}\right) = \frac{E(x) - \mu}{\sigma} = \frac{\mu - \mu}{\sigma} = 0$$

$$V(u) = V\left(\frac{x - \mu}{\sigma}\right) = \left(\frac{1}{\sigma}\right)^2 V(x) = \left(\frac{1}{\sigma}\right)^2 \times \sigma^2 = 1^2$$

③ 計算を実施してみます。$E(x) = 6$，$V(x) = 5^2$ ですので，

$$E(w) = E\left(\frac{2x + 3}{5}\right) = \frac{2E(x) + 3}{5} = \frac{2 \times 6 + 3}{5} = 3$$

$$V(w) = V\left(\frac{2x + 3}{5}\right) = \left(\frac{2}{5}\right)^2 V(x) = \left(\frac{2}{5}\right)^2 \times 5^2 = 2^2 = 4$$

となって正しいことがわかります。V のカッコ内の定数は（分散に影響しませんので）消えていますね。

④ 定数である a や b が消えてしまうということは不自然ですね。ガウス分布 $N(\mu, \sigma^2)$ に従う確率変数 x について

$$w = ax + b$$

という変換を施しますと，$E(x) = \mu$，$V(x) = \sigma^2$ ですから，次のようになります。

$$E(w) = E(ax + b) = aE(x) + b = a\mu + b$$

$$V(w) = V(ax + b) = a^2 V(x) = a^2 \sigma^2$$

⑤ 与えられた記述は，結局，次のようになるということです。

$$E\left(\overline{x}\right) = \mu \qquad V\left(\overline{x}\right) = \frac{\sigma^2}{n}$$

これが正しいかどうか，計算してみましょう。

$$E\left(\overline{x}\right) = E\left(\frac{1}{n}\sum_{i=1}^{n} x_i\right) = \frac{1}{n}E\left(\sum_{i=1}^{n} x_i\right) = \frac{1}{n}E\left(n\overline{x}\right) = \frac{1}{n}E\left(n\mu\right) = \mu$$

$$V\left(\overline{x}\right) = V\left(\frac{1}{n}\sum_{i=1}^{n} x_i\right) = \frac{1}{n^2}V\left(\sum_{i=1}^{n} x_i\right) = \frac{1}{n^2}\{V\left(x_1\right) + V\left(x_2\right) + \cdots + \left(V_n\right)\}$$

$$= \frac{1}{n^2} \times n\sigma^2 = \frac{\sigma^2}{n}$$

となって，正しいことがわかります。この性質は**中心極限定理**として極めて重要な性質です。この定理を言い換えますと，次のようになります。

$\dfrac{\overline{x} - \mu}{\sigma/\sqrt{n}}$ という量は，n が大きくなる時，平均値 0，分散 1 の正規分布に近づく。

ここで，$\overline{x}$ はデータの平均，μ や σ は母集団のものであることに注意下さい。

問題2

解答

(6)	(7)	(8)
オ	カ	サ

解説

① オ. が正解です。これはガウス分布の基本的な式です。この式を使って計算することはめったにありませんが，式の形はよく見ておいて下さい。

② $_n\mathrm{P}_x$ は順列ですね。ここでは順列ではなくて組合せ $_n\mathrm{C}_x$ が用いられます。また，確率 p は $n-x$ ではなくて x に対応しなければなりませんね。p の肩には x が乗ります。その結果，カ. が正解となります。

③ ポアソン分布は $e^{-\lambda}$ が基本形です。

4 推定と検定

学習ポイント

・統計的推定とは？
・仮説検定の方法
・誤りの分類

重要度
B

●●● 試験によく出る重要事項 ●●●

1 統計的推定

統計的推定とは，本来の全体集団（母集団）を考えて，その中からランダムに（特別に選ばずに）採り出されたサンプルの値から全体集団の値（母数）を推定することをいいます。

そんな推定など面倒だから全体集団の全部のデータを採ったらいいではないか，という意見があるかも知れませんが，全体はとても量が多くて測定できないこともあり，工場の製品などでは測定したらその製品が使えなくなる検査（破壊検査）もあります。**危険率**（**有意水準**ともいいます）をαとしますと，**信頼率**は$(1-\alpha)$となります。百分率で表わしますと，危険率が100α［％］，信頼率が$100(1-\alpha)$［％］になります。

計量値データの推定は（一般に検定も），正規分布を仮定し，母平均あるいは母分散についての推定（検定）を行います。また，計数値データの推定（検定）では，不良率などは一般に二項分布を，欠点数などは通常ポアソン分布を想定して推定（検定）を行うことが多いでしょう（数値の程度の問題ですので，常にそうとも限りませんが）。

2 仮説の検定

統計学的仮説検定や検定法ともいいますが，ある仮説が正しいと言ってよいかどうかを統計学的・確率論的に判断するための手続きです。

仮説が正しいと仮定した上で，それに従う母集団から，実際に観察された標本が抽出される確率を求め，その値により判断を行います。その確率が十分に（予め決めておいた値より）小さければ，「仮説は成り立ちそうもない」と判断できます。

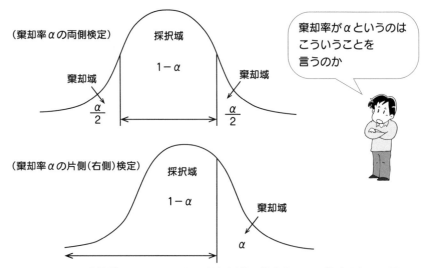

図 2 − 25　母数が，$100(1-\alpha)$ ％の信頼係数で推定あるいは検定される区間

　図 2 − 25では，分布の両側に $\alpha/2$ ずつの危険区間があることになりますが，このような場合を**両側検定**（その場合の仮説を**両側仮説**）といい，それに対して右側だけあるいは左側だけを対象とした検定を**片側検定**（その場合の仮説を**片側仮説**）といいます。

3　母集団と標本

　母集団とは，統計調査において標本を抽出する母体となる集団を言い，標本（サンプル）とは，母集団を全て調査できない場合に母集団の一部に関する調査対象をいいます。簡単に言いますと，調査対象の大きな集団を母集団，測定されるデータを標本と考えて下さい。

　母数とは，母集団や確率変数の性質を代表する定数（パラメータ）のことで，例えば，正規分布をする母集団では母平均 μ や母分散 σ^2 がこれに当たります。

　母集団のある種の母数が未知の時，標本 $x_1, x_2, \cdots\cdots, x_n$ から得られる値 $f(x_1, x_2, \cdots\cdots, x_n)$ によってこの未知の母数を推定する場合，$f(x_1, x_2, \cdots\cdots, x_n)$ を**推定値**といいます。$f(X_1, X_2, \cdots\cdots, X_n)$ のように確率変数 $X_1, X_2, \cdots\cdots, X_n$ の関数として表わす時は**推定量**といいます。言い換えますと，推定値は，推定量 $f(X_1, X_2, \cdots\cdots, X_n)$ の X_i に標本の値 x_i を代入した値です。

4 検定の手順

　仮説検定は次のような手順で実施します。わかりにくい点もあろうかと思いますが，それは具体的な問題 **例題** の解説でご覧下さい。

（1）仮説の設定

　仮説が正しいと仮定した場合に，その標本が観察される確率を算出できるように，仮説を統計学的に表現します。二つの集合の平均値が異なることを言いたい場合として，一つの例を考えてみます。

　H_0：「集合Aの測定値と集合Bの測定値は，どちらも正規分布に従い，その標準偏差は両者で等しく，平均も等しい。」

　という仮説を立てます。この仮説は最終的に棄却されるべきものなので，**帰無仮説**と呼ばれ，普通 H_0 と書きます。また，帰無仮説に対立する仮説（**対立仮説**：H_1）を立てることも多く，上の例では対立仮説は，次のようになります。

　H_1：「集合Aの測定値と集合Bの測定値は，どちらも正規分布に従い，その標準偏差は両者で等しいが，平均は異なる。」

（2）統計量の算出

　標本データから，仮説に関係した情報を要約する検定統計量を計算します。このような統計量を**十分統計量**といいます。

（3）統計量の確率分布

　仮説に基づき，検定統計量の確率分布を明らかにします。

（4）危険域の設定

　可能な全ての値の集合の中で，仮説に反する極端な範囲（グラフ表示した分布関数の裾の部分）を選びます。これは検定統計量の**危険域**と呼ばれます。仮説が正しい場合に検定統計量が危険域内に入る確率を検定の危険率と呼びます。危険率 α として具体的には0.05（5%），0.01（1%）などを用いることが多くなっています。

（5）判　定

データから算出した十分統計量が危険域内にあるかどうかを判定します。

通常は統計量が仮定した分布の中で，算出した十分統計量と同じかそれよりも極端な（仮説に反する）値となる確率（これを **p 値** といいます）を数表などによって求め，これと α とを比較し，$p < \alpha$ ならば危険域の内部にあると判断します。

Ⅰ）検定統計量が危険域内にある場合

結論は次の （a） あるいは （b） の二つしかないことになります。

（a）仮説は正しくない。従って帰無仮説を棄却する（これから危険域のことを **棄却域** ともいい，それ以外の範囲は **採択域** ということがあります）

（b）α 以下の低確率でしか起こらない事象が起こった。

このような場合を α 水準で統計学的に有意であるといいます。例では「集団Aの測定値と集団Bの測定値が等しいことは，α 水準で統計学的に有意である」と言えます。わかりやすく言い換えますと，「このようなことは偶然に起こりそうもないが，ごく小さい確率 α では起こりうる」ということになります。

Ⅱ）検定統計量が危険域の外側にある場合

仮説を棄却するだけの証拠はないという結論となります。統計学の目的は（当然とも言えますが）科学的な真理を明らかにすることではなく，統計的な情報管理の立場から推論の誤りをできるだけ減らすことにあるのです。

5　誤りの分類

帰無仮説が真である場合に，対立仮説を真と思ってしまう判断の誤りを **第1種の誤り（第1種の過誤，あわてものの誤り）** といい，その確率は通常の危険率 α ということになります。

一方，対立仮説が真である場合に，帰無仮説が真であると思ってしまう判断の誤りを **第2種の誤り（第2種の過誤，ぼんやりものの誤り）** といい，その確率は通常 β で表わします。一般に α を大きくしますと β は小さくなり，α を小さくしますと β は大きくなります。検定では，対立仮説が真である時にそれを正しく検出できることが重要ですので，その確率である $(1-\beta)$ を **検出力** ということもあります。α は「めったに起こらない確率」という意味を持ちますので，前述のように一般的に5％あるいは1％などが用いられます。

表2−5　検定における第1種の誤りと第2種の誤り

判断＼真実	帰無仮説が真の場合	対立仮説が真の場合
対立仮説を真と判断	第1種の誤り（α）	正しい判断（$1-\beta$）
帰無仮説を真と判断	正しい判断（$1-\alpha$）	第2種の誤り（β）

帰無仮説が正しいのに誤りとする誤りが「あわてもの」で
帰無仮説が誤りなのに正しいとする誤りが「ぼんやりもの」なのですね

6 点推定と区間推定

点推定とは，母平均 μ や母分散 σ^2 などの一つの値を推定することで，一般にはサンプルの不偏推定量としての平均値 $\overline{x}$ や分散 V などが用いられます。

また，**区間推定**とは，推定値がどの程度信頼できるかについて区間を用いて推定することをいい，信頼率を設定して推定します。一般にその信頼率としては95％（0.95）あるいは90％（0.9）などが用いられ，**信頼限界**（信頼区間の上限値や下限値）を求めます。

7 計量値の検定・推定

計量値の検定や推定においては，主として，一つの母集団に関するものと二つの母集団に関するものとがあります。それぞれにおいて用いられる検定の種類を表2−6，および，表2−7にまとめます。母平均や母分散は本来求められないものですが，正常な状態における過去のデータなどから母平均や母分散が仮定できる場合があります。その場合「既知」とすることができます。

表 2 − 6　母集団の数が一つの場合に用いられる検定の種類

検定対象となる母数	母分散の情報	統計量の分布	検定する統計量
母平均 μ	母分散 σ^2 が既知	標準正規分布	$u_0 = \dfrac{\bar{x}-\mu}{\sigma/\sqrt{n}}$
母平均 μ	母分散 σ^2 が未知	t 分布	$t_0 = \dfrac{\bar{x}-\mu}{\sqrt{V/n}}$
母分散 σ^2		χ^2 分布	$\chi_0{}^2 = \dfrac{S}{\sigma^2}$ （S は偏差平方和）

表 2 − 7　母集団の数が二つの場合に用いられる検定の種類

検定対象となる母数	母分散の情報	統計量の分布		検定する統計量
母平均 μ_1 と μ_2 との差	母分散 σ^2 が既知	標準正規分布		$u_0 = \dfrac{\bar{x}_1-\bar{x}_2}{\sqrt{\dfrac{\sigma_1{}^2}{n_1}+\dfrac{\sigma_2{}^2}{n_2}}}$
母平均 μ_1 と μ_2 との差	母分散 σ^2 が未知	$\sigma_1{}^2 = \sigma_2{}^2$ の場合	t 分布	$t_0 = \dfrac{\bar{x}_1-\bar{x}_2}{\sqrt{V\left(\dfrac{1}{n_1}+\dfrac{1}{n_2}\right)}}$ ここに $V=\dfrac{S_1+S_2}{n_1+n_2-2}$
		$\sigma_1{}^2 \neq \sigma_2{}^2$ の場合	t 分布（近似）	$t_0 = \dfrac{\bar{x}_1-\bar{x}_2}{\sqrt{\dfrac{V_1}{n_1}+\dfrac{V_2}{n_2}}}$
母分散の比	母分散 σ^2 が未知	F 分布		$F_0 = \dfrac{V_1}{V_2}$

どういう条件の時に
どういう検定統計量を使うのか
式がどういう構造になっているのか
これが, 結構重要ですな

母分散がわからない時には
σ^2 がわからないからですぞ

母分散が
わかっているかいないかで
検定統計量も違ってきますな
なぜだか, おわかりかな？

8 検定・推定の計算例

a）母平均の区間推定

I）母分散が既知の場合

母分散がわかっている場合には，母集団から得た測定値に基づいて母集団の平均値を含む確率が信頼率 $(1-\alpha)$ に一致する母平均の区間を求めます。母平均 μ，母分散 σ^2 の正規母集団から大きさ n の（n 個の）サンプルを採って，その平均 $\overline{x}$ を求めますと，次の u は $N(0, 1^2)$ に従います。分母の意味は，p 121 の問題 1 の⑤の記述およびその解説（p 123）を参照下さい。

$$u = \frac{\overline{x} - \mu}{\sigma/\sqrt{n}}$$

ここで図のような片側確率を考えますと，$u > u(\alpha)$ である確率（$u(\alpha)$ の外側に外れる確率）は，$\alpha/2$ となります。

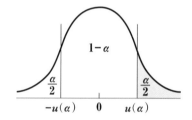

ははぁ
これが
上側の
片側確率
なんですね

正規分布では x が $\mu + k\sigma$ より大きくなる確率が
0.025（両側で言えば 5%）となる k は 1.960
0.005（両側で言えば 1%）となる k は 2.576
ということになるんだね
これは検定でよく使われる数値なんだね

これを
$u(0.05) = 1.960$
$u(0.01) = 2.576$
などと書くんだね

これから，逆に u が $u \pm u(\alpha)$ の間に入る確率は，$(1-\alpha)$ となります。つまり，$(1-\alpha)$ の確率で次式が成り立つということになります。

$$-u(\alpha) \leqq \frac{\overline{x}-\mu}{\sigma/\sqrt{n}} \leqq u(\alpha)$$

よって，母平均 μ の信頼区間は，危険率 α で次のようになります。

$$\overline{x} - u(\alpha)\frac{\sigma}{\sqrt{n}} \leqq \mu \leqq \overline{x} + u(\alpha)\frac{\sigma}{\sqrt{n}}$$

信頼率95％の時：（本来，$u(\alpha)$ の数値は数表を利用して入手します）

$$\overline{x} - 1.960\frac{\sigma}{\sqrt{n}} \leqq \mu \leqq \overline{x} + 1.960\frac{\sigma}{\sqrt{n}}$$

信頼率99％の時：

$$\overline{x} - 2.576\frac{\sigma}{\sqrt{n}} \leqq \mu \leqq \overline{x} + 2.576\frac{\sigma}{\sqrt{n}}$$

Ⅱ）母分散が未知の場合

母分散が未知の場合には，データの個数 n と試料の分散 V とを用いて，次の統計量が t 分布に従うことを利用します。

$$t_0 = \frac{\overline{x}-\mu}{\sqrt{V/n}}$$

これを利用しますと，次の式が成り立ちます。

$$-t(n-1,\ \alpha) \leqq \frac{\overline{x}-\mu}{\sqrt{V/n}} \leqq t(n-1,\ \alpha)$$

これから，次のように区間推定ができます。

$$\overline{x} - t(n-1,\ \alpha)\sqrt{\frac{V}{n}} \leqq \mu \leqq \overline{x} + t(n-1,\ \alpha)\sqrt{\frac{V}{n}}$$

b）母分散の区間推定

母集団から得られた測定値をもとに，母分散の区間推定を行います。はじめに，平方和 S を求めます。

$$S = \sum_{i=1}^{n} x_i{}^2 - \frac{\left(\sum_{i=1}^{n} x_i\right)^2}{n}$$

ここでは χ^2 分布表（巻末 p 316）を利用します。自由度 $f = n-1$ における値 $\chi^2(n-1,\ \alpha/2)$，および，$\chi^2(n-1,\ 1-\alpha/2)$ を数表から求めます。これらを用いて信頼区間を次のように求めます。

$$\frac{S}{\chi^2\left(n-1,\ \dfrac{\alpha}{2}\right)} \leqq \sigma^2 \leqq \frac{S}{\chi^2\left(n-1,\ 1-\dfrac{\alpha}{2}\right)}$$

c）母分散が既知の場合の母平均検定例

> **例題** 工場のある製品の従来の特性値が母平均として50.0，母分散として4.0²であった時，工程を改善して試作品10個の特性値を測定したところ，平均値が49.0であったという。母分散が変化していないとして，特性値（母平均）が有意に変化したか否かを検討せよ。（有意水準を5％とする）

[検定] 改善後の特性値の母分散が保持されているという前提（母分散が既知）において，特性値が変化したかどうかの両側検定です。正規分布表を使用します。

手順1 仮説を設定します。特性値の平均を改善前 μ_0，改善後 μ としますと，

$H_0 : \mu = \mu_0$（$\mu_0 = 50.0$）

$H_1 : \mu \neq \mu_0$

$\alpha = 0.05$

手順2 棄却域を設定します。u_0 は，表2-6に示しました検定統計量です。

$|u_0| > u(\alpha) = u(0.05) = $［片側数表0.025相当を本書はこう表記］$= 1.960$

手順3 検定統計量を計算します。

$$u_0 = \frac{\overline{x} - \mu_0}{\sqrt{\sigma^2/n}} = \frac{49.0 - 50.0}{\sqrt{4.0^2/10}} = \frac{-1.0}{1.265} = -0.791$$

手順4 判定します。

$|u_0| = 0.791 < u(0.05) = 1.960$

これにより，「有意水準5％での特性値変化があったとは言えない」という結論を得ます。

手順5 母平均の区間推定をします。改善後の平均を $\hat{\mu}$（ミューハット）と書きますと，

・点推定： $\hat{\mu} = \overline{x} = 49.0$

・区間推定：

上限値　$\overline{x} + u(0.05)\dfrac{\sigma}{\sqrt{n}} = 49.0 + 1.960 \times \dfrac{4.0}{\sqrt{10}} = 51.48$

下限値　$\overline{x} - u(0.05)\dfrac{\sigma}{\sqrt{n}} = 49.0 - 1.960 \times \dfrac{4.0}{\sqrt{10}} = 46.52$

第2章

d）前問の例題において「母平均が小さくなったかどうか」の検定

その場合には，片側検定となります。仮説は次のようになります。

$\mathrm{H}_0 : \mu = \mu_0 (\mu_0 = 50.0)$

$\mathrm{H}_1 : \mu < \mu_0$

$\alpha = 0.05$

棄却域は，片側検定なので，片側に5％の棄却域を設けます。

（片側数表を引くときは要注意です。$u(0.1)$ は $\alpha = 0.05$ を引きます。p 314（Ⅲ））

$u_0 \leqq -u(2\alpha) = -u(0.1) = -1.645$

検定する統計量（表2－6）u_0 は，

$u_0 = -0.791$（前問の例題結果）

でしたから，u_0 が棄却域に入っていませんので，5％の危険率で有意ではない（小さくなっているとは言えない）ことになります。

e）母分散が未知の場合の母平均検定例

> **例題** ある工場において，母平均が4.8であった工程を改善し，データ数 $n = 10$ のサンプルから標本平均値 $\mu = 5.7$，不偏分散 $V = 6.76$ を得た。このデータから平均値が大きくなったかどうかの検定をせよ。(有意水準を5％とする)

[検定] 平均値が大きくなったかどうかという片側検定です。母分散が未知の場合ですので，t 分布表を使用します。

手順1　仮説の設定

　　　　帰無仮説 H_0：平均値は，現在も不変である。（$\mu = \mu_0$）

　　　　対立仮説 H_1：平均値は，大きくなっている。（$\mu > \mu_0$）

手順2　有意水準の設定

　　　第一種の誤り確率を5％（棄却率 $\alpha = 0.05$）とする。

手順3　検定統計量の決定

$$検定統計量 \quad t_0 = \frac{標本平均値 - 母平均値}{\sqrt{\dfrac{不偏分散}{標本数}}}$$

t_0 は自由度 $n = 10 - 1 = 9$ の t 分布に従う。

手順4　棄却域の設定

　　　$\mu > \mu_0$ より，t 表（巻末 p 315）の片側検定を行う

　　　t 表（巻末の表は両側表で与えられているので注意します。片側確率0.05

なので，両側確率では0.10で引きます。）より，棄却率 $\alpha = 0.05$ で自由度 **9** の値 $t\,(9,\ 0.10) = 1.833$

手順5 検定統計量の計算

$$t \text{ の検定統計量} \quad t_0 = \frac{5.7 - 4.8}{\sqrt{\dfrac{6.76}{10}}} = \frac{0.9}{0.822} = 1.09$$

手順6 判定

$$t_0 = 1.09 < t\,(9,\ 0.10) = 1.833$$

これにより，帰無仮説は有意水準 5 ％で棄却されない。すなわち，平均値は大きくなっていない（断定はできませんが，少なくとも同等）と判定されます。

f ）母分散の検定例

> **例題** ある工場の製品 A の重さにつき，これまでの実績として，平均値 μ_0 が20.00 g，母分散 $\sigma_0{}^2$ が 1.00^2 であることが知られている。ところが，最近になってこの重さのばらつきが大きくなったのではないかという指摘がなされている。そこで，この件を検証するため，新たにサンプリングを行って $n = 21$ 個のデータから，その平均 $\mu = 20.15$ g，標本分散 $\sigma^2 = 1.14^2$，偏差平方和 $S = 26$ を得た。重さのばらつきが大きくなったかどうか検定せよ。（有意水準を 5 ％とする）

[検定] 母分散に変化があるかどうかの検定ですが，大きいかどうかという片側検定です。2 乗型変量の検定ですので，χ^2 分布表を用います。

手順1 仮説の設定

　帰無仮説 H_0：ばらつきは，現在も不変である。（$\sigma = 1.00$）
　対立仮設 H_1：ばらつきは，大きくなっている。（$\sigma > 1.00$）

手順2 有意水準の設定

　第一種の誤り確率を 5 ％（棄却率 $\alpha = 0.05$）とする。

手順3 検定統計量の決定

$$\text{検定統計量} \quad \chi_0{}^2 = \frac{\text{偏差平方和}}{\text{母分散}}$$

χ^2 は自由度 $n = 21 - 1 = 20$ の χ^2 分布に従う。

手順4 棄却域の設定

$\sigma^2 > \sigma_0{}^2$ より，χ^2 表の片側検定を行う

χ^2 表（巻末 p 316）より，棄却率 $\alpha = 0.05$ で自由度 20 の値 $\chi^2\,(20,\ 0.05)$
$= 31.4104$

手順 5　検定統計量の計算（分母が母分散であることに留意）

$$\chi^2 \text{の検定統計量}\quad \chi_0{}^2 = \frac{S}{\sigma_0{}^2} = \frac{26}{1.00^2} = 26$$

手順 6　判定

$$\chi_0{}^2 = 26 < \chi^2\,(20,\ 0.05) = 31.4104$$

これにより，帰無仮説は有意水準 5 ％で棄却されない。すなわち，ばらつ
きは大きくなっていないと（断定ではないが，少なくとも同等）判定されます。

g）母分散の比の検定例

> **例題**　A および B の二つの集団において，10 個ずつのサンプルを得てそ
> れらの偏差平方和を求めたところ，それぞれ 51.2 および 80.3 となった。両
> 集団のばらつきに差があるかどうか検定せよ。（有意水準を 5 ％とする）

[検定] 両集団の母分散に差があるかどうかという，両側検定です。2 乗型変
　量の比の検定ですので，F 分布表を用います。

手順 1　仮説を設定します。

$H_0 : \sigma_A{}^2 = \sigma_B{}^2$

$H_1 : \sigma_A{}^2 \neq \sigma_B{}^2$

$\alpha = 0.05$

手順 2　棄却域を設定します。F 分布を用います。

$F_0 \geqq F$　（自由度 A，自由度 B ; $\alpha/2$）

よって，

$F_0 \geqq F\,(9,\ 9 ; 0.025) = 4.03$ ［この値は F 表（巻末 p 317）から入手しま
す］

手順 3　統計量を計算します。

$$V_A = \frac{S_A}{n_A - 1} = \frac{51.2}{10 - 1} = \frac{51.2}{9} = 5.688$$

$$V_B = \frac{S_B}{n_B - 1} = \frac{80.3}{10 - 1} = \frac{80.3}{9} = 8.922$$

分散比として，F_0 を求めます。ここでは，分散の大きいほうを分子とし

ます。

$$F_0 = \frac{V_B}{V_A} = \frac{8.922}{5.688} = 1.57$$

手順4 判定します。

$$F_0 = 1.57 < F(9, \ 9 ; 0.025) = 4.03$$

これより，有意水準 5 ％で有意ではない（両集団のばらつきに差がない）
と言えます。

h）前問の例題において「B の母分散が大きいかどうか」の検定

その場合には，片側検定となります。仮説は次のようになります。

$$H_0 : \sigma_A{}^2 = \sigma_B{}^2$$

$$H_1 : \sigma_A{}^2 < \sigma_B{}^2$$

$$\alpha = 0.05$$

棄却域は

$$F_0 \geqq F(9, \ 9 ; 0.05) = 3.18$$

$F_0 = 1.57$ （前問の例題結果）でしたから，F_0 が棄却域に入っていませんの
で，5 ％の危険率で有意ではない（大きいとは言えない）ことになります。

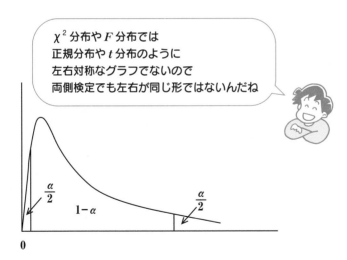

χ² 分布や F 分布では
正規分布や t 分布のように
左右対称なグラフでないので
両側検定でも左右が同じ形ではないんだね

9　分割表による検定

　例えば，次のようなデータ表を 2×2 分割表といいます。分類データ（男性・女性，成人・子供など）が対象となります。このデータをもとに，行や列での値が互いに独立かどうかを検定します。

	B1	B2	合計
A1	a	b	$a+b$
A2	c	d	$c+d$
合計	$a+c$	$b+d$	N

　この検定では，次のような χ^2 値を用いた χ^2 検定が行われます。

$$\chi^2 = \frac{(ad-bc)^2 N}{(a+b)(c+d)(a+c)(b+d)}$$

　この式で，$N = a+b+c+d$ です。

確認問題

知識・実力の確認をしましょう。○か×か考えてみて下さい。

( ) **問1**：危険率を α とすると，信頼率は（$1-\alpha$）となる。

( ) **問2**：危険域のことを棄却域ともいい，それ以外の範囲は採択域ということがある。

( ) **問3**：帰無仮説に対する仮説は，一般に反対仮説と呼ばれる。

( ) **問4**：二つの母集団の特性値どうしを比較して，等しいかどうかを検定する場合には片側検定となり，一方が大きいかどうかを検定する場合には両側検定となる。

( ) **問5**：統計的仮説検定は，一般に次に示す手順によって行われる。

> 仮説の設定→検定統計量の決定→検出力とサンプル数の決定→棄却域の設定→有意水準の設定→データの採取→検定統計量の計算→判定

● ● ● 正解と解説 ● ● ●

正解 問1：○ 問2：○ 問3：× 問4：× 問5：×

問1 解説 （○）

記述の通りです。百分率では，危険率が 100α ［％］，信頼率が $100(1-\alpha)$ ［％］になります。

問2 解説 （○）

危険域と棄却域は同じ概念で，採択域がその反対です。

問3 解説 （×）

帰無仮説に対する仮説は，一般に反対仮説ではなくて，対立仮説と呼ばれますね。

問4 解説 （×）

記述は逆になっています。等しいかどうかを検定する場合は両側検定で，一方が大きいかどうかを検定する場合には片側検定となります。「等しい」という関係は左右対称ですが，大小を比較する場合には左右非対称ですね。

問5 解説 （×）

設問中の手順には誤りが含まれています。正しくは，次の手順となります。違いを確認しておいて下さい。有意水準の設定が早い段階で行われる必

第2章

要があります。

> 仮説の設定→有意水準の設定→検定統計量の決定→検出力とサンプル数の決定→棄却域の設定→データの採取→検定統計量の計算→判定

　この手順の中で，データ採取が後半にあることに注意しましょう。これについては設問も正解も同じですね。データ採取のために，その前に準備して計画を作っておくべきですね。

　一番初めに行うことは，何を検定したいかということに基づいて仮説（帰無仮説，対立仮説）を立てるべきです。そして，検定のための有意水準を設定します。有意水準とは，帰無仮説が正しい時に，これを棄却してしまう確率に相当します。つまり，第一種の誤りの確率です。その後に，母分散が既知か否かなどの条件を考慮し，検定統計量を決定します。次に第二種の誤りの心配をし，検出力を考えてサンプル数を決定します。それらをもとに棄却域の設定をしてから，いよいよサンプルの採取に取り掛かります。

　キーポイントは，有意水準の設定という，検定のための基本事項を早いうちに行っておく必要があるということです。

問題1

重要度 A

　帰無仮説が真である場合に，対立仮説を真と思ってしまう判断の誤りを第1種の誤りというが，この確率を α とし，逆に対立仮説が真である場合に，帰無仮説が真であると思ってしまう第2種の誤りの起こる確率を β とするとき，次表の(1)〜(4)に入る正しい文言を選択肢欄から選んでその記号を解答欄に記入せよ。ただし，各選択肢を複数回用いることはない。

判断＼真実	帰無仮説が真の場合	対立仮説が真の場合
対立仮説を真と判断	(1)	(2)
帰無仮説を真と判断	(3)	(4)

【選択肢】

　ア．第1種の誤り（確率 α）　　イ．第2種の誤り（確率 α）

　ウ．第1種の誤り（確率 β）　　エ．第2種の誤り（確率 β）

　オ．正しい判断（確率 $1-\alpha$）　カ．正しい判断（確率 $1-\beta$）

　キ．誤りの判断（確率 $1-\alpha$）　ク．誤りの判断（確率 $1-\beta$）

【解答欄】

(1)	(2)	(3)	(4)

第2章

問題2

　検定に関する次の文章において，(5)～(9)，および (11) のそれぞれに対して適切な語句を選択肢欄から選んでその記号を，(10) には（巻末の正規分布表をもとに）数値を解答欄に記入せよ。ただし，各選択肢を複数回用いることはない。

　分布が正規分布であることが仮定できる母集団の標準偏差が3であるという。この母集団から10個のサンプルを抽出した場合の平均値 μ が12である時，母平均 μ_0 が15に一致することがあるかどうかを，危険率5％で検定する手続きは，次のようになる。

　母集団の標準偏差である 　(5)　 がわかっている場合であるので， 　(6)　 を用いた u 検定を行う。

・ 　(7)　 （H_0）：$\mu = 15$

・対立仮説（H_1）：$\mu \neq 15$

　ここで， 　(7)　 に対する正規分布変数 u_0 を求めると，

$$u_0 = \frac{\overline{x} - \mu}{\sigma/\sqrt{n}} = \frac{12 - 15}{3/\sqrt{10}} = -3.16$$

　また，危険率5％の 　(8)　 は，片側では2.5％であることから， 　(9)　 が2.5％になる $\mu + k\sigma$ の k を，（巻末 p 314 の）正規分布表によって求めると $k = $ 　(10)　 となる。すなわち，

$$|u_0| = 3.16 > 　(10)　$$

となることより， 　(7)　 に対する変量の存在確率は2.5％より低い（μ と15の差が大きい）ことがわかる。これによって， 　(7)　 は 　(11)　 。

【選択肢】

ア．母標準偏差	イ．母分散	ウ．母平均
エ．正規分布	オ．t 分布	カ．F 分布
キ．同伴仮説	ク．帰無仮説	ケ．対立仮説
コ．両側確率	サ．片側確率	シ．採用される
ス．棄却される	セ．維持される	ソ．継続される

【解答欄】

(5)	(6)	(7)	(8)	(9)	(10)	(11)

実 戦 問 題 解答と解説

問題1

解答

(1)	(2)	(3)	(4)
ア	カ	オ	エ

解説

　本文の文章にある通りです。おわかりでしょうか。第1種の誤りが「あわてものの誤り」，第2種の誤りが「ぼんやりものの誤り」と言われますね。整理して再掲しますと，次のようになります。

判断 ＼ 真実	帰無仮説が真の場合	対立仮説が真の場合
対立仮説を真と判断	第1種の誤り（α）	正しい判断（$1-\beta$）
帰無仮説を真と判断	正しい判断（$1-\alpha$）	第2種の誤り（β）

問題2

解答

(5)	(6)	(7)	(8)	(9)	(10)	(11)
ア	エ	ク	コ	サ	1.96	ス

解説

　あらためて5行目からの文章を再掲しますと，次のようになります。

検定や推定の推論では
話の流れがわかりにくいこともありますが
何度も読んで，何を言っているのか
よ〜く考えてみましょう

　　母集団の標準偏差である母標準偏差がわかっている場合であるので，正
規分布を用いた u 検定を行う。
・帰無仮説（H₀）：$\mu = 15$
・対立仮説（H₁）：$\mu \neq 15$
　　ここで，帰無仮説に対する正規分布変数 u_0 を求めると，

$$u_0 = \frac{\overline{x} - \mu}{\sigma/\sqrt{n}} = \frac{12 - 15}{3/\sqrt{10}} = -3.16$$

　　また，危険率５％の両側確率は，片側では 2.5％であることから，片側
確率が 2.5％になる $\mu + k\sigma$ の k を（巻末 p 314 の）正規分布表によって
求めると

$$k = 1.96$$

となる。すなわち，

$$|u_0| = 3.16 > 1.96$$

となることより，帰無仮説に対する変量の存在確率は 2.5％より低い
（μ と 15 の差が大きい）ことがわかる。これによって，帰無仮説は棄却
される。

　　p 314 の表の見方はおわかりでしょうか。（Ⅰ）の表で，下から 17 行目（K_p
が 1.9★の行）に .0250 という数値がありますが，これが片側確率になります。
その位置の k（表では K_p）は 1.960 となりますね。（Ⅲ）の表で求めようと
すると，片側確率の 0.02 と 0.03 に対応するものが，それぞれ 2.054 と 1.881
ということで，直接には 0.025 に相当する欄がありませんので，2.054 と 1.881
とから求めることになりますが，単純平均すると 1.9675 くらいになってある
程度の誤差が出てしまいます。

5 回帰分析と相関分析

学習ポイント

・回帰分析とは？
・最小二乗法
・相関分析と相関係数

●●● 試験によく出る重要事項 ●●●

1 回帰分析法

　回帰分析法とは，「目的とする変数（従属変数）」と「もとになる変数（説明変数）」との間に関係式を当てはめ，これらの変数の間の関係をどのくらい説明できるかを統計的に示す分析法をいいます。説明変数が一つの場合には**単回帰分析**，二つ以上の場合には**重回帰分析**と呼ぶことがあります。これらの式を**回帰式**といいます。

　当てはめる関係式は，普通には次のような一次式ですが，時に別な式を用いることもあります。この式で x が説明変数，y が従属変数と呼ばれます。a および b は定数です。

$$y = ax + b$$

　回帰式やそのモデルの妥当性を検討することを回帰診断といいます。次項に出てくる残差などが主に検討対象となります。

2 最小二乗法

　例えば上記の一次式の係数 a および b を決める有力な方法として，**最小二乗法**があります。自分を掛けて二乗になりますので，最小自乗法とも書きます。

　最小二乗法の原理は，差の平方和を最小にするということなので，一次式に限らずどの関数でも可能なのですが，単純な直線近似（一次式）で考えてみます。

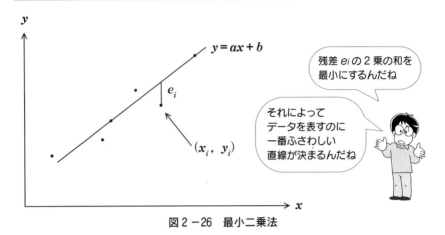

図2－26　最小二乗法

　データの組 $(x_i,\ y_i)$ $(i = 1 \sim n)$ があるものとして，これをグラフの上に点を書くことをプロットするといいます。これに，一次式 $y = ax + b$ を当てはめてみましょう。全ての点がこの線の上に乗ることは通常はありませんので，$(x_i,\ y_i)$ とその直線との差（y 軸に平行な線で示される差）を残差（実測値と予測値の差）e_i としますと，

$$y_i = ax_i + b + e_i$$

　この直線がよく当てはまっているかどうかの指標として，残差の平方和 S_e を取ります。

$$S_e = \sum_{i=1}^{n} e_i{}^2$$

　この S_e を最小にするように a および b を決めます。そのための方法が二つあります。それを以下に示しますが，これらの計算内容を理解せず結果だけ使うという立場でも学習は進められますので，心配されなくても大丈夫です。あるいは，計算の骨子だけ見ていただき，計算そのものはスキップしていただいても結構です。

（1）二次式の平方和をつくる方法

（2）偏微分法を用いる方法

　偏微分法を学習されておられない方は，（1）の方法をご覧下さい。少し式が長くなります。スキップしてもフォローしていただいてもどちらでも結構です。

（1）二次式の平方和をつくる方法

S_e を具体的に書いてみます。

$$S_e = \sum_{i=1}^{n} \{y_i - (ax+b)\}^2$$

この式を計算しやすいよう，次のように変形しますと，

$$S_e = \sum_{i=1}^{n} \{(y_i - \overline{y}) - a(x_i - \overline{x}) + (\overline{y} - b - a\overline{x})\}^2$$

$$= \sum_{i=1}^{n} \left\{ (y_i - \overline{y})^2 + a^2(x_i - \overline{x})^2 + (\overline{y} - b - a\overline{x})^2 - 2a\sum_{i=1}^{n}(x_i - \overline{x})(y_i - \overline{y}) \right\}$$

$$+ 2(\overline{y} - b - a\overline{x}) \left\{ \sum_{i=1}^{n}(y_i - \overline{y}) - a\sum_{i=1}^{n}(x_i - \overline{x}) \right\}$$

ここで，次の関係を利用します。

$$\sum_{i=1}^{n} 1 = n \quad \text{なので} \quad \sum_{i=1}^{n} (\overline{y} - b - a\overline{x})^2 = n(\overline{y} - b - a\overline{x})^2$$

$$\sum_{i=1}^{n} (x_i - \overline{x}) = \sum_{i=1}^{n} x_i - \overline{x}\sum_{i=1}^{n} 1 = n\overline{x} - \overline{x} \times n = 0$$

同様に，

$$\sum_{i=1}^{n} (y_i - \overline{y}) = 0$$

これらを使いますと，次のようになります。

$$S_e = \sum_{i=1}^{n}(y_i - \overline{y})^2 + a^2\sum_{i=1}^{n}(x_i - \overline{x})^2 + n(\overline{y} - b - a\overline{x})^2 - 2a\sum_{i=1}^{n}(x_i - \overline{x})(y_i - \overline{y})$$

この式を a および b について，平方和の形に変形します。

$$S_e = \sum_{i=1}^{n}(x_i - \overline{x})^2 \left\{ a - \frac{\sum_{i=1}^{n}(x_i - \overline{x})(y_i - \overline{y})}{\sum_{i=1}^{n}(x_i - \overline{x})^2} \right\}^2 + n(\overline{y} - b - a\overline{x})^2$$

$$+ \sum_{i=1}^{n}(y_i - \overline{y})^2 - \frac{\left\{ \sum_{i=1}^{n}(x_i - \overline{x})(y_i - \overline{y}) \right\}^2}{\sum_{i=1}^{n}(x_i - \overline{x})^2}$$

この式で，第 1 項も第 2 項もともに非負，すなわち，0 以上ですので，これらがともに 0 になる時に S_e は最小になります。したがって，そのようになるには次の式を満たす必要があります。

$$a = \frac{\sum\limits_{i=1}^{n}(x_i - \overline{x})(y_i - \overline{y})}{\sum\limits_{i=1}^{n}(x_i - \overline{x})^2} = \frac{\sum\limits_{i=1}^{n}x_i y_i - n\overline{x}\,\overline{y}}{\sum\limits_{i=1}^{n}x_i{}^2 - n\overline{x}^2}$$

$$b = \overline{y} - a\overline{x} = \overline{y} - \overline{x}\,\frac{\sum\limits_{i=1}^{n}x_i y_i - n\overline{x}\,\overline{y}}{\sum\limits_{i=1}^{n}x_i{}^2 - n\overline{x}^2} = \frac{\overline{y}\sum\limits_{i=1}^{n}x_i{}^2 - \overline{x}\sum\limits_{i=1}^{n}x_i y_i}{\sum\limits_{i=1}^{n}x_i{}^2 - n\overline{x}^2}$$

これらが，S_e を最小にする a および b となります。

このあたりの計算はむつかしいと思えば結果を使うだけでもいいんだよ

（2）偏微分法を用いる方法

$$S_e = \sum_{i=1}^{n}\{y_i - (ax_i + b)\}^2$$

となっていますから，これを a で偏微分した式と b で偏微分した式を，ともにゼロとして a と b を求めればよいのですね。

$$\frac{\partial S_e}{\partial a} = -2\sum_{i=1}^{n}x_i\{y_i - (ax_i + b)\} = 0$$

$$\frac{\partial S_e}{\partial b} = -2\sum_{i=1}^{n}\{y_i - (ax_i + b)\} = 0$$

これを整理しますと，

$$a\sum_{i=1}^{n}x_i{}^2 + b\sum_{i=1}^{n}x_i = \sum_{i=1}^{n}x_i y_i$$

$$a\sum_{i=1}^{n}x_i + nb = \sum_{i=1}^{n}y_i$$

これを a，b について解き，整理しますと，（1）と同じ解を得ます。

　何度も申しますが，（1）も（2）も途中の計算がおわかりにならなくても結果だけを見ていただければ充分です。QC検定の試験には基本的に差し支えありません。

　ここで，

$$S_{xx} = \sum_{i=1}^{n} (x_i - \overline{x})^2 \qquad (x \text{ の偏差平方和})$$

$$S_{xy} = \sum_{i=1}^{n} (x_i - \overline{x})(y_i - \overline{y}) \qquad (x, \ y \text{ の偏差積和})$$

という S_{xx} および S_{xy} を定義し，計算して整理すると，

$$S_{xx} = \sum_{i=1}^{n} x_i{}^2 - n\overline{x}^2$$

$$S_{xy} = \sum_{i=1}^{n} x_i y_i - n\overline{x}\,\overline{y}$$

となりますので，（S_{xx} の誘導については p 69 を参照下さい。S_{xy} についても，同様の計算ができますので，練習してみて下さい。）

$$a = \frac{S_{xy}}{S_{xx}}$$

となります。b はその結果より，

$$b = \overline{y} - a\overline{x} = \overline{y} - \frac{S_{xy}}{S_{xx}}\overline{x}$$

のように求められます。この S_{xy} は，p 106 における連続関数の共分散に対応します。

　以上のように最小二乗法を用いて直線近似を行うことを**回帰分析**といい，得られた直線を**回帰直線**，傾き a は**回帰係数**と呼ばれます。回帰係数 a が決まれば，回帰式は，

$$y = a\,(x - \overline{x}) + \overline{y}$$

と書かれます。

　なお，次の関係もよく用いられますので，押さえておいて下さい。計算練習にもなりますから，正しいかどうかご自分で計算してみられるのもよろしいでしょう。

$$S_{xy} = \sum_{i=1}^{n} x_i \left(y_i - \overline{y} \right)$$

$$= \sum_{i=1}^{n} (x_i - \overline{x}) y_i$$

3 平方和の分解と寄与率

　回帰分析とは，目的変数の変動を一般に直線の予測式を用いていかに説明するか，という点がポイントです。ここで，回帰式による y の予測値を $\hat{y}$ と書いて，データの変動 $y_i - \overline{y}$ を，回帰による変動 $\hat{y}_i - \overline{y}$ と残差 $y_i - \hat{y}_i$ に分解することを考えてみます。それぞれの平方和は次のように求められます。

$$\text{総平方和 } S_T = \sum_{i=1}^{n} (y_i - \overline{y})^2 = S_{yy}$$

$$\text{回帰平方和 } S_R = \sum_{i=1}^{n} (\hat{y}_i - \overline{y})^2 = \sum_{i=1}^{n} [\{\overline{y} + a(x_i - \overline{x})\} - \overline{y}]^2$$

$$= a^2 S_{xx} = \frac{S_{xy}^2}{S_{xx}}$$

$$\text{残差平方和 } S_E = \sum_{i=1}^{n} (y_i - \hat{y}_i)^2 = \sum_{i=1}^{n} [y_i - \{\overline{y} + a(x_i - \overline{x})\}]^2$$

$$= \sum_{i=1}^{n} \{(y_i - \overline{y}) - a(x_i - \overline{x})\}^2$$

$$= S_{yy} - 2a S_{xy} + a^2 S_{xx}$$

$$= S_{yy} - \frac{S_{xy}^2}{S_{xx}}$$

　ここで，先に定義した S_{xx} および S_{xy} に加えて，S_{yy} を次のように定義しています。

$$S_{yy} = \sum_{i=1}^{n} (y_i - \overline{y})^2$$

　以上の結果より，次の関係が成り立ちます。これを**平方和の分解**といっています。

これも
平方＝平方＋平方
というふうに見ると
ピタゴラスの定理のような
関係に見えますね

$$S_T = S_R + S_E$$

　総変動が，回帰による変動（平方和）S_R と誤差による変動（平方和）S_E とに分解されていることになります。誤差の標準偏差 s_E として次の計算をすることがあります。誤差の自由度をもとに求めますが，総自由度（全体の自由度）$n-1$ からさらに，回帰による自由度を1だけ差し引いた $n-2$ を誤差の自由度として，次のようになります。

$$s_E = \sqrt{\frac{S_E}{n-2}}$$

得られた回帰式にどの程度の意味があるのか，という尺度として**寄与率**（決定係数）があります。これは S_R と S_T の比で R^2 と書きますが，これが大きいほど回帰式に強い意味があることになり，x と y の関係が強いといえます。

$$R^2 = \frac{S_R}{S_T}$$

平方和分解の計算過程からわかりますように，R^2 の範囲として $0 \leqq R^2 \leqq 1$ となります。この式の S_R および S_T に，先に求めた

$$S_T = S_{yy} \quad \text{および} \quad S_R = \frac{S_{xy}{}^2}{S_{xx}}$$

を代入して，整理しますと，次のようになります。

$$R^2 = \frac{S_{xy}{}^2}{S_{xx} S_{yy}}$$

4　相関分析法

　相関分析法とは，2変数間の関係を数値で記述する分析方法，すなわち，2変数間に，どの程度，直線的な関係があるかを数値で表わす分析方法です。2変数 x，y について，傾向として次のように言えます。

a）変数 x の値が大きいほど変数 y の値も大きい場合が，正の相関関係です。

b）変数 x の値が大きいほど変数 y の値が小さい場合が，負の相関関係です。

c）変数 x の値と，変数 y の値の間に増加あるいは減少の関係が成立しない場合を無相関といいます。

　S_{xx}，S_{yy} および S_{xy} を使って，**相関係数** r が次のように定義されます。

$$r = \frac{S_{xy}}{\sqrt{S_{xx} S_{yy}}}$$

相関関係は
x と y について対称なんだね

そうだよね
「対称」とは
x と y を入れ替えても同じ式
になるということだね

この式と，前項で得られた R^2 の式を見比べますと，寄与率と相関係数について次の関係のあることがわかります。

$$R^2 = r^2$$

相関係数の性質を整理します。

① 常に $-1 \leqq r \leqq 1$ となります。
② $r = 0$，あるいは，$r \fallingdotseq 0$ を無相関（相関がない）といいます。
③ $r > 0$ を正の相関といいます。
④ $r < 0$ を負の相関といいます。
⑤ r が1に近い場合，強い正の相関といいます。
⑥ r が -1 に近い場合，強い負の相関といいます。

r	評価の表現
1	完全な正の相関あり
	強い正の相関あり
0.7	
	正の相関あり
0.4	
	弱い正の相関あり
0.2	
0	相関なし
−0.2	
	弱い負の相関あり
−0.4	
	負の相関あり
−0.7	
	強い負の相関あり
−1	完全な負の相関あり

なるほど r の値によって相間の状態が違っているんだね

図2−27　相関係数の目安

　変数（変量）を多く扱う回帰分析（**重回帰分析**）においては，その時の相関係数を**重相関係数**といいます。重回帰分析における（一つの説明変数についての）回帰係数を**偏回帰係数**と呼んでいます。

　相関係数は，あくまでも確率変数の線形関係を測定しているに過ぎません。また，確率変数間の因果関係を説明するものでもありません。「相関係数が0.2と0.6であることから，後者は前者より3倍の相関がある」というような定量的なことも言えません。

二つの変数A，Bの間に相関が見られる場合，偶然による相関を除けば，次の三つの可能性が考えられます。

a）AがBを発生させる場合（Aが原因で，Bが結果）

b）BがAを発生させる場合（Bが原因で，Aが結果）

c）第3の変数CがAとBを発生させる場合（Cが原因で，AおよびBが結果で，この場合，AとBの間に因果関係はなく擬似相関といわれます）

5 散布図

二つの変数 x, y があって，これらのデータをグラフ上に点として書くことを**プロット**するといいます。また，本章の2（p91）でQC七つ道具として説明しましたように，その図を**散布図**といいます。散布図は，x と y にどのような関係があるのかを視覚的にとらえやすい図となります。以下，いくつかの散布図パターンを示します。

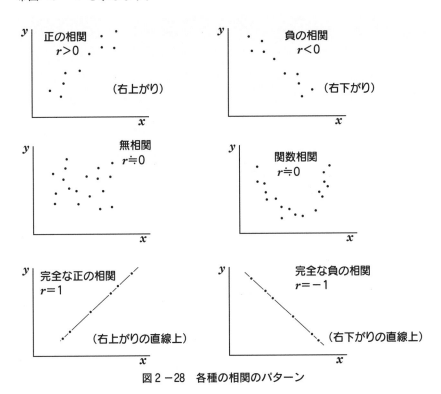

図2-28 各種の相関のパターン

この図の中で，右側中央のプロット図は，相関係数がほぼゼロなのですが，U字形に近くなっていて，$y = ax^2 + bx + c$ という二次曲線で近似するとかなり合いそうです。このような場合は，r がゼロに近くても関数相関という形での検討が可能です。相関係数は，あくまでも直線近似を前提にしたものですので，万能ということではありません。

最近では
相関係数などは
電卓やパソコンで
簡単に求められる時代ですね
ありがたいことですね

6 無相関の検定

　二つの母集団の間の相関係数を**母相関係数**といい，「母相関係数が0であるか否かの検定」を**無相関の検定**といいます。一般にデータ数が少ない場合には統計量としての信頼性が低くなりますが，無相関の検定においても同様にデータ数が重要になります。ここでは，相関係数を r，データ数を n として，次の式を用いて t 検定を行います。

$$t = \frac{r\sqrt{n-2}}{\sqrt{1-r^2}}$$

　危険率を α として，データ条件から計算された t_* と $t(n-2, \alpha)$ を比較して検定します。

$t_* < t(n-2, \alpha)$　$\Rightarrow$　無相関

$t_* \geqq t(n-2, \alpha)$　$\Rightarrow$　有相関

7 z 変換

　標本相関係数（サンプルデータ間の相関係数）は一般に正規分布になりにくく，取扱いが面倒になることがあります。その場合に，z 変換によって相関係数 r を新たな変数 z に変換して検定や推定を行うと便利になります。z 変換とは次のような変換です。ここで，$\ln$ は自然対数，$\tanh^{-1}$ は双曲線関数 $\tanh$ という関数の逆関数です。関数形がやや難しく見えるかもしれませんが，あまり気にしないようにお願いします。式は，パスしていただいてもかまいません。

$$z = \frac{1}{2}\ln\frac{1+r}{1-r} = \tanh^{-1}r$$

このような変換をしますと，この z は正規分布に近似しやすくなります。そして，母相関係数を ρ と書きますと，z の期待値 $E(z)$ と分散 $V(z)$ は次式のようになります。つまり，そのような期待値と分散を持つ正規分布で近似できることになります。式からわかりますように，$V(z)$ の式の中に ρ がありませんので分散が ρ に依存しないという特徴もあります。

$$E(z) = \tanh^{-1}\rho + \frac{\rho}{2(n-1)}$$

$$V(z) = \frac{1}{n-3}$$

z 変換は，ややこしいのでむつかしいと思われれば数式をスルーしてもよろしいでしょう

例題 ある工程において，n 組のデータがある場合に，工程改善後の相関係数 ρ が改善前の相関係数 ρ_0 と一致するかどうかを，危険率 α で検定せよ。

手順1 仮説を設定します。

帰無仮説 $H_0 : \rho = \rho_0$

対立仮説 $H_1 : \rho \neq \rho_0$

手順2 有意水準を α とします。

手順3 n 組のデータから標本相関係数 r を求め，それを z 変換します。

$$z = \tanh^{-1}r$$

手順4 次の統計検定量 u_0 を計算します。

$$u_0 = \sqrt{n-3}\left\{z - \left(\tanh^{-1}\rho_0 + \frac{\rho_0}{2(n-1)}\right)\right\}$$

手順5

$|u_0| \geqq u(\alpha)$ の場合に有意 $(\rho \neq \rho_0)$ となります。

8 母相関係数の区間推定

　母相関係数の区間推定においては，一般に z の期待値の第 2 項 $\dfrac{\rho_0}{2(n-1)}$ は第 1 項 $\tanh^{-1}\rho_0$ に比べて小さいとして（n が大きい場合と考えて）行います。すなわち，期待値が $\tanh^{-1}\rho_0$，分散が $\dfrac{1}{n-3}$ である正規分布で近似して行うことになります。次の例題の手順をご覧下さい。

> **例題** ある工程に n 組のデータがある。これをもとに母相関係数の区間推定を行いたい。その上下限を求める手順を示せ。

手順 1　n 組のデータから標本相関係数 r を求め，それを z 変換します。

$$z = \tanh^{-1} r$$

手順 2　有意水準を α とします。

手順 3　z 変換値の上限 z_U と下限 z_L を求めます。

$$上限\ z_U = z + \frac{u(\alpha)}{\sqrt{n-3}}$$

$$下限\ z_L = z - \frac{u(\alpha)}{\sqrt{n-3}}$$

手順 4　z を ρ に戻します。ρ の上限を ρ_U，下限を ρ_L として，

$$\rho_U = \tanh(z_U)$$

$$\rho_L = \tanh(z_L)$$

なお，$\tanh(x)$ は次のようにも書かれますので，

$$\tanh(x) = \frac{\exp(2x) - 1}{\exp(2x) + 1}$$

これを使いますと，次のように書くこともできます。

$$\rho_U = \frac{\exp(2z_U) - 1}{\exp(2z_U) + 1}$$

$$\rho_L = \frac{\exp(2z_L) - 1}{\exp(2z_L) + 1}$$

9 系列相関

相関係数の有意性検定を簡便に行う方法として，次のような相関検定法があります。これらは，データの分布が正規分布からかなり離れている場合や，外れ値があってその影響が無視できない場合などにおいて，これらの影響を受けにくい方法でもあります。データ並びの相関なので系列相関といいます。

a）符号検定

確率が 0.5 であるかどうかを判定したい場合の検定です。次に述べる大波や小波の検定では，数値データから＋や－を決めますが，データとして 2 択のものについても符号とみなして検定することができます。大小関係や勝ち負けなどの情報を検定します。勝ち負けに引き分けもあれば 3 択になりますが，その場合の引き分けは 0 として解析対象から省きます。

手順 1　勝ち負けや大小関係のような 2 択の情報を符号化します。つまり，＋および－とすることになります。

手順 2　データの中で，＋の個数を n^+，－の個数を n^- とし，それらの和 N を求めます。

$$N = n^+ + n^-$$

手順 3　符号検定表（巻末，p 320）を使用して，判定を行います。

たとえば，$n^+ = 10$，$n^- = 2$ であれば，$N = n^+ + n^- = 10 + 2 = 12$ で，$\min(n^+,\ n^-) = \min(10,\ 2) = 2$ で，表の 5 ％の $N = 12$ の 2 と等しいので，（等しいか少ない場合に）有意となります。すなわち，確率が 0.5 ではないという判定です。

b）大波の検定

二つの変数について，それぞれのメディアン（中央値）より大きければ＋（プラス），小さければ－（マイナス）という符号化をして，これらがどの程度そろっているかを「符号検定」によって判断する方法です。メディアンより大きいかどうかを調べますので，周期の長い変動という見方での一致を調べている方法と考えられ，**大波の検定**と呼ばれます。

c）小波の検定

　二つの変数について，測定順に眺めて，直前の値より大きければ＋（プラス），小さければ－（マイナス）という符号化をして，これらがどの程度そろっているかを「符号検定」によって判断する方法です。直前の値との大小関係を基準に調べますので，周期の小さい変動を見ている方法と考えられ，**小波の検定**といいます。

例題 次のようなデータがある時，大波および小波の検定を実施せよ。

変量	1	2	3	4	5	6	7	8	9	10
X	1.5	1.8	2.0	1.4	1.5	1.3	1.2	1.7	2.0	1.6
Y	3.1	3.5	3.2	2.8	2.9	2.5	3.0	3.3	2.5	3.2

［大波の検定］

　平均値（本来は，メディアン）より大きいか小さいかを判定して，＋か－を順次記入します。平均値は，

$$\overline{X} = (1.5+1.8+2.0+1.4+1.5+1.3+1.2+1.7+2.0+1.6) \div 10 = 1.6$$
$$\overline{Y} = (3.1+3.5+3.2+2.8+2.9+2.5+3.0+3.3+2.5+3.2) \div 10 = 3.0$$

ですから，X および Y についてそれぞれ行いますと，

No.	1	2	3	4	5	6	7	8	9	10
X	1.5	1.8	2.0	1.4	1.5	1.3	1.2	1.7	2.0	1.6
$\overline{X}$	1.6	1.6	1.6	1.6	1.6	1.6	1.6	1.6	1.6	1.6
符号	－	＋	＋	－	－	－	－	＋	＋	0

No.	1	2	3	4	5	6	7	8	9	10
Y	3.1	3.5	3.2	2.8	2.9	2.5	3.0	3.3	2.5	3.2
$\overline{Y}$	3.0	3.0	3.0	3.0	3.0	3.0	3.0	3.0	3.0	3.0
符号	＋	＋	＋	－	－	－	0	＋	－	＋

符号の積	－	＋	＋	＋	＋	＋	0	＋	－	0

　以上の結果から，符号の積において，＋の数 n^+ は6個，－の数 n^- が2個となり，これらの和 N は，次のように8個となります。

$$N = n^+ + n^- = 6+2 = 8 \text{個}$$

　符号検定表（巻末 p 320）によれば，有意水準5％の時は，n^+ と n^- のいずれか少ない方と比較して，0個以下が有意（大波がある）ということになり

ます。しかし，例題では，$\min(n^+,\ n^-)=\min(6,2)=2$ ですので，0個より大きくなります。大波の検定において，有意とは言えません。すなわち，大波はないと判定します。

[小波の検定]

　小波の場合には，一つ前のデータと大小比較をして，＋か－かを記入します。

No.	1	2	3	4	5	6	7	8	9	10
X	1.5	1.8	2.0	1.4	1.5	1.3	1.2	1.7	2.0	1.6
符号		＋	＋	－	＋	－	－	＋	＋	－
Y	3.1	3.5	3.2	2.8	2.9	2.5	3.0	3.3	2.5	3.2
符号		＋	－	－	＋	－	＋	＋	－	＋
符号の積		＋	－	＋	＋	＋	－	＋	－	－

　この結果，$n^+=5$，$n^-=4$，$N=n^++n^-=5+4=9$ となりますので，やはり符号検定表を用いますと，5％有意では1個以下が基準ですから，

$$\min(n^+,\ n^-)=\min(5,\ 4)=4$$

と比較して，4個が1個より小さくありませんので，これも小波の検定において有意とは言えません。つまり，小波もないと言えます。

確認問題

知識・実力の確認をしましょう。○か×か考えてみて下さい。

( ) **問1**：x と y の偏差積和 S_{xy} を求める式は次式である。

$$S_{xy} = \sum_{i=1}^{n} x_i y_i - \left(\frac{\sum_{i=1}^{n} x_i}{n} \right) \left(\frac{\sum_{i=1}^{n} y_i}{n} \right)$$

( ) **問2**：総平方和，回帰平方和，および，残差平方和の間の関係は次のようになる。

総平方和 = 回帰平方和 + 残差平方和

( ) **問3**：回帰分析において，x を説明変数，y を従属変数とするとき，a および b を定数として，

$$y = ax + b$$

という式で n 組のデータ (x_i, y_i) から最小二乗法などによって最も妥当な a および b を求めると次のようになる。

$$a = \frac{\overline{y} \sum_{i=1}^{n} x_i{}^2 - \overline{x} \sum_{i=1}^{n} x_i y_i}{\sum_{i=1}^{n} x_i{}^2 - n\overline{x}^2}$$

$$b = \frac{\sum_{i=1}^{n} x_i y_i - n\overline{x}\,\overline{y}}{\sum_{i=1}^{n} x_i{}^2 - n\overline{x}^2}$$

( ) **問4**：相関分析と回帰分析は，いずれも二つの変数（変量）の間の関係を把握する方法であるが，相関分析が「片方の変数でもう一方の変数を説明する」ことを目的としているのに対して，回帰分析は「二つの変数の間の関係を見る」ことを目的としている。

( ) **問5**：符号検定とは，確率が 0.5 であるかどうかを判定する検定である。

● ● ● 正解と解説 ● ● ●

正解	問1：×	問2：○	問3：×	問4：×	問5：○

問1 解説 （×）

正しくは，次のようになります。

$$S_{xy} = \sum_{i=1}^{n} x_i y_i - \frac{\left(\sum_{i=1}^{n} x_i\right)\left(\sum_{i=1}^{n} y_i\right)}{n}$$

計算練習になりますから，実際に計算されるとよろしいかと思います。計算は，次のようになります。

$$S_{xy} = \sum_{i=1}^{n} \left(x_i - \overline{x}\right)\left(y_i - \overline{y}\right)$$

$$= \sum_{i=1}^{n} \left(x_i y_i - x_i \overline{y} - \overline{x} y_i + \overline{x}\,\overline{y}\right)$$

$$= \sum_{i=1}^{n} x_i y_i - \overline{y} \sum_{i=1}^{n} x_i - \overline{x} \sum_{i=1}^{n} y_i + \sum_{i=1}^{n} \overline{x}\,\overline{y}$$

$$= \sum_{i=1}^{n} x_i y_i - n\overline{x}\,\overline{y} - \left(\frac{\sum_{i=1}^{n} x_i}{n}\right)\sum_{i=1}^{n} y_i + n\overline{x}\,\overline{y}$$

$$= \sum_{i=1}^{n} x_i y_i - \frac{\left(\sum_{i=1}^{n} x_i\right)\left(\sum_{i=1}^{n} y_i\right)}{n}$$

式の変形の最後の一つ前の段階で，次式を用いています。

$$\sum_{i=1}^{n} x_i = n\overline{x} \quad \text{および} \quad \overline{x} = \frac{\sum_{i=1}^{n} x_i}{n}$$

それとは別に，式の形からの考察もできます。（少しむつかしい論理と思われるかもしれませんが，その場合には以下の話はスルーして下さい。）

設問の式の右辺第一項の $\sum_{i=1}^{n} x_i y_i$ は，n 項の式ですが，$\dfrac{\sum_{i=1}^{n} x_i}{n}$ も $\dfrac{\sum_{i=1}^{n} y_i}{n}$ もそれぞれ平均値ですから，1項の式に当たります。意味としては，n 項の式から1項の式を引くことは自然ではありません。n 項の式から n 項の式を引くことが自然です。

$$\frac{\left(\sum\limits_{i=1}^{n} x_i\right)\left(\sum\limits_{i=1}^{n} y_i\right)}{n}$$ は，$\overline{x}\left(\sum\limits_{i=1}^{n} y_i\right)$ あるいは，$\overline{y}\left(\sum\limits_{i=1}^{n} x_i\right)$ ということですから，n 項の式に相当します。

問2 解説 （○）

これは記述の通りですね。これを平方和の分解といっていますね。

問3方 解説 （×）

記述の a と b は逆になっています。仮に x と y が同じ次元（単位）を持っていると仮定しますと，a は x と y について無次元数，b は x と y について1次式でなければなりません。記述の a の式では分子が x と y について3次式，分母が2次式となっていて式全体として1次式ですので誤りです。この式は覚えなくてもよいのですが，誤っているかどうかの判定ができるといいですね。覚えるなら，次の形で覚えましょう。

$$a = \frac{S_{xy}}{S_{xx}} \qquad b = \overline{y} - a\overline{x}$$

この a を表す式は，S_{xy} を S_{xx} で割る形となっていて，変数 x を変数 y に変換する式という意味で，x の係数 a としてわかりやすいでしょう。

問4 解説 （×）

記述は逆になっています。回帰分析が「片方の変数でもう一方の変数を説明する」ことを目的としているのに対して，相関分析は「二つの変数の間の関係を見る」ことを目的としています。

問5 解説 （○）

符号検定とは，確率が0.5であるかどうかを判定する検定です。すなわち，大小関係や勝ち負けなどの情報について，確率が0.5と言ってよいかどうかを検定する手法と言えます。

符号検定は
コインの表裏などのデータに
使えそうですね

問題1

次に示すいくつかの散布図について，①～⑤のそれぞれに対して近いと思われる相関係数を選択肢欄から選んでその記号を解答欄に記入せよ。ただし，各選択肢を複数回用いることはない。

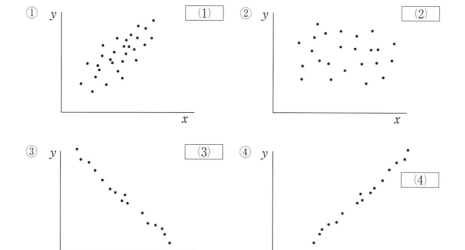

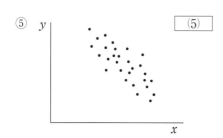

【選択肢】

ア．約 2.0　　　イ．約 1.5　　　ウ．約 0.9

エ．約 0.5　　　オ．約 0.0　　　カ．約 −0.5

キ．約 −0.9　　ク．約 −1.5　　ケ．約 −2.0

【解答欄】

(1)	(2)	(3)	(4)	(5)

問題2　　　　　　　　　　　　　　　　重要度

　相関や回帰に関する次の各々の文章において，正しいものには○を，正しくないものには×を (6)〜(11) の解答欄に記入せよ。

① 　二つの変数 x, y が完全に無相関である時，その偏差積和はゼロとなる。

(6)

② 　二つの変数 x, y の偏差積和 S_{xy} は次のようにも書かれる。

$$S_{xy} = \sum_{i=1}^{n} x_i y_i - n \sum_{i=1}^{n} x_i \sum_{i=1}^{n} y_i$$

(7)

③ 　相関係数 r は常に次の範囲に存在する。

$$-1 \leqq r \leqq 1$$

(8)

④ 　相関係数 r の絶対値が 1 に近いほど弱い相関があるとされる。　(9)

⑤ 　三つの変数 x, y, z があって，z が x にも y にも影響している場合には，x と y の間に相関関係が見られることがあるが，このような場合には真の相関とは考えずに，疑似相関とみなすことがある。　(10)

⑥ 　予測や制御の対象とする変数を説明変数といい，予測や制御に用いる変数を目的変数という。

(11)

【解答欄】

(6)	(7)	(8)	(9)	(10)	(11)

実戦問題 解答と解説

問題1

解答

(1)	(2)	(3)	(4)	(5)
エ	オ	キ	ウ	カ

解説

　基本的に，右上がりの打点形が正の相関，右下がりのものが負の相関ということになります。②は正の相関とも負の相関とも見えない形をしていますので，0.0に近いと考えられます。①と④はともに右上がりですが，①のほうがふくらんでいますので，相関係数としては④よりも小さいはずです。したがって，選択肢にある数値から，④が0.9に近く，①が0.5に近いと見られます。③と⑤の関係も同様で，点の配列のふくらみ具合から，③が-0.9に，⑤が-0.5に近いと見てよいでしょう。

問題2

解答

(6)	(7)	(8)	(9)	(10)	(11)
○	×	○	×	○	×

解説

① xとyの偏差積和S_{xy}は次のように定義されます。

$$S_{xy} = \sum_{i=1}^{n} (x_i - \overline{x})(y_i - \overline{y})$$

　一方，相関係数rは，xおよびyの偏差平方和をそれぞれS_{xx}およびS_{yy}として，次のように表わされます。

$$r = \frac{S_{xy}}{\sqrt{S_{xx} S_{yy}}}$$

　xとyが完全に無相関ということは，相関係数$r = 0$ということですから，この式より，$S_{xy} = 0$ということになります。したがって，偏差積和は

ゼロになります。

② 　この記述は誤りです。正しくは次のようになります。

$$S_{xy} = \sum_{i=1}^{n} x_i y_i - \frac{1}{n} \sum_{i=1}^{n} x_i \sum_{i=1}^{n} y_i$$

問題にある式のように，第 2 項目の係数が n になる式は次のような場合です。

$$S_{xy} = \sum_{i=1}^{n} x_i y_i - n \overline{x}\ \overline{y}$$

③ 　相関係数は，最大が 1，最小が － 1 という値をとります。つまり，必ずこの範囲にあるということを確認しておいて下さい。

④ 　記述は逆です。相関係数 r の絶対値が 1 に近いほど強い相関があり，0 に近いほど弱い相関があるとされます。

⑤ 　計算上は，x と y に相関があることになりますが，別な変数がその相関を作っているとわかった場合には，「疑似相関」とみなされます。「疑似相関」を「偽相関」という人もいます。

⑥ 　この記述は逆になっています。予測や制御の対象とする変数を目的変数といい，予測や制御において条件として与える変数を説明変数といいます。

$S_{xy}=0$ と $r=0$ とは結局，同じことなんですね

お茶にしますか？　　最尤原理とは？

なかなか読みにくい漢字ですが，最尤は「さいゆう」と読みます。最尤原理とは，むつかしい原理のようですが，平たく言うと

「世の中で起きていることは，最も起こりやすいことなのだ，つまり，最も起こる確率の高いことがおきているのだ」

という原理です。なんだか当たり前みたいな原理ですね。言い換えますと，

「未知パラメータを含む体系があれば，そのパラメータを現実に最も起きやすくなるように決めてやればよい」

ということにもなります。そのようにして求める推定量のことを最尤推定量といいます。

ある一つの現象を観測して，x_1，x_2，x_3 の3個のデータが得られた場合，次の量が最尤推定量になります。

$$\frac{x_1 + x_2 + x_3}{3}$$

これも当たり前ですね。しかし，そういう原理がいろいろと統計学などでは使われているのです。最小2乗法でパラメータを決めた作業もこの原理に基づいていると言えるのです。

へぇぇ
そんな原理があるのか？

6 実験計画法と分散分析法

学習ポイント

・実験計画法とは？
・フィッシャーの 3 原則
・分散分析法の手順

重要度
C

●●● 試験によく出る重要事項 ●●●

1 実験計画法とは

　実験計画法とは，複数の要因がある場合に，効率のよい実験方法をデザインし，結果を適切に解析することを目的とする統計学の応用分野です。実験計画法の基本的な原則は次の三つです。これを**フィッシャーの 3 原則**といいます。

a）局所管理化

　当たり前のようなことですが，影響を調べる要因以外のすべての要因を可能な限り一定にします。

b）反復

　これも当然ですが，実験ごとの偶然のばらつき（誤差）の影響を除くために同条件で反復することを行います。

c）無作為化（ランダム化）

　上の a）局所管理化，および，b）反復でも制御できない可能性のある要因（特定の考え方や何らかの別な要因）の影響を除いて，そのようなかたよりを小さくできるような配列や組合せにします。これを無作為化といいます。例えば，実験を行う空間的・時間的順序の影響の可能性も否定できないかも知れないので，決まった順序でなく実験のたびに無作為に順序を決めるなどの工夫をすることになります。

　以上の原則に基づく実験計画と結果の解析において重要な統計学的方法が，分散を複数の成分（偶然の誤差や各要因の影響）の和としてモデル化して分析する**分散分析**の方法となります。

　実験計画法は，概念をごく大つかみにして把握され，それぞれの用語の意味を押さえておかれることが重要でしょう。

② **実験計画法の基礎的な考え方**

具体例として，乳牛の品種の違いが乳量に与える影響を調べる実験を考えます。

対象とする要因（この例では品種）を**因子**といいます。1種類の因子（品種）についてだけ調べる実験を**1因子実験**といいますが，一般にはその他にも大きな影響を与

表2-8　2因子実験

		飼料量		
		多	中	少
品種	A	○	○	○
	B	○	○	○
	C	○	○	○

える可能性のある因子があり，例えば今の例では飼料量などが考えられます。複数の因子が互いに独立でなく，条件の重なりによって特別な結果が得られること（例えば，あまりないことでしょうが，特定の品種には飼料量を少なくした方がかえって乳量が増えるなど）もあります。これを**因子間の交互作用**（または**相互作用**）といい，それに対し各因子の直接的効果を**主効果**といいます。交互作用の状態を調べたり，実験を効率よく行ったりするためにも，表2-8に示すような複数の因子について同時に調べる**多因子実験**が重要となってきます。

各因子に設定する段階を**水準**といいます。ここでは各因子を3水準（品種に対しては1から3の3品種，飼料量に対しては多・中・少）としています。このように，まずは3×3＝9通りの組合せで実験することが考えられます。

ばらつきの影響をなくすためには反復も重要ですが，表2-8のような9通りの全ての実験を行って比較してもばらつきの影響を減らす効果はあります。

一方，牛の飼育を複数の別の牛舎で行う場合では，環境などの違いも考えられますので，局所管理化の原則に基づいて正確な比較をするためには，これも因子として考える必要が出てきます。このように，品種や飼料量のように自由に設定することはできない因子について，均質な群に分ける操作を**ブロック化**と言っています。

より厳密には同じ牛舎の中の個別の部屋による違いがあるかも知れませんが，これをコントロールするのは非常に難しいので，反復ごとに部屋をランダムに変えることにより場所の影響を無作為化して減らすことなども重要です。

次に，品種・飼料量・牛舎の3因子について，各々3水準の実験が必要になった場合を想定します。一般には全部で，

表2-9　3因子実験における実験回数の削減

		飼料量		
		多	中	少
品種	A	①	②	③
	B	②	③	①
	C	③	①	②

ここで，①，②，③は牛舎の水準(違い)を示します。

$3 \times 3 \times 3 = 27$通りの実験が必要ですね。しかし，交互作用が無視できる場合には（詳細は割愛しますが）表2-9に示すように9通りに減らすことができ，この方法は一般には予備実験として利用できます（ここで示した方法は**ラテン方格法**といいます）。このように，組合せを減らしながら各因子の各水準が他のすべての因子の水準と組合せられるような方法が提案されていて，**直交計画**と呼ばれています。

> $3 \times 3 \times 3 = 27$ 通りの実験を
> しなければならない時に
> 9 通りで済ませられるということは
> とても魅力ですね

3 直交表

　直交表とは，どの2列をとっても，同じ組合せがなく，しかも組合せが網羅されている（これを直交しているという）表のことです。各因子に公平な実験計画のための割り付け表として用いられます。

　一般に**多元配置**（因子が複数ある場合）の実験では，少なくとも因子の水準数を掛けた回数だけ実験数が必要になり，因子数が多くなると実験回数はとてつもなく膨大な数になってしまいます。しかし，求める交互作用が少なければ，直交表によって，多くの因子に関する実験を比較的少ない回数で行うことができます。

例　いま，実験の要因としてA，B，Cの3種があるとします。それぞれに2通りずつの水準がある場合を考えます。因子A，B，Cのあらゆる組合せは，以下の8通りになります。A1B1C1はA因子が1の水準，B因子が1の水準，C因子も1の水準をとる条件のことを示しています。

① A1B1C1　② A1B1C2　③ A1B2C1　④ A1B2C2
⑤ A2B1C1　⑥ A2B1C2　⑦ A2B2C1　⑧ A2B2C2

表2-10　直交表の例

直交表 L_4	割付番号	列		
		1	2	3
行	1	1	1	1
	2	1	2	2
	3	2	1	2
	4	2	2	1

　表の割付番号は，実験番号ともいわれ，ここでは1から4まであります。太

線で囲われた欄において，縦の列は直交表の列と呼ばれ，どの列も1と2という数字4個ずつから構成されています。二つの列がいずれも1と2という数字を含んでいて，4通りの組合せ（1　1），（1　2），（2　1），（2　2）が同じ回数で現れる場合，その2列は直交しているといわれ，これが直交表の名前になっています。より正確に言いますと，どの2列の相関係数も0です。（ベクトルを学習された方は，二つのベクトルの内積がゼロならば，その二つは直交するということを覚えておられますか。そのようなものだと思って下さい。）

すなわち，直交表 L_4 は，4行3列から構成されており，各行各列の数字は1と2で水準を表わしています。三つの列に2水準の因子を対応させると，各行は因子の水準組合せを示すことになります。

結局，全てを真っ正直に行うとすると $2^3 = 8$ 回の実験が必要になりますが，直交表 L_4 を使えば，4回の実験でよいことになります。この場合，各因子2水準の実験が3因子までできますので，上の直交表 L_4 を $L_4(2^3)$ と書くことがあります。直交表のさらなる例を表2-11および表2-12に示します。

一般に，直交表 $L_n(p^k)$ において，次の式が成り立ちます。

$$\frac{n-1}{p-1} = k$$

表2-11　直交表 $L_8(2^7)$

割付番号	列の番号						
	1	2	3	4	5	6	7
1	1	1	1	1	1	1	1
2	1	1	1	2	2	2	2
3	1	2	2	1	1	2	2
4	1	2	2	2	2	1	1
5	2	1	2	1	2	1	2
6	2	1	2	2	1	2	1
7	2	2	1	1	2	2	1
8	2	2	1	2	1	1	2

表2-12　直交表 $L_9(3^4)$

割付番号	列の番号			
	1	2	3	4
1	1	1	1	1
2	1	2	2	2
3	1	3	3	3
4	2	1	2	3
5	2	2	3	1
6	2	3	1	2
7	3	1	3	2
8	3	2	1	3
9	3	3	2	1

魔法陣

　直交表とは，どの列をとっても，同じ組合せがなく，しかも組合わせが網羅されているものでしたね。

　これとは別ですが，魔法陣といわれるものは，$n \times n$ 個の正方形の行列で，たて・よこ・ななめの合計が同じになる表のことで，特に1から n^2 までの数字を1つずつ全て使ったものをいいます。

　2×2 の魔法陣は存在しません。3×3 は，（ひっくり返したりしたものは別として）次のものしかありません。ここでは，たて・よこ・ななめの合計が15になっていますね。この魔法陣はかなり昔から知られていて，けっこう有名なもののようです。

$$\begin{bmatrix} 8 & 1 & 6 \\ 3 & 5 & 7 \\ 4 & 9 & 2 \end{bmatrix}$$

ここでは，
たて・よこ・ななめの
合計がすべて
15になっていますね

4　分散分析

　分散分析とは難しそうな言葉ですが，実は文字通り「分散を分析する」ことなのです。分散分析には一元配置分散分析（一元配置法），二元配置分散分析（二元配置法），共分散分析などのモデルがあって使い分けられますが，まずは単純な場合を説明します。

一元配置分散分析

　因子が1種であって，その因子の水準が複数個ある場合を考えます。因子の水準が n_i 段階，各水準に n_j 個のデータがあって，データを x_{ij} と書くことにします。また，i 番目の水準のデータ平均を $\bar{x}_i$，全体の平均を $\bar{x}$ としますと，次の式が成り立ちます。

$$\underbrace{x_{ij} - \overline{x}}_{\substack{\text{各データと}\\\text{総平均の差}}} = \underbrace{\left(\overline{x}_i - \overline{x}\right)}_{\substack{(A)}} + \underbrace{\left(x_{ij} - \overline{x}_i\right)}_{\substack{(B)}}$$

(A) i 番目の水準の平均
と総平均との差

(B) 各データと
i 番目の水準の平均との差

この式で (A) は各水準の間の差, (B) は水準の間の測定誤差と見られます。この (A) と (B) を比較して, (A) のほうが大きければその因子に有意な影響があると見られ, (B) のほうが大きければ誤差のほうが大きくこの因子の影響が見えないことになります。(A) を**水準間変動**, (B) を**水準内変動**といいます。

> 水準内変動とは, 仲間うちの変動で,
> 水準間変動とは, 他の水準との間の変動なのですね

(A) と (B) の大きさを比較するために, このままでは比較できませんので, それぞれの分散を比較することが一元配置分散分析 (1因子の場合の分散分析) です。そのために次のような一元配置の分散分析表をつくります。水準数を a 個, 各水準のデータ数を n 個とします。(例題では水準によってデータ数が異なる場合を扱っています。)

表2-13 一元配置の分散分析表

変動 要因	(偏差) 平方和	自由度	平均平方 (分散)	F_0 (分散比)
水準間変動	S_A	$a-1$	$V_A = \dfrac{S_A}{a-1}$	$\dfrac{V_A}{V_E} = \dfrac{a\,(n-1)\,S_A}{(a-1)\,S_E}$
水準内変動 (誤差)	S_E	$a\,(n-1)$	$V_E = \dfrac{S_E}{a\,(n-1)}$	
全体	S_T	$an-1$		

S_A は水準間変動ですから，級間平方和とも呼ばれます。水準内変動の自由度が $a(n-1)$ である理由は，各水準の自由度 $n-1$ が a 水準あり，その a 倍とします。その結果，総変動の自由度が $an-1$ となります。一番右の欄が F_0 となっている理由は，分散の比の検定ですから F 検定を用いるためです。

結局この分散分析の判定は，次の比較をして，

$$F_0 \geqq F(a-1, \ a(n-1) ; \alpha)$$

F_0 のほうが大きければ，この因子は危険率 α で有意であると判定します。両変動の母平均が等しいという帰無仮説を棄却します。誤差の変動より因子間の変動のほうが大きいという結論になります。

例題 ある製品の性能向上を目的として，一つの製造条件（因子A）を4水準に振って実験をした結果，次のようなデータを得た。このデータをもとに一元配置法の分散分析を実施せよ。（実験の都合により，製造条件ごとのデータの数は一定していない）

表　実験データ（x_{ij}）

製造条件 （因子A）	実験データ
P_1	20，25，25，30
P_2	25，30，30，35，40
P_3	35，40，50，55，55
P_4	40，30，35

データ総数 $N = 17$

手順1　各水準ごとのデータの和，データの総和，データの総数，データの2乗の総和を計算します。

表2-14　データの和

製造条件	実験データ	各水準のデータの和 （$T_i.$）	データの和の2乗 （$T_i.^2$）
P_1	20，25，25，30	100	10,000
P_2	25，30，30，35，40	160	25,600
P_3	35，40，50，55，55	235	55,225
P_4	40，30，35	105	11,025
計		$T = 600$	

ここで，T はデータの総和で，$T_{i\cdot}$ は次のような和を意味しています。添え字の「・」は和を取ったところ（足し算の終わったところ）を表わしています。

$$T_{i\cdot} = \sum_{j=1}^{n_i} x_{ij} \quad (n_1 = 4,\ n_2 = 5,\ n_3 = 5,\ n_4 = 3)$$

例えば，P_1 の行では，次のようになっています。

$$T_1 \cdot = 20 + 25 + 25 + 30 = 100$$

表 2 − 15　データの 2 乗の和

製造条件	実験データの 2 乗	データの 2 乗の和
P_1	400, 625, 625, 900	2,550
P_2	625, 900, 900, 1225, 1600	5,250
P_3	1225, 1600, 2500, 3025, 3025	11,375
P_4	1600, 900, 1225	3,725
計		22,900

手順 2　各平方和を計算します。

まず，修正項 CT を計算します。これは p 69 で出てきた偏差平方和（平方和）を求める次式の第 2 項に当たります。なお，計算は整数位で丸めています。

$$S_T = \sum_{i=1}^{4} \sum_{j=1}^{n_i} (x_{ij} - \overline{x})^2 = \sum_{i=1}^{4} \sum_{j=1}^{n_i} x_{ij}^2 - \frac{\left(\sum_{i=1}^{4} \sum_{j=1}^{n_i} x_{ij} \right)^2}{17}$$

$$(n_1 = 4,\ n_2 = 5,\ n_3 = 5,\ n_4 = 3)$$

$$CT = 600^2 \div 17 = 21,176$$

よって総平方和 S_T は，

$$S_T = (データの 2 乗の総和) - 修正項 = 22,900 - 21,176 = 1,724$$

因子 A の級間平方和 S_A は，（計算過程を若干割愛しますが）次のようになります。

$$S_A = \sum_{i=1}^{4} \frac{(A_i \text{水準のデータの和})^2}{(A_i \text{水準のデータの数})} - (修正項)$$

$$= \frac{10,000}{4} + \frac{25,600}{5} + \frac{55,225}{5} + \frac{11,025}{3} - 21,176 = 1,164$$

なお，各水準の繰返し数が同じ場合には次のように求められます。

$$S_A = \cfrac{\displaystyle\sum_{i=1}^{4} (A_i \text{水準のデータの和})^2}{(\text{繰返し数})} - (\text{修正項})$$

誤差平方和 S_E は，

$$S_E = S_T - S_A = 1,724 - 1,164 = 560$$

手順3　自由度の計算

総平方和の自由度 $\phi_T = (\text{データの総数}) - 1 = 16$

因子 A の自由度 $\phi_A = (\text{A の水準数}) - 1 = 4 - 1 = 3$

誤差の自由度 $\phi_E = \phi_T - \phi_A = 16 - 3 = 13$

手順4　分散分析表の作成

ここまで求めた各平方和と自由度を記入し，さらに分散（平均平方）V と分散比 F_0 を求めます。

$$V_A = S_A / \phi_A = 1,164/3 = 388$$

$$V_E = S_E / \phi_E = 560/13 = 43.0$$

$$F_0 = V_A / V_E = 388/43.0 = 9.02$$

表2－16　分散分析表

要因	平方和 S	自由度 ϕ	平均平方 V	分散比 F_0
因子 A	1,164	3	388	9.02
誤差 E	560	13	43	
計	1,724	16		

手順5　判定します。

分散分析表で求めた分散比 F_0 と F 分布表より求めた棄却限界値を比較します。すなわち，有意水準 α で有意であるかないかを次の比較によって判定します。

有意である：$F_0 \geqq F(\phi_A, \phi_E ; \alpha)$

有意でない：$F_0 < F(\phi_A, \phi_E ; \alpha)$

この例題では，

$$F_0 = 9.02 > F(3, 13 ; 0.05) = 3.41$$

となって，因子 A は有意で
あることになります。

分散分析の手順では
どのようなことを
しているのか
よく見ておかれると
よろしいでしょう

5 繰返しのない二元配置法

二元配置法とは，二つの因子を対象としてそれぞれの因子に複数個の水準をとり，各因子のすべての組合せ条件において実験を行うものです。各組合せ条件においてそれぞれ1回ずつの実験を行う場合を**繰返しのない二元配置法**，複数回の実験を行う場合を**繰返しのある二元配置法**といっています。

繰返しのない二元配置法は，2因子交互作用が誤差と交絡して，その効果が検出できません。そのため，2因子交互作用が考えられない場合や経験的に無視できる場合に用いられることになります。

> **例** 以下，AおよびBの2因子があって，それぞれ3および4水準の実験データがある場合の手順を追って説明します。

表 繰返しのない二元配置法のデータ例

	B_1	B_2	B_3	B_4
A_1	x_{11}	x_{21}	x_{31}	x_{41}
A_2	x_{12}	x_{22}	x_{32}	x_{42}
A_3	x_{13}	x_{23}	x_{33}	x_{43}

手順1 各水準ごとのデータの和，データの総和，データの総数，データの2乗の総和を計算します。

A_j水準のデータの和 $\quad T_{\cdot j} = \sum_{i=1}^{4} x_{ij}$

B_i水準のデータの和 $\quad T_{i\cdot} = \sum_{j=1}^{3} x_{ij}$

データの総和 $\quad T = \sum_{i=1}^{4} \sum_{j=1}^{3} x_{ij}$

データの総数 $\quad N = 3 \times 4 = 12$

表2−17　データの2乗表

	B_1	B_2	B_3	B_4	計
A_1	$x_{11}{}^2$	$x_{21}{}^2$	$x_{31}{}^2$	$x_{41}{}^2$	$\sum\limits_{i=1}^{4} x_{i1}{}^2$
A_2	$x_{12}{}^2$	$x_{22}{}^2$	$x_{32}{}^2$	$x_{42}{}^2$	$\sum\limits_{i=1}^{4} x_{i2}{}^2$
A_3	$x_{13}{}^2$	$x_{23}{}^2$	$x_{33}{}^2$	$x_{43}{}^2$	$\sum\limits_{i=1}^{4} x_{i3}{}^2$
計	$\sum\limits_{j=1}^{3} x_{1j}{}^2$	$\sum\limits_{j=1}^{3} x_{2j}{}^2$	$\sum\limits_{j=1}^{3} x_{3j}{}^2$	$\sum\limits_{j=1}^{3} x_{4j}{}^2$	$\sum\limits_{i=1}^{4}\sum\limits_{j=1}^{3} x_{ij}{}^2$

手順2　各種の平方和を計算します。

$$修正項\ CT = \frac{(データの総和)^2}{データの総数} = \frac{T^2}{N}$$

$$総平方和\ S_\mathrm{T} = (データの2乗の総和) - (修正項) = \sum_{i=1}^{4}\sum_{j=1}^{3} x_{ij}{}^2 - \frac{T^2}{N}$$

$$因子\,A\,の平方和\ S_\mathrm{A} = \sum_{j=1}^{3} \frac{(A_j\,水準のデータの和)^2}{A_j\,水準のデータ数} - (修正項) = \sum_{j=1}^{3} \frac{T_{\cdot j}{}^2}{4} - CT$$

$$因子\,B\,の平方和\ S_\mathrm{B} = \sum_{i=1}^{4} \frac{(B_i\,水準のデータの和)^2}{B_i\,水準のデータ数} - (修正項) = \sum_{i=1}^{4} \frac{T_{i\cdot}{}^2}{3} - CT$$

$$誤差平方和\ S_\mathrm{E} = S_\mathrm{T} - (S_\mathrm{A} + S_\mathrm{B})$$

手順3　自由度を計算します。

総平方和の自由度 $\phi_\mathrm{T} = N - 1 = 12 - 1 = 11$

因子 A の自由度 $\phi_\mathrm{A} = (A\,の水準数) - 1 = 3 - 1 = 2$

因子 B の自由度 $\phi_\mathrm{B} = (B\,の水準数) - 1 = 4 - 1 = 3$

誤差の自由度 $\phi_\mathrm{E} = \phi_\mathrm{T} - (\phi_\mathrm{A} + \phi_\mathrm{B}) = 11 - (2 + 3) = 6$

手順4　分散分析表の作成

表2−18　分散分析表

要因	平方和	自由度 ϕ	平均平方 V	分散比 F_0	$F(\alpha)$
A	S_A	ϕ_A	$V_\mathrm{A} = S_\mathrm{A}/\phi_\mathrm{A}$	$F_{0(\mathrm{A})} = V_\mathrm{A}/V_\mathrm{E}$	$F(\phi_\mathrm{A},\ \phi_\mathrm{E}\ ;\ \alpha)$
B	S_B	ϕ_B	$V_\mathrm{B} = S_\mathrm{B}/\phi_\mathrm{B}$	$F_{0(\mathrm{B})} = V_\mathrm{B}/V_\mathrm{E}$	$F(\phi_\mathrm{B},\ \phi_\mathrm{E}\ ;\ \alpha)$
E	S_E	ϕ_E	$V_\mathrm{E} = S_\mathrm{E}/\phi_\mathrm{E}$		
計	S_T	ϕ_T			

手順5　判定します。

因子 A：$F_{0(A)}$ と $F(\phi_A, \phi_E ; \alpha)$ を比較して判定をします。

因子 B：$F_{0(B)}$ と $F(\phi_B, \phi_E ; \alpha)$ を比較して判定をします。

> **例題**　ある製品の特性を高めるために，下表のような2因子（AおよびB）について，それぞれ4水準および3水準のランダム実験を実施した。
> これを分散分析して，それぞれの因子が有意に影響しているかどうか判定したい。

データ表（単位省略）

	B_1	B_2	B_3
A_1	28	34	38
A_2	30	37	40
A_3	25	35	35
A_4	18	28	33

手順1　水準ごとのデータの和，総和，データの2乗の総和を求めます。

表2－19　条件ごとの和の二元表

	B_1	B_2	B_3	$T_{i \cdot}$	$T_{i \cdot}^{2}$
A_1	28	34	38	100	10000
A_2	30	37	40	107	11449
A_3	25	35	35	95	9025
A_4	18	28	33	79	6241
$T_{\cdot j}$	101	134	146	381	$\sum T_{i \cdot}^{2} = 36715$
$T_{\cdot j}^{2}$	10201	17956	21316	$\sum T_{\cdot j}^{2} = 49473$	

表2－20　データの2乗表

	B_1	B_2	B_3	合計
A_1	784	1156	1444	3384
A_2	900	1369	1600	3869
A_3	625	1225	1225	3075
A_4	324	784	1089	2197
合計	2633	4534	5358	12525

- データの総和 $T = 381$
- データの総数 $N = 12$
- データの2乗の総和　　$\sum\limits_{i=1}^{4}\sum\limits_{j=1}^{3} x_i y_j = 12525$

手順2

- 修正項 $CT = \dfrac{(\text{データの総和})^2}{\text{データの総数}} = \dfrac{381^2}{12} = 12096.75$
- 総平方和 $S_\mathrm{T} = (\text{データの2乗の総和}) - (\text{修正項}) = 12525 - 12096.75$
  $$= 428.25$$
- 因子 A の級間平方和

$$S_\mathrm{A} = \sum \dfrac{(\text{A}_i \text{水準のデータの和})^2}{(\text{A}_i \text{水準のデータ数})} - (\text{修正項})$$

$$= \dfrac{36715}{3} - 12096.75 = 141.583$$

- 因子 B の級間平方和

$$S_\mathrm{B} = \sum \dfrac{(\text{B}_j \text{水準のデータの和})^2}{(\text{B}_j \text{水準のデータ数})} - (\text{修正項})$$

$$= \dfrac{49473}{4} - 12096.75 = 271.5$$

- 誤差平方和
  $$S_\mathrm{E} = S_\mathrm{T} - (S_\mathrm{A} + S_\mathrm{B}) = 428.25 - (141.583 + 271.5)$$
  $$= 15.167$$

手順3　自由度の計算
- 総平方和の自由度 $\phi_\mathrm{T} = (\text{データの総数}) - 1 = 12 - 1 = 11$
- 因子 A の自由度 $\phi_\mathrm{A} = (\text{A の水準数}) - 1 = 4 - 1 = 3$
- 因子 B の自由度 $\phi_\mathrm{B} = (\text{B の水準数}) - 1 = 3 - 1 = 2$
- 誤差の自由度 $\phi_\mathrm{E} = \phi_\mathrm{T} - (\phi_\mathrm{A} + \phi_\mathrm{B}) = 11 - (3 + 2) = 6$

手順 4

ここまでの結果を分散分析表にまとめます。

表 2−21　分散分析表の構成

要因	平方和 S	自由度 ϕ	平均平方	分散比	$F(\alpha)$
A	S_A	ϕ_A	$V_A = S_A/\phi_A$	$F_{0(A)} = V_A/V_E$	$F(\phi_A, \phi_E; \alpha)$
B	S_B	ϕ_B	$V_B = S_B/\phi_B$	$F_{0(B)} = V_B/V_E$	$F(\phi_B, \phi_E; \alpha)$
E	S_E	ϕ_E	$V_E = S_E/\phi_E$		
計	S_T	ϕ_T			

・因子 A の分散 $V_A = S_A/\phi_A = 141.583/3 = 47.19$
・因子 B の分散 $V_B = S_B/\phi_B = 271.5/2 = 135.75$
・誤差の分散 $V_E = S_E/\phi_E = 15.167/6 = 2.528$

・分散比：$F_{0(A)} = V_A/V_E = 47.19/2.528$
$$= 18.67 > F(0.05) = 4.76$$
$$F_{0(B)} = V_B/V_E = 135.75/2.528$$
$$= 53.70 > F(0.05) = 5.14$$

表 2−22　分散分析表

因子	平方和	自由度	平均平方	分散比	$F(0.05)$
A	141.583	3	47.19	18.67	4.76
B	271.5	2	135.75	53.70	5.14
E	15.167	6	2.528	−	−
計		11			

手順 5　判定します。因子 A および B に関わる分散比がいずれも，$F(0.05)$ の値より大きいため，因子の影響は有意にありと判定できます。

6　主効果と交互作用

　取り上げた因子の単独の影響を**主効果**といいますが，複数の因子が絡み合って作用することがあります。例えば，二つの因子AおよびBが独立に作用する場合には，因子Aの水準が変化しても因子Bの効果は変わりません。しかし，因子Aの水準が異なると因子Bの効果が変化するような場合もあります。このような因子の組合せによる影響を**交互作用**といいます。

　図2−29にデータのグラフによって，交互作用の有無を示します。このように因子とその効果を明らかにした図を**要因効果図**と呼んでいます。これらの図でわかりますように，交互作用のない時は2本の線が平行であり，交互作用があれば，平行ではなくなります。

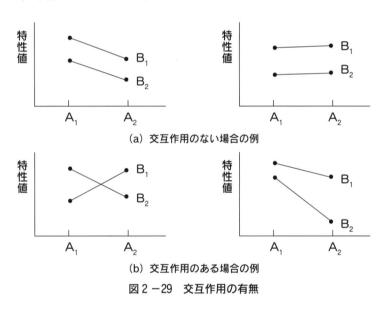

（a）交互作用のない場合の例

（b）交互作用のある場合の例

図2−29　交互作用の有無

　交互作用を考慮する分散分析表においては，因子A，因子Bの効果の他に，A×Bという項の検討を行います。次項の手順をフォローして学習下さい。

交互作用のある問題は
そこそこよく出題されて
いるようですよ

7　繰返しのある二元配置法

　両因子の各水準のすべての組合せにおいて複数回の実験を行う場合の方法です。繰返しのない場合に比較したメリットを挙げますと，

① 交互作用の効果を求めることができます。

② 誤差項と交互作用を分離できます。

③ 繰返しのデータから，誤差の等分散性などの検証ができます。

　両因子の間で交互作用が無視できないと見られる場合には，繰返しのある二元配置法が必須となります。

例　次に繰返しのある二元配置法として，次のように各水準の各々に2個のデータがある場合について，手順によって説明します。

表　繰返しのある二元配置法のデータ例

	B_1	B_2	B_3	B_4
A_1	x_{111}, x_{112}	x_{211}, x_{212}	x_{311}, x_{312}	x_{411}, x_{412}
A_2	x_{121}, x_{122}	x_{221}, x_{222}	x_{321}, x_{322}	x_{421}, x_{422}
A_3	x_{131}, x_{132}	x_{231}, x_{232}	x_{331}, x_{332}	x_{431}, x_{432}

手順1　各水準ごとのデータの和，データの総和，データの総数，データの2乗の総和を計算します。

　　各データの和

$$T_{ij\cdot} = \sum_{k=1}^{2} x_{ijk}$$

$$T_{\cdot j} = \sum_{i=1}^{4} T_{ij\cdot}$$

$$T_{i\cdot} = \sum_{j=1}^{3} T_{ij\cdot}$$

　　データの総和　　$T = \sum_{i=1}^{4}\sum_{j=1}^{3}\sum_{k=1}^{2} T_{ijk}$

　　データの総数　　$N = 3 \times 4 \times 2 = 24$

　　各2乗の和

$$D_{ij.} = \sum_{k=1}^{2} x_{ijk}{}^2 \qquad G_{.j} = \sum_{i=1}^{4} T_{ij.}{}^2$$

$$D_{.j} = \sum_{i=1}^{4} D_{ij.} \qquad G_{i.} = \sum_{j=1}^{3} T_{ij.}{}^2$$

$$D_{i.} = \sum_{j=1}^{3} D_{ij.} \qquad G = \sum_{i=1}^{4}\sum_{j=1}^{3} T_{ij.}{}^2$$

　具体的な問題の場合には，これらの計算を表にして合計を求めることが便利です。

手順2　各種の平方和を計算します。

修正項 $CT = \dfrac{(\text{データの総和})^2}{\text{データの総数}} = \dfrac{T^2}{N}$

総平方和 $S_\mathrm{T} = (\text{データの 2 乗の総和}) - (\text{修正項}) = \sum_{i=1}^{4}\sum_{j=1}^{3}\sum_{k=1}^{2}(x_{ijk})^2 - \dfrac{T^2}{N}$

因子 A の平方和 $S_\mathrm{A} = \sum_{j=1}^{3} \dfrac{(\text{A}_j\,\text{水準のデータの和})^2}{\text{A}_j\,\text{水準のデータ数}} - (\text{修正項}) = \sum_{j=1}^{3} \dfrac{T_{.j}{}^2}{8} - CT$

因子 B の平方和 $S_\mathrm{B} = \sum_{i=1}^{4} \dfrac{(\text{B}_i\,\text{水準のデータの和})^2}{\text{B}_i\,\text{水準のデータ数}} - (\text{修正項}) = \sum_{i=1}^{4} \dfrac{T_{i.}{}^2}{6} - CT$

級間の平方和 $S_\mathrm{AB} = \sum_{i=1}^{4}\sum_{j=1}^{3} \dfrac{(\text{A}_j\text{B}_i\,\text{水準のデータの和})^2}{\text{A}_j\text{B}_i\,\text{水準のデータ数}} - (\text{修正項})$

$$= \dfrac{\sum_{i=1}^{4}\sum_{j=1}^{3} T_{ij.}{}^2}{2} - CT = \dfrac{G}{2} - CT$$

交互作用の平方和 $S_{\mathrm{A}\times\mathrm{B}} = S_\mathrm{AB} - (S_\mathrm{A} + S_\mathrm{B})$
誤差平方和 $S_\mathrm{E} = S_\mathrm{T} - S_\mathrm{AB} = S_\mathrm{T} - (S_{\mathrm{A}\times\mathrm{B}} + S_\mathrm{A} + S_\mathrm{B})$

手順3　自由度を計算します。

総平方和の自由度 $\phi_\mathrm{T} = N - 1 = 24 - 1 = 23$
因子 A の自由度 $\phi_\mathrm{A} = (\text{A の水準数}) - 1 = 3 - 1 = 2$
因子 B の自由度 $\phi_\mathrm{B} = (\text{B の水準数}) - 1 = 4 - 1 = 3$
交互作用の自由度 $\phi_{\mathrm{A}\times\mathrm{B}} = \phi_\mathrm{A} \times \phi_\mathrm{B} = 2 \times 3 = 6$
誤差の自由度 $\phi_\mathrm{E} = \phi_\mathrm{T} - (\phi_{\mathrm{A}\times\mathrm{B}} + \phi_\mathrm{A} + \phi_\mathrm{B}) = 23 - (6 + 2 + 3) = 12$

手順4 分散分析表の作成

表 2 − 23 分散分析表の構成

要因	平方和 S	自由度 ϕ	平均平方 V	分散比 F_0
A	S_A	ϕ_A	$V_A = S_A/\phi_A$	$F_{0(A)} = V_A/V_E$
B	S_B	ϕ_B	$V_B = S_B/\phi_B$	$F_{0(B)} = V_B/V_E$
A×B	$S_{A×B}$	$\phi_{A×B}$	$V_{A×B} = S_{A×B}/\phi_{A×B}$	$F_{0(A×B)} = V_{A×B}/V_E$
E	S_E	ϕ_E	$V_E = S_E/\phi_E$	
計	S_T	ϕ_T		

手順5 判定します。

次のそれぞれの値を比較して判定します。

因子 A：$F_{0(A)}$ と $F(\phi_A, \phi_E ; \alpha)$

因子 B：$F_{0(B)}$ と $F(\phi_B, \phi_E ; \alpha)$

交互作用 A×B ： $F_{0(A×B)}$ と $F(\phi_{A×B}, \phi_E ; \alpha)$

ここで，交互作用 A×B が有意でないと判定された場合には，$S_{A×B}$ と S_E をプールして次のようにします。

$$S_E{}' = S_{A×B} + S_E$$

$$\phi_E{}' = \phi_{A×B} + \phi_E$$

$$V_E{}' = S_E{}'/\phi_E{}'$$

これらをもとに，交互作用の欄を除いた新たな分散分析表を作成します。

> **例題** 2因子 A および B によって製品の特性を向上させたい。特性値は大きいほど商品価値が高いとして，繰返し実験による次のデータにより有意水準 5 ％の分散分析を行いたい。（単位省略）

因子 A ＼ 因子 B	B_1	B_2	B_3
A_1	29	30	28
	28	31	27
A_2	27	32	27
	28	30	26
A_3	29	31	30
	26	32	31
A_4	25	29	28
	27	28	29

手順1　まず，条件ごとの合計値を並べて，AB二元表をつくります。

表2−24　条件ごとの和の二元表

	B₁	B₂	B₃	計
A₁	57	61	55	173
A₂	55	62	53	170
A₃	55	63	61	179
A₄	52	57	57	166
計	219	243	226	688

表2−25　データの2乗表

因子B / 因子A	B₁	B₂	B₃	計
A₁	841	900	784	2525
	784	961	729	2474
A₂	729	1024	729	2482
	784	900	676	2360
A₃	841	961	900	2702
	676	1024	961	2661
A₄	625	841	784	2250
	729	784	841	2354
計	6009	7395	6404	19808

表2−26　二元表の2乗表

	B₁	B₂	B₃	計
A₁	3249	3721	3025	9995
A₂	3025	3844	2809	9678
A₃	3025	3969	3721	10715
A₄	2704	3249	3249	9202
計	12003	14783	12804	39590

手順2　修正項（CT）を求めます。

$$CT = \frac{(データの合計)^2}{データ数} = \frac{688^2}{24} = 19722.67$$

手順 3

各平方和を求めます。

　総平方和 $S_\mathrm{T} = \sum$（データの 2 乗）$- \mathrm{CT} = 19808 - 19722.67 = 85.33$

因子 A の級間平方和 S_A は，

$$S_\mathrm{A} = \sum_{i=1}^{4} \frac{(\mathrm{A}_i \text{データの合計})^2}{\mathrm{A}_i \text{データ数}} - \mathrm{CT}$$

$$= \frac{173^2}{6} + \frac{170^2}{6} + \frac{179^2}{6} + \frac{166^2}{6} - 19722.67 = 15.00$$

因子 B の級間平方和 S_B は，

$$S_\mathrm{B} = \sum_{j=1}^{3} \frac{(\mathrm{B}_j \text{データの合計})^2}{\mathrm{B}_j \text{データ数}} - \mathrm{CT}$$

$$= \frac{219^2}{8} + \frac{243^2}{8} + \frac{226^2}{8} - 19722.67 = 38.08$$

AB 級間平方和 S_AB は，

$$S_\mathrm{AB} = \sum_{i=1}^{4} \sum_{j=1}^{3} \frac{(\mathrm{AB}\text{二元表データ})^2}{\text{繰返し数}} - \mathrm{CT} = \frac{39590}{2} - 19722.67 = 72.33$$

交互作用の平方和 $S_{\mathrm{A}\times\mathrm{B}}$ は，

$$S_{\mathrm{A}\times\mathrm{B}} = S_\mathrm{AB} - S_\mathrm{A} - S_\mathrm{B} = 72.33 - 15.00 - 38.08 = 19.25$$

誤差の平方和 S_E は，

$$S_\mathrm{E} = S_\mathrm{T} - S_\mathrm{A} - S_\mathrm{B} - S_{\mathrm{A}\times\mathrm{B}} = 85.33 - 15.00 - 38.08 - 19.25 = 13.00$$

手順 4

自由度をそれぞれ求めます。

　全体の自由度 $\phi_\mathrm{T} =$ 総データ数$-1 = 24 - 1 = 23$

　因子 A の自由度 $\phi_\mathrm{A} =$ 水準数$-1 = 4 - 1 = 3$

　因子 B の自由度 $\phi_\mathrm{B} =$ 水準数$-1 = 3 - 1 = 2$

　交互作用の自由度 $\phi_{\mathrm{A}\times\mathrm{B}} = \phi_\mathrm{A} \times \phi_\mathrm{B} = 3 \times 2 = 6$

　誤差の自由度 $\phi_\mathrm{E} = \phi_\mathrm{T} - \phi_\mathrm{A} - \phi_\mathrm{B} - \phi_{\mathrm{A}\times\mathrm{B}} = 23 - 3 - 2 - 6 = 12$

第 2 章

手順5

それぞれの平均平方（不偏分散）を求めます。

$V_A = S_A/\phi_A = 15.00 \div 3 = 5.0$

$V_B = S_B/\phi_B = 38.08 \div 2 = 19.04$

$V_{A \times B} = S_{A \times B}/\phi_{A \times B} = 19.25 \div 6 = 3.208$

$V_E = S_E/\phi_E = 13.00 \div 12 = 1.083$

また，分散比は，

因子A：$F_0 = V_A/V_E = 5.0 \div 1.083 = 4.617$

因子B：$F_0 = V_B/V_E = 19.04 \div 1.083 = 17.58$

交互作用A×B：$F_0 = V_{A \times B}/V_E = 3.208 \div 1.083 = 2.962$

手順6

これらをまとめて分散分析表を作成します。

表2-27　分散分析表

要因	平方和	自由度	平均平方	分散比
因子A	15.00	3	5.0	4.617
因子B	38.08	2	19.04	17.58
交互作用	19.25	6	3.21	2.962
誤差	13.00	12	1.08	
合計	85.33	23		

手順7

判定します。F表から以下の5％棄却率に相当する棄却限界値を引いて，それぞれの分散比と比較します。

因子A：$F(3, 12; 0.05) = 3.49 < 4.617$

因子B：$F(2, 12; 0.05) = 3.89 < 17.58$

交互作用A×B：$F(6, 12; 0.05) = 3.00 > 2.962$

これらの比較の結果，因子AおよびBは5％の危険率で有意であると判定できますが，交互作用A×Bは，分散比の方が小さいため，有意であるとは言えないことになります。

交互作用が有意でないと判定されましたので，新たな分散分析表を作成することになります。

表2-28　新たな分散分析表

要因	平方和	自由度	平均平方	分散比
因子 A	15.00	3	5.0	2.79
因子 B	38.08	2	19.04	10.63
誤差	32.25	18	1.79	
合計	85.33	23		

因子 A：$F(3, 18 ; 0.05) = 3.16 > 2.79$

因子 B：$F(2, 18 ; 0.05) = 3.55 < 10.63$

　今度は，因子 B は相変わらず有意ですが，（誤差の影響が大きくなって）因子 A は 5 ％の危険率で有意ではなくなりました。（実は，検定の多重性という 2 級 QC のレベルを超える問題があり，複数回の検定を行うことによって，有意になる確率が増える場合があります。ただし，この例題で行っている 2 回の検定において，第一回目で因子 A および因子 B が有意とされ，交互作用を省いての検定で，因子 B のみが有意，因子 A は有意でないことになっています。そのため，この一連の検定において，「有意になることが増えていない」ので，多重性による問題が起きていない場合と考えられます。）

8 データの構造

　実験を計画する際には，「データの構造」をどのようにとらえるのかという点が非常に重要になってきます。データの構造のとらえ方は，母集団のとらえ方や何を知ろうとするのかという実験の目的にとって大変重要です。

a）一元配置の場合

　A_i 水準における第 j 番目のデータ x_{ij} の構造は次のようになっていると考えられます。これをデータの構造式ということがあります。

　　$x_{ij} = \mu + a_i + \varepsilon_{ij}$

　この式で，それぞれの変数は次のようなものです。

　　μ：平均値

　　a_i：因子 A の主効果（i は水準）

　　ε_{ij}：各測定値の誤差

b）繰返しのない二元配置の場合

$A_i B_j$ 水準におけるデータ x_{ij} の構造は，

$$x_{ij} = \mu + a_i + b_j + \varepsilon_{ij}$$

それぞれの変数は，

μ：平均値

a_i：因子 A の主効果（i は水準）

b_j：因子 B の主効果（j は水準）

ε_{ij}：各測定値の誤差

c）繰返しのある二元配置の場合

$A_i B_j$ 水準における第 k 番目のデータ x_{ijk} の構造は，

$$x_{ijk} = \mu + a_i + b_j + (ab)_{ij} + \varepsilon_{ijk}$$

それぞれの変数は，

μ：平均値

a_i：因子 A の主効果（i は水準）

b_j：因子 B の主効果（j は水準）

$(ab)_{ij}$：A と B の交互作用効果

ε_{ijk}：各測定値の誤差

それぞれの
添え字の違いに注意して
見てくださいな

確認問題

知識・実力の確認をしましょう。○か×か考えてみて下さい。

（　）**問1**：フィッシャーの3原則とは，局所管理化，反復，および，ランダム化をいう。

（　）**問2**：実験計画に際して，組合せを減らしながら各因子の各水準が他のすべての因子の水準と組合せられるような実験計画法を直交計画法と呼んでいる。

（　）**問3**：分散分析において，分散の比の検定を行う際には一般に，t検定が用いられる。

（　）**問4**：平均平方とは，分散に相当するものである。

（　）**問5**：次のような因子の水準に対して特性値をグラフにしたものにおいて，左の図には交互作用が認められるが，右の図には交互作用は認められないと見てよい。

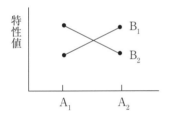 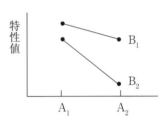

● ● ● ● **正解と解説** ● ● ● ●

| 正解 | 問1：○ | 問2：○ | 問3：× | 問4：○ | 問5：× |

問1 解説（○）

　　記述の通りです。ランダム化は，無作為化ということもあります。

問2 解説（○）

　　直交表を使った計画法なので直交計画法ということになります。

問3 解説（×）

　　分散の比の検定を行う際には，t検定ではなくて，一般にF検定が用いられます。

問4 解説（○）

　　平方和を平均したものなので，平均平方ということになります。

問5　解説　（×）

　与えられた二つの図において，左の図は因子Bの水準によって因子Aの効き方が変わっていることは明白ですが，右の図も二つの線が平行でないことから因子Aの効き方が変化していると考えられます。したがって，右の図にも交互作用は認められると考えられます。

実戦問題

問題1

重要度 Ⓑ

AおよびBの二つの因子が考えられる系において，繰返し実験を含む二元配置の実験を実施し，下記のような分散分析表を得た。この分散分析表に対する要因効果の図として，正しいものを選んでその記号を(1)の解答欄に記入せよ。

得られた分散分析表

要因	自由度	平方和	分散
A	2	0.56	0.28
B	3	105.96	35.32
A×B	6	183.12	30.52
誤差	12	36.24	3.02
全体	23		

【選択肢】

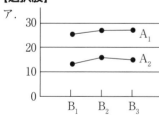

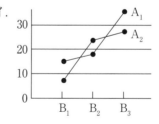

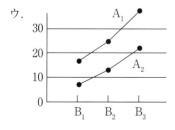

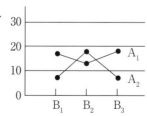

オ.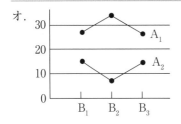

【解答欄】

(1)

問題2

　　実験計画法に関する次の文章において，(2)〜(6)のそれぞれに対して適切なものを選択肢欄から選んでその記号を解答欄に記入せよ。ただし，各選択肢を複数回用いることはない。

　　実験計画法とは，解決すべき問題において，どのような実験をして，　(2)　をどのように割り付けるかについて検討して実験を計画することを目的としている。　(2)　とは，実験を行う際に，多くの変動要因の中より特性値に特に影響を与えるであろう要因のことをいう。　(2)　には，要因効果が一定の値で示される　(3)　と，要因効果が確率変数とみなされる　(4)　とがある。水準とは，　(2)　の影響の程度を知るために，　(2)　の条件を変えた場合のその段階をいう。　(5)　法とは，取り上げた　(2)　の数が一つの場合をいい，　(5)　実験ともいう。取り上げた　(2)　の数が二つの場合を　(6)　法（あるいは　(6)　実験）と呼んでいるが，これには，　(2)　と水準の組合せごとに実験が繰り返される場合とそうでない場合とがあり，前者を「繰返しのある　(6)　法」，後者を「繰返しのない　(6)　法」と呼んでいる。

【選択肢】

　ア．分散分析　　　イ．交互作用　　　ウ．相互作用

　エ．母数因子　　　オ．変量因子　　　カ．因子

　キ．一元配置　　　ク．二元配置　　　ケ．欠損実験

【解答欄】

(2)	(3)	(4)	(5)	(6)

お茶にしますか？　偏差値，知能指数，Zスコア

　偏差値や知能指数（IQ）という言葉を聞いたことがおありでしょうか。偏差値は入試などの場面でよく用いられますが，分析データなどを扱うZスコアはあまり聞きなれない方もおられるかもしれません。

　ばらつきのあるものの表現が分野によって，それぞれ異なっているのですが，個々のデータをそれぞれの表現で表すと次のようになっています。

$$偏差値 = \frac{個々のデータ - 平均値}{標準偏差} \times 10 + 50$$

$$知能指数 = \frac{個々のデータ - 平均値}{標準偏差} \times 15 + 100$$

$$Zスコア = \frac{個々のデータ - 平均値}{標準偏差} \times 1 + 0$$

　つまり，平均値を，偏差値では50に，知能指数では100に，そしてZスコアでは0にとります。また，標準偏差を，偏差値では10に，知能指数では15（時に16）に，Zスコアでは1にとって扱います。

　結局，それぞれがすべて標準正規分布（p 107）しているものとみなして，分野ごとに違う形に変換しているということです。内容は同じなのに，分野ごとに表現が違っているのですね。

問題1

解答

(1)
イ

解説

　分散分析表と要因効果図の対応を問う問題となっています。因子A，Bおよび交互作用のそれぞれの効果を判断して，与えられた分散分析表がどの要因効果図と対応しているか見てみましょう。交互作用とは，ある因子の効果の程度が他の因子の水準によって変化することをいいます。

　それぞれの要因効果図において，因子A，Bおよび交互作用の効果がどのようになっているか，表にまとめてみます。○で強い効果のあると見られるものを，×で効果がないか弱いと見られるものを示しますと，次のようになります。

要因効果図	A因子	B因子	A×B
ア	○	×	×
イ	×	○	○
ウ	○	○	×
エ	×	×	○
オ	○	×	○

　例えば，選択肢ア．の図では，A因子を変化させますと，実験値が大きく変化しているのに対し，B因子を変化させてもあまり変わっていないことがわかります。二つのグラフの平行性もほぼ保たれていて，交互作用が小さいこともわかります。以下同様にまとめてみた表となっています。

　問題の分散分析表では，B因子と交互作用の分散が大きくなっています。B因子の分散が大きいことは，B因子の変化による縦軸の変動が大きいことを意味します。交互作用も同様です。結局，肢イ．が正解となります。

問題2

解答

(2)	(3)	(4)	(5)	(6)
カ	エ	オ	キ	ク

解説

それぞれの □ に正解となる用語を入れて，あらためて文章を書き下してみます。

> 実験計画法とは，解決すべき問題において，どのような実験をして，因子をどのように割り付けるかについて検討して実験を計画することを目的としている。因子とは，実験を行う際に，多くの変動要因の中より特性値に特に影響を与えるであろう要因のことをいう。因子には，要因効果が一定の値で示される母数因子と，要因効果が確率変数とみなされる変量因子とがある。水準とは，因子の影響の程度を知るために，因子の条件を変えた場合のその段階をいう。一元配置法とは，取り上げた因子の数が一つの場合をいい，一元配置実験ともいう。取り上げた因子の数が二つの場合を二元配置法（あるいは二元配置実験）と呼んでいるが，これには，因子と水準の組合せごとに実験が繰り返される場合とそうでない場合とがあり，前者を「繰返しのある二元配置法」，後者を「繰返しのない二元配置法」と呼んでいる。

ひと休み～！

7 新QC七つ道具

学習ポイント

・言語データの活用法
・新QC七つ道具とは？
・新QC七つ道具の使い方

重要度
B

●●● 試験によく出る重要事項 ●●●

　本章の2で説明しました QC 七つ道具とは別に，新たに七つ道具が整理され
て，**新 QC 七つ道具（N 7）**と呼ばれるものがあります。これらは主に言語デ
ータを扱うものとなっています。その概略を表2 −29に示します。

表2 −29　新 QC 七つ道具

種　類	内　容
親和図法（KJ 法）	多くの言語データを，それらの間の親和性（似ている程度）によって整理する手法
連関図法	複数で複雑な因果関係のある事象について，それらの関係を論理的に矢印でつないで整理する手法
系統図法	目的や目標を達成するために必要な手段や方策を，系統的に展開して整理する手法
マトリックス図法	二次元や多次元に分類された項目の要素の間の関係を，系統的に検討して問題解決の糸口を得る手法
マトリックスデータ解析法	数値化できるマトリックス図の場合に，その数値を加工し解析して見通しをよくして問題解決に至る手法
アロー・ダイヤグラム法（PERT 図法）	多くの段階のある日程計画を，効率的に立案し進度を管理することのできる矢線図
PDPC 法	困難な課題解決の進行過程において，あらかじめ考えられる問題を予測して対策を立案し，その進行を望ましい方向に導く手法

1 親和図法

　多くの言語データがあって，まとまりを付けにくい場合に用いられます。意

味内容が似ていることを「親和性が高い」と呼んで，そのようなものどうしを集めながら全体を整理してゆく方法です。この方法は川喜田二郎博士の考案された **KJ法** を七つ道具に取りこんだものです。一般に一つ一つのデータをカードにして検討グループ員に配って行いますので，**TKJ法**（トランプ KJ 法）とも呼ばれます。

　民俗学者であった川喜田先生は，現地調査で得た膨大なデータを一人で整理するために考案されたのですが，一般にはグループで作業して知識や問題意識の共有化などを目的に行われることが多いようです。

　主に次のような手順で行われます。

手順1　言語データ（情報やアイデア）をカード化する。

手順2　カードをシャッフルする。

手順3　カードを全員に配る。

手順4　一人が親になり一枚を読んで場に出す。

手順5　全員が，内容の面でそれに関連あると思うカードを出す。

手順6　それらをまとめて，**手順4** に戻る。

手順7　カードを出し終われば，それを大きな紙の上に整理して，グループごとにタイトルを付ける。それを「島」と呼びます。

手順8　親和性の高い島を集めながら，全体をまとめてゆく。

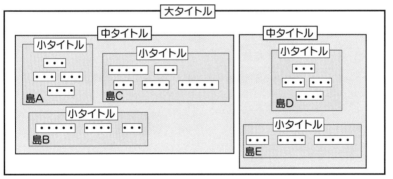

図 2 - 30　親和図法のまとめ方の例

2　連関図法（原因の究明）

　七つ道具の特性要因図に似ていますが，単にグルーピングして整理するだけでなく，原因と結果のメカニズムや因果関係を矢線（→）で結んでまとめていきます。特性要因図が要因を拾い上げることを目的とすることと異なって，連

関図法ではメカニズムや因果関係を重視します。

　このようにまとめることによって，どの原因の対策を行うことがより重要であるかを突き止めて対策を立てます。

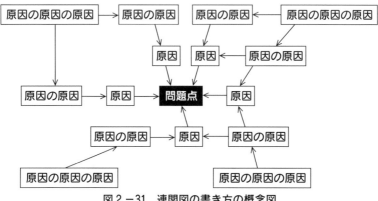

図2−31　連関図の書き方の概念図

　連関図法には，次の図の例に示しますように，工夫次第でいろいろな使い方があります。

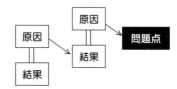

（a）ある原因が生んだ結果が次の原因となる場合

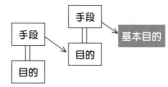

（b）ある目的のための手段が次の目的となる場合

図2−32　さまざまな連関図法の例

3　系統図法（達成手段の出し尽くし）

　系統図法とは，図2−33のように枝分かれした図（系統図）によって，着眼点をもとに問題を仕分けしながら主に論理的に考えてゆくことで，問題を解析

したり解決するための案を得たりする手法です。

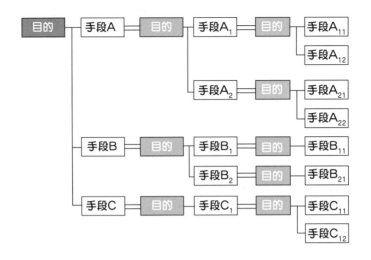

目的に対する手段を
論理的に「これしかない」として
展開した例

図 2 −33　系統図法の例

　このような整理をしながら，全体を眺めて検討し，最適な方策を選択してゆきます。
　具体例として，必要な機能とそれを果たすべき手段との関係を整理する**機能系統図**や，要求品質を実現するために代用特性を整理する**品質系統図**などもあります。

彼女を攻略する方法は
論理的に
ＡとＢとＣの３つしか
ないはずだがなぁ

4　マトリックス図法（行列図，行と列の図）

　マトリックスとは，数学で（数字や文字を，縦と横に並べた）行列のことでしたね。しかし，難しい計算はしません。単に，行と列とがあるということだけです。マトリックス図法とは，問題に関連して着目すべき要素を，碁盤の目のような行列図（マトリックス図）の行と列の項目に並べて，要素と要素の交点において互いの関連の検討を行うための手法です。すべての欄を検討すれば，漏れがなくなります。

　図2−34は二次元のマトリックス図ですが，この他に三次元のものなども工夫されています。

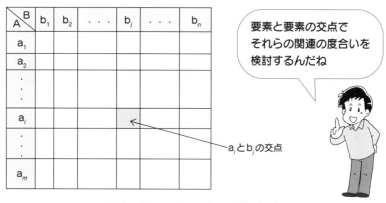

要素と要素の交点で
それらの関連の度合いを
検討するんだね

a_iとb_jの交点

図2−34　マトリックス図法の概念

	将来性	投資効果
A案	○	◎
B案	△	○
C案	×	

この部分の検討が
まだ終わっていない
早速検討しなくちゃ

お茶にしますか？　　　ジョハリの窓

　ジョハリの窓という心理学上の考え方があります。「ジョハリ」という窓があるわけではありません。ジョセフさんとハリーさんが提唱した考え方なので，そういう名前になっているそうです。対人関係における「気づきのモデル」ということだそうです。

　人間には，自分について自ら知っていることと知らないこととがあります。また，自分について，他人に知られていることと知られていないこととがあります。これらを組合せてマトリックス図（というほど大げさなものでもありませんが）にしてみますと，次のようになります。4つのケースに分類されるわけですが，それぞれに名前が付けられています。

	自分が知っていること	自分が知らないこと
他人に知られていること	**開放の窓**（公開された自己）	**盲点の窓**（自分は知らないが他人に気づかれていること）
他人に知られていないこと	**秘密の窓**（他人に見せていない自己）	**未知の窓**（自分も誰からもまだ知られていない自己）

　開放の窓や秘密の窓は，多くの人がそれなりに自ら意識して持っているのだと思います。盲点の窓とは，「自分で気づいていないようだけど，あの人は○○だよね」というものです。また，未知の窓というような要素が，たぶん自分にはまだあるのではないか，と思うと人生は楽しくなるのではないかと思います。

あんた
私のこと
どのくらい知ってるの？

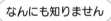

なんにも知りません

5 マトリックスデータ解析法

この手法は，前項で作成するマトリックス図において，その結果を数値で評価できる場合に用いるものです。定量的な数値データの場合もありますが，時には◎，○，△などの評価をそれぞれ5，3，1などと数値化することもあります。

高度な解析としては，多変量解析法に属する主成分分析法などが用いられることもあります。

> **例題** ある劇団が，新人採用にあたってオーディション（志願者の試演イベント）を行ったところ，志願した4人について，審査にあたった審査員の三氏から次のような評価が得られた。最優秀のAを3点，またBを2点，Cを1点，評価に値しないレベルのDを0点として数値化した場合，志願者ごとの評点合計はどのようになるか，数値を解答欄に記入せよ。
>
> また，最も採点の甘い審査員，および，最も辛い審査員はだれか，さらに，最も評価のばらつきの大きい審査員，最も評価のばらつきの小さい審査員はだれか。ただし，最高点と最低点をカットするというようなルールはないものとする。

審査員＼志願者	大川	中川	横川	小川
上田	A	B	A	C
中田	B	C	C	C
下田	B	A	C	D

それほどむつかしい問題ではないと思います。A〜Dをそれぞれ3〜1に置き換えてみます。そして，評点の合計を最下欄に記入します。また，それぞれの点数を横に合計して記入します。また，それぞれの審査員の評点のばらつきを範囲（最大−最小）という形で記入してみますと，以下のようになります。

審査員＼志願者	大川	中川	横川	小川	合計	範囲
上田	3	2	3	1	9	2
中田	2	1	1	1	5	1
下田	2	3	1	0	6	3
評点合計	7	6	5	2		

なお，縦と横の和はそれぞれ20点となって一致するはずですね。これが験算（検算）にもなっているわけです。

結果として，志願者の評点合計が最下欄に示されました。また，横に合計した結果，採点の最も甘い審査員は上田審査員，最も辛い審査員は中田審査員，評価ばらつきの大きい審査員は下田審査員，ばらつきの小さい審査員は中田審査員ということになります。

6 アロー・ダイヤグラム法（PERT図法）

プロジェクトなどを達成するために必要な作業の順序関係や相互関係を矢線で表わすことによって，最適な日程計画を立てたり効率よく進度を管理したりするための手法です。

アロー・ダイヤグラム法で用いられる記号の意味を説明します。

a）一つの作業の前後に結合点が○で書かれ，その中に結合点番号が表示されます。

b）結合点どうしが矢線で結ばれますが，矢線の出発点が始点，到達点が終点です。実作業を伴う場合に実線で，何もしないが順序などを示すための作業（ダミー作業）を破線あるいは点線で書きます。作業時間が数字で付されますが，矢線の長さはそれに比例する必要はありません。一般に，仕事の全体の始点と終点が，それぞれ一つずつあります。

c）矢線の順序に作業がなされます。矢線の流れにより，先行作業と後続作業が示されます。

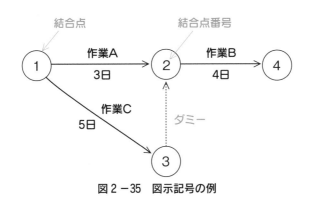

図2-35 図示記号の例

d）同じ時間帯に別な作業をする場合を並行作業といいます。

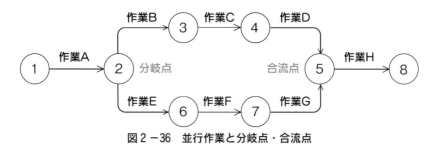

図2-36　並行作業と分岐点・合流点

　図において，作業Bと作業Eなどは並行作業です。

e）二つの結合点を二つの矢線だけで結んではいけないことになっています。

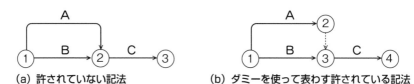

（a）許されていない記法　　　（b）ダミーを使って表わす許されている記法

図2-37　ダミーの使い方(1)

f）並行作業の中で，作業順位の決まっているものの示し方の例として，作業
　A，B，C，Dのうち，作業Cの前に作業AとBをしておかなければならな
　い時の書き方は次の図のようになります。

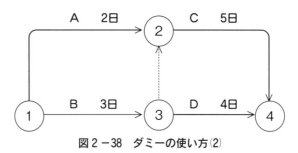

図2-38　ダミーの使い方(2)

　　この図において，①から④までの最長ルートは①→③→②→④の8日で
す。このルート内の作業は少しでも遅れると全体の時間に影響してしまいま
す。このようなルートを**クリティカルパス**（限界的経路）といいます。

g）同じ作業を一つのアロー・ダイヤグラムの2ヶ所以上に表わしてはいけま
　せん。

h）作業のつながりがループ状になってはいけません。

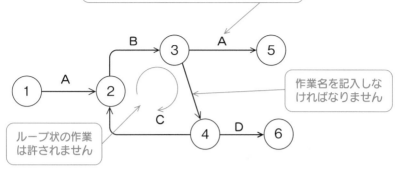

図2-39 許されていない記法

7 PDPC 法（困難回避手法）

PDPC 法は Process Decision Program Chart の略で，問題解決や新製品開発などの初めてのプロジェクトの進行過程において，あらかじめ予想される障害などに対する対策を盛り込みながら，望ましい方向に推進する手法です。

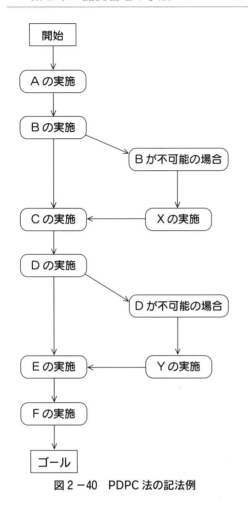

図 2 −40　PDPC 法の記法例

計画通りに
できなかった時の
ために代案を用意
しておくんだね

この手法は，近藤次郎先生が考えられたものらしいです。でも頭文字を取って KJ 法にすると，p199 の川喜田二郎先生の方法と同じ名前になってしまうので，頭文字の名前はあきらめたということです。

知識・実力の確認をしましょう。○か×か考えてみて下さい。

( ) **問1**：親和図法とは，NM法と呼ばれる中山正和博士の方法を新QC七つ道具に取り入れたものである。

( ) **問2**：系統図法とは，複数で複雑な因果関係のある事象について，それらの関係を論理的に矢印でつないで整理する手法であり，連関図法は，目的や目標を達成するために必要な手段や方策を系統的に展開して整理する手法である。

( ) **問3**：アロー・ダイヤグラムとして，図の (a) は許されていないが，(b) は許されている記法である。

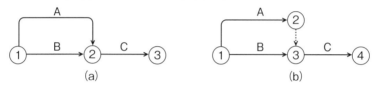

( ) **問4**：次に示すような記法は親和図法の記法として典型的なものである。

( ) **問5**：系統図法とは，枝分かれした図によって，着眼点をもとに問題を分類しながら主に論理的に考えてゆくことで，問題を解析したり解決するための案を得たりする手法である。

●●● **正解と解説** ●●●

正解 問1：× 問2：× 問3：○ 問4：× 問5：○

問1 **解説** (×)

　NM法とは中山正和博士の作りだした方法ですが，親和図法は川喜田二郎博士の方法を新QC七つ道具に取り入れたものとなっています。

　KJ法においては，データどうしが似ていることを，「親和性が高い」といいます。親和性が高いものを集めながら，全体を整理してゆくのですね。

　親和図法は，KJ法あるいはTKJ法といわれる手法で，昨今では非常に多くの企業や組織などで使われています。川喜田先生の本来の方法としては，深い洞察によってそれらのデータの奥に潜む法則などを探し出すためのものだったようですが，現実にこの方法を採用している職場では，グループにおけるデータを皆で知ることや問題意識を共有化するために行われていることが多いようです。

問2 解説 （×）

　記述は逆になっていますね。連関図法が複数で複雑な因果関係のある事象について，それらの関係を論理的に矢印でつないで整理する手法であるのに対して，系統図法は目的や目標を達成するために必要な手段や方策を系統的に展開して整理する手法です。

問3 解説 （○）

　記述の通りですね。自信のない方は，アロー・ダイヤグラムで許される記法と許されない記法について，おさらいをしておいて下さい。PERT図法（アロー・ダイヤグラム）において，矢印（結線）は直線であっても曲がっていても，それだけでの違いはありません。書かれる位置の都合で直線になったり曲がったりするだけです。たとえば，結節点①と結節点②とを，一つの方向を示しながらその2点を結ぶ機能があるだけです。それ以上の意味はありません。

問4 解説 （×）

　図は親和図法ではなくて，原因と結果を結び付けたり，目的と手段を結び付けたりする連関図法のものとなっています。

問5 解説 （○）

　これは記述の通りですね。系統図法とは，枝分かれした図（系統樹，あるいは，ツリーといいます）の形をとりながら，論理的に分類しつつ（つまり，論理的に「これしかない」という形で，枝分かれをつくっていきながら），問題を解析したり解決案を模索したりするために用いられます。

問題 1

重要度 **A**

新 QC 七つ道具に関する次の概念図について，①～⑥のそれぞれに対して適切な名称を選択肢欄から選んでその記号を解答欄に記入せよ。ただし，各選択肢を複数回用いることはない。

①

(1)

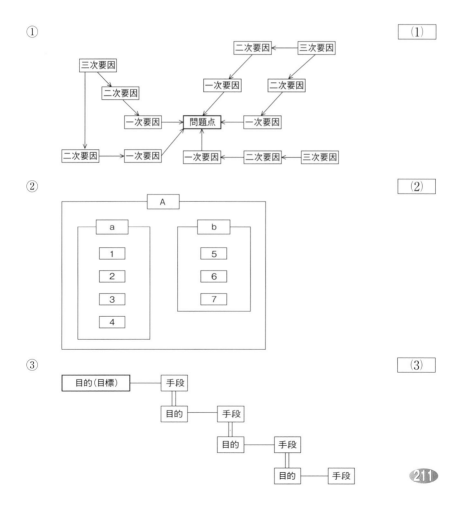

二次要因 ← 三次要因

三次要因

二次要因 → 一次要因 → 二次要因

一次要因 → 問題点 ← 一次要因

二次要因 → 一次要因 → 一次要因 ← 二次要因 ← 三次要因

②

(2)

A

a

1
2
3
4

b

5
6
7

③

(3)

目的（目標） ― 手段

目的 ― 手段

目的 ― 手段

目的 ― 手段

④ 　　　　　　　　　　　　　　　　　　　　　　　　　　　(4)

要素＼要素	A_1	A_2	A_3	A_4	A_5
B_1					
B_2		○		×	
B_3			◎	×	
B_4	○			△	
B_5	○	◎			△

⑤ 　　　　　　　　　　　　　　　　　　　　　　　　　　　(5)

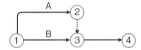

⑥ 　　　　　　　　　　　　　　　　　　　　　　　　　　　(6)

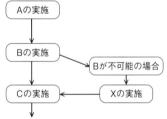

【選択肢】

ア．連関図法　　　　　イ．特性要因図　　　　ウ．アロー・ダイヤグラム法

エ．管理図法　　　　　オ．PDPC 法　　　　　カ．パレート図法

キ．親和図法　　　　　ク．系統図法　　　　　ケ．マトリックス図法

コ．ヒストグラム法　　サ．層別法　　　　　　シ．散布図法

【解答欄】

(1)	(2)	(3)	(4)	(5)	(6)

問題2 重要度 Ⓑ

　新 QC 七つ道具の各方法について述べた次の文章において，①～⑦のそれぞれに対して適切なものを選択肢欄から選んでその記号を解答欄に記入せよ。ただし，各選択肢を複数回用いることはない。

① 複数で複雑な因果関係のある事象について，それらの関係を論理的に矢印でつないで整理する手法である。　(7)

② 多くの段階のある日程計画を効率的に立案し進度を管理することのできる矢線図で示される。　(8)

③ 目的や目標を達成するために必要な手段や方策を系統的に展開して整理する手法である。　(9)

④ 困難な課題解決の進行過程において，あらかじめ考えられる問題を予測して対策を立案し，その進行を望ましい方向に導く手法である。　(10)

⑤ 多くの言語データを，それらの間の親和性によって整理する手法で，別名 KJ 法とも呼ばれる。　(11)

⑥ 二次元や多次元に分類された項目の要素の間の関係を，系統的に検討して問題解決の糸口を得る手法である。　(12)

⑦ 数値化できるマトリックス図において，その数値を加工し解析して見通しをよくして問題解決に至る手法である。　(13)

【選択肢】
　ア．PDPC 法　　　　　　　　イ．アロー・ダイヤグラム法
　ウ．マトリックスデータ解析法　エ．特性要因図法
　オ．系統図法　　　　　　　　カ．親和図法
　キ．管理図法　　　　　　　　ク．連関図法
　ケ．マトリックス図法　　　　コ．デザイン図法

【解答欄】

(7)	(8)	(9)	(10)	(11)	(12)	(13)

問題1

解答

(1)	(2)	(3)	(4)	(5)	(6)
ア	キ	ク	ケ	ウ	オ

解説

　それぞれの図法としての特徴をそれぞれ把握しておいて下さい。選択肢には，QC七つ道具に属するものもありますので，混同されませんようにお願いします。

問題2

解答

(7)	(8)	(9)	(10)	(11)	(12)	(13)
ク	イ	オ	ア	カ	ケ	ウ

解説

　QC七つ道具と新QC七つ道具に属するそれぞれの手法の特徴もご理解をお願いします。

 お茶にしますか？

太陽は男性名詞か女性名詞か？

　日本語では，名詞に性別を考えることは普通ありませんね。しかし，世界の言語では名詞に性別を与えるものも多いようです。

　では，そういう言語において，太陽や月は男性名詞か女性名詞か，はたしてどちらになっているのでしょうか？

　実は，同じヨーロッパの言葉であっても，ドイツ語では太陽が女性名詞，月が男性名詞になっていますが，フランス語やイタリア語では逆で，太陽が男性名詞，月が女性名詞になっています。私が調べた範囲ですが，それをマトリックス図にしてみますと次のようになります。

月＼太陽	男性名詞	中性名詞	女性名詞
男性名詞	アルバニア語 ウルドゥー語	マケドニア語 ポーランド語 セルビア語 クロアチア語	ドイツ語
中性名詞			
女性名詞	ラテン語 フランス語 イタリア語 スペイン語 ポルトガル語 ルーマニア語	ロシア語 スロベニア語	

　なぜこのような違いが起こるのでしょうか。不思議ですね。

　私の想像ですが，ドイツのような北国とイタリアやスペインのような地中海に面した国とでは，やはり季候が違うのではないかと思います。寒い国では太陽が母のように暖かいやさしい存在なのに対し，冷たい夜にコウコウと照る月は男性的な感じなのではないでしょうか。それに引き換え暑い国では昼間にギラギラと輝く太陽は強すぎる存在で，夜になって出てくる月は安らぎを与えてくれる母のような存在なのではないかと思います。

　皆さんは，どのように思いますか？

さて，いよいよ最後の章を
残すだけになりました
がんばって下さい

第3章

品質管理の実践

品質管理は
どうやって
やるのだろう？

1 製品検査および信頼性

学習ポイント

・製品検査の概要
・抜取検査の考え方
・信頼性工学の手法

重要度
C

●●● 試験によく出る重要事項 ●●●

1 製品検査で用いられる用語

　検査は，その結果によって合否判定をする目的があり，これに対して，計測とは，単に測定することであって，合否判定の目的は別になります。

・**全数検査**：文字通り漏れなく対象物を検査することです。

・**抜取検査（サンプリング検査）**：全対象物のうち，何らかの規則で一部の対象を選んで検査する方法です。

・**検査ロット（ロット）**：等しい条件下で生産され，あるいは，生産されたと見られる品の集合

・**ロットの大きさ**：ロットに含まれる検査対象の総数（ここでは N で表わします）

・**サンプル（試料あるいは標本）**：ロットから抜き取られたロットの情報を得るための試料

・**サンプルの大きさ**：サンプルに含まれる試料の数（ここでは n で表わします）

・**抜取り比**：サンプルの大きさとロットの大きさとの比（$n : N$）

・**ロットの不適合品率（不良率）**：ロットの大きさに対する，ロット内の不良品個数の割合

・**合格判定個数**：抜取検査でロットを合格にするか否かの判定基準個数（記号 c などで表わします）不良品個数がこの数字以下の時，ロットが合格となります。

・**計数抜取検査**：ロットの合否判定基準が，サンプルの中の不適合品の数などの計数値に基づく検査のことです。取扱いが単純であるという利点があります。

検査はきちんと
やらなくては
なりません

・**計量抜取検査**：ロットの合否判定基準が，サンプルから得られた平均値や標準偏差などの計量値に基づく検査のことです。計数抜取検査よりも，経時変化などのデータからより緻密な情報も得られ，またサンプルが少なくて済む傾向にあります。

2 抜取検査の分類

a）ランダム・サンプリング（単純サンプリング）

対象ロットのどの部分も（公平に）同じ確率で採取します。

b）系統サンプリング

時間や場所などサンプルの特性に関する一定の規則で採取する方式です。

|○●○○○○|○●○○○○|○●○○○○|○●○○○○|○●○○○○ …

（●がサンプル）

図3－1　系統サンプリングの例

c）ジグザグ・サンプリング

系統サンプリングに，よりランダム性を持たせるように，例えば次の図のような規則によって採取します。

|○●○○○|○○○●○|○●○○○|○○○●○|○●○○ …

（●がサンプル）

図3－2　ジグザグ・サンプリングの例

> ははあ，なるほどこの場合は
> 正反対のかたよりを繰返すのか

d）二段サンプリング

サンプリング対象が2段階に分かれている場合に，最初の一次段階でランダムにサンプリングした後で，選ばれたサンプルの中から二次段階としてランダムにサンプリングします。

たとえば，1箱100個詰めの製品があって毎日300箱を製造しているような場合，1日に作られた300箱から第一段階として30箱を選び，その30箱の各々からそれぞれ10個ずつの製品を選ぶようなやり方です。

e）集落サンプリング

母集団の中に立場の対等な複数の群（集落といいます）に分類して，その

中からランダムに選んだ群の全数をサンプリングします。

　たとえば，多くの大学があって，その中からいくつかの大学を選び，その中の大学生全員を調べることなどです。

f）層別サンプリング

　（工夫によって）ロットをいくつかの階層に分け（例えば，上層，中層，下層など），その各層からランダムにサンプルを採取します。

　たとえば，先の大学の例でいうと，多くの大学において，大学生を１年生から４年生までの４つの層に分け，それぞれから一定数を採ることがこれに当たります。

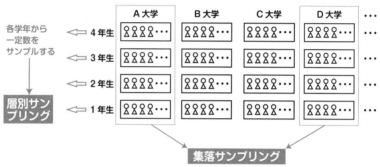

図３－３　集落サンプリングと層別サンプリング

g）バルクサンプリング

　液体や粉塊など，個数として扱えない場合が対象です。化学工場などではよくあるものです。

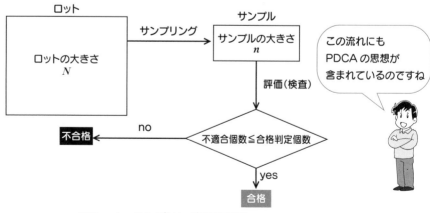

図３－４　サンプリング検査の流れ

3 OC曲線

縦軸にロットの合格確率をとり，横軸にロットの品質（不適合品率）をとったグラフを **OC曲線**（Operating Characteristic Curve，検査特性曲線）といいます。図にありますように，不適合品率の低い良いロット（下限不適合品率 p_0）が不合格となる確率 α を**生産者危険**，不適合品率の高い悪いロット（上限不適合品率 p_1）が合格となる確率 β を**消費者危険**といいます。

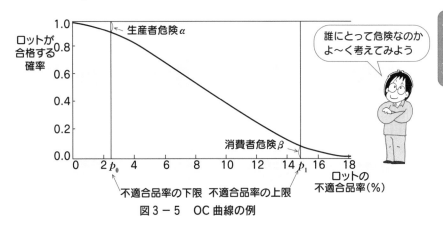

図3－5　OC曲線の例

4 抜取検査の実施

抜取検査には次のような分類があります。ここで，計数とは，計数値の対象を扱うことです。

a）規準型抜取検査方式

規準型抜取検査方式とは，売り手に対する保護（生産者危険確率 α を小さく設定）そして，買い手に対する保護（消費者危険確率 β を小さく設定）を目的にして，それぞれの危険を減らす工夫をする抜取検査方式をいいます。

b）選別型抜取検査方式

一定の抜取検査で合格となった場合はロットを合格させ，不合格となった場合はそのロットの全数検査をして不適合品を適合品と取りかえる抜取検査方式です。破壊検査のように全数検査が意味をなさない場合には採用できません。

c）調整型抜取検査方式

検査の実績をもとに，検査基準をきつくしたりゆるくしたりして調整する

抜取検査方式のことです。

　以下，これらの分類の中で，特に重要な **a)** および **c)** の検査について，より詳細に見ていくことにしましょう。

① 計数規準型一回抜取検査方式

　売り手に対する保護とは，先にも述べましたように，不適合品率が小さい品質の良いロットが抜取検査で不合格となる確率 α（生産者危険）を小さく設定することで，買い手に対する保護とは，不適合品率が大きい悪いロットが合格となってしまう確率 β（消費者危険）を小さく設定することです。

　JIS Z 9002では，$\alpha \fallingdotseq 0.05$，$\beta \fallingdotseq 0.10$として，ロットごとの合否を一回に抜き取ったサンプル内の不良個数で判定するものとしています。これが，計数規準型一回抜取検査です。

検査の手順

手順1　品質基準を決めます。

手順2　p_0（生産者危険不適合品率）および p_1（消費者危険不適合品率）を指定します。

　売り手（生産者）と買い手（消費者）の合議が必要とされます。当然 $p_0 < p_1$ でなければなりません。$p_1/p_0 \fallingdotseq 4 \sim 10$ が望ましいとされます。

手順3　ロットを形成します。

手順4　サンプルの大きさ n と合格判定個数 c を求めます。

　ここでは，計数規準型一回抜取検査表（巻末 p 321，付表７）を用います。指定された p_0 を含む行と，指定された p_1 を含む列の交わる欄を求めます。その欄の中の，左側の細字の数字をサンプルの大きさ n とし，欄中の右側の太字の数字を合格判定個数 c とします。（欄中に矢印がある場合は，矢印をたどって進み，数値のあるところのものを用います。＊印がある場合は，抜取検査設計補助表（巻末 p 322，付表８）を用います。）

　得られた n がロットの大きさを超える場合は，全数検査を行います。

　また，求めた n および c について OC 曲線を確認し，あるいは，検査費用なども検討して，必要があれば p_0 や p_1 の値を修正して，再度 n や c を求めます。

手順5　サンプル採取します。

手順6　サンプルを検査します。

手順7　合否判定をします。

手順8　（合否判定に基づき）ロットを処置します。

② **調整型抜取検査方式**

　調整型抜取検査方式とは，これまでの検査の実績から検査の厳しさを選択して行う検査方式です。良い品質のロットであれば検査を緩和（サンプルを少なく）し，悪いロットであれば検査を厳しく（サンプル数を多く）するなどして，検査結果を検査水準に反映（フィードバック）する方式です。

a）**検査の手順**

手順1　品質判定基準（合否判定基準）を決めます。

手順2　合格品質水準（AQL, Acceptance Quality Limit）を決めます。

手順3　検査基準（Ⅰ，Ⅱ，Ⅲ）を決めます。小さいサンプルでロットの合否を判定する場合には，特別検査水準（S-1，S-2，S-3，S-4）あるいは「通常検査水準Ⅰ」を用います。（巻末p 322，付表9）大きいサンプルの場合には「通常検査水準Ⅲ」を，通常，あるいは，特に指定のない場合などは「通常検査水準Ⅱ」とします。

手順4　抜取回数を選択します。（一回，二回，多回）

手順5　検査の厳しさを選択します。（なみ，きつい，ゆるい）
　一般に，初回は「なみ検査」を適用します。

手順6　ロットを形成します。

手順7　抜取方式を決めます。

手順8　サンプルを採取します。

手順9　サンプルを検査します。

手順10　合否を判定します。

手順11　（合否判定に基づき）ロットを処置します。
　合格ロットはそのまま受け入れ，不合格ロットは生産者に戻します。合格ロットにおいて検査で不適合とされたものは，修理するか取り換える，あるいは，取り除いて受け入れます。

手順12　（今後の検査の厳しさ調整のため）検査結果を記録します。

b）**抜取方式の決め方（通常検査の場合）**

手順1　抜取形式（一回，二回，多回）と検査の厳しさ（なみ，きつい，ゆるい）を決めます。

手順2　合格品質水準（AQL）を決めます。

手順3　検査水準（Ⅰ，Ⅱ，Ⅲ），あるいは，特別検査水準（S-1，S-2，S-3，S-4）を決めます。通常は検査水準Ⅱとします。

手順4　ロットの大きさを指定します。

手順5　サンプル文字をサンプル（サイズ）文字表（巻末p 322，付表9）か

ら求めます。指定した検査水準の列と，指定したロットの大きさの行の交わる部分から読み取ります。

手順6　抜取検査表（主抜取表）を選びます。（巻末 p 323〜326，付表10〜13）
手順7　抜取検査表から，抜取方式を求めます。

　手順5で求めたサンプル文字の行と，手順2で指定した AQL の列との交わる欄から合格判定数 Ac，不合格判定数 Rc を，そして，サンプルの大きさの列との交わる欄から n を読み取ります。なお，求める欄に矢印（↑あるいは↓）が有る場合には，矢印の示す先のものを採用します。

> **例題**　検査水準Ⅱに準拠する１回抜取検査において，AQL = 1.5%，ロットの大きさ N = 400 である場合の，なみ検査の抜取方式はどのようになるか。

　JIS によって与えられたなみ検査の１回抜取方式（主抜取表，巻末 p 323，付表10）を利用します。

　その前に，サンプル（サイズ）文字表（巻末 p 322，付表９）を用いて，ロットサイズ281〜500の行と通常検査水準Ⅱの列の交わる欄を読みます。H となっています。

　次に，なみ検査の１回抜取方式（主抜取表）より，サンプル文字 H の行と AQL 1.5% の列の交わる欄より，Ac = 2，Re = 3 を読み取ります。サンプルサイズも H の欄の右隣から50を読みます。

　したがって，抜取検査方式は，次のようになります。

　　　n = 50，Ac = 2，Re = 3

　つまり，ロットの中よりランダムに50個のサンプルを採り，不適合品数が2個以下ならロットは合格，３個以上なら不合格とします。

> **例題**　検査水準Ⅱに準拠する２回抜取検査において，AQL = 1.5%，ロットの大きさ N = 400 である場合の，なみ検査の抜取方式はどのようになるか。

　前回の例題のように，JIS によって与えられたもののうち，今度はなみ検査の２回抜取方式（主抜取表，巻末 p 326，付表13）を使います。

　やはり，はじめにサンプル（サイズ）文字表（巻末 p 322，付表９）を用いて，ロットサイズ281〜500と通常検査水準Ⅱよりサンプル文字 H を確認します。

　次に，第１回目の抜取検査方式として，なみ検査の２回抜取方式（主抜取

表，巻末 p 326）より，サンプル文字 H と AQL 1.5 % より，1回目は次のように読みます。

$$n = 32, \quad Ac = 0, \quad Re = 3$$

さらに，第2回目の抜取方式を求めます。巻末 p 326，付表13の表より，サンプル文字 H と AQL 1.5 % より，次の情報が得られます。

$$n = 32, \quad Ac = 3, \quad Re = 4$$

以上をまとめますと，

① 第1回目は，大きさ400のロットから任意に32個のサンプルを採って試験します。

② その中で，不適合品数がない（0個）なら，ロットを合格とします。

③ もし，3個以上の不適合品数があれば，ロットを不合格とします。

④ 不適合品数が1～2個であった場合は，第2回目に入り，さらに32個のサンプルを採取して試験します。

⑤ その中の不適合品数が1回目で見つかった不適合品数と合計して，3個以下であれば，ロットを合格とします。

⑥ ⑤の不適合品数が4個以上であったなら，ロットを不合格とします。

c）検査水準の切替えルール

過去の検査結果に基づいて，検査水準を切り替えるためのルールがあります。図3-6を参照下さい。

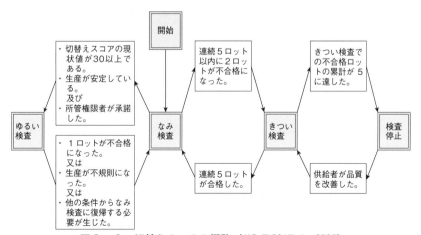

図3-6　切替えルールの概略（JIS Z 9015-1 : 2006)

この図に関連して若干の切替ルールについて説明を加えます。

① 原則として，まずは「なみ検査」から始めます。

② 「なみ検査」で連続して5ロットのうち2ロットが不合格になった時は，その次の検査から，「きつい検査」に切り替えます。

③ 「きつい検査」において，連続して5ロットが合格した時は，その次の検査から，「なみ検査」に切り替えます。

④ 「なみ検査」で連続合格していて，スコアが30以上となった時は，その次の検査から，「ゆるい検査」に切り替えます。（ここでいうスコアとは，「なみ検査」で使用する標識で，「ゆるい検査」に切り替えてもよいかどうかを決定するために用いられるものです。スコアの取扱いルールはそれなりにあるのですが，詳細説明は割愛します。「そういう標識があるのか」と思う程度でよろしいでしょう。）

⑤ 「ゆるい検査」をしていて，ロット不合格，生産の不規則・停滞，その他「なみ検査」に移行すべき事情が生じた時は，その次の検査から，「なみ検査」に切り替えます。

⑥ 「きつい検査」において，不合格ロットの累積が5ロットとなった時は，抜取検査を停止し，品質改善がなされるまで，出荷停止や全数検査などの非常手段に移行します。

⑦ 抜取検査の停止後，品質が改善されたことを確認できた時は，抜取検査を再開します。

5　サンプル中の不適合品数のばらつき

抜取検査において，ロットの中からn個のサンプルを採る場合でも，毎回のサンプリングで不適合品の数が一定とは限りません。毎回ばらつくことが自然です。したがって，n個の中でc個以下の場合に合格という基準があっても，サンプルの採り具合によって合格も不合格もありうることとなります。

そのため，確率を考えて判断しなくてはなりません。次の例で考えてみましょう。

> **例題** 不適合品率 $p = 0.1$（10%），ロットの大きさ $N = 3{,}000$ であってサンプルの大きさ $n = 30$，合格判定個数 $c = 2$ の場合，検査によって合格する確率を求めよ。

サンプル中にx個の不良品がある場合に，図3−7のような判定がなされます。検査によって合格する確率をLとしますと，場合に分けて考えて，次のようになります。

$L =$（サンプル中に不適合品が発生しない確率）

　　　＋（サンプル中に1個の不適合品が発生する確率）

　　　＋（サンプル中に2個の不適合品が発生する確率）

　これらの各項は，発生するかしないかの2つの事象の起こる確率ですから，二項分布で計算できます。すなわち，${}_n C_x p^x (1-p)^{n-x}$ で求めてみます。

　　$x = 0$ の時，${}_{30}C_0 \times 0.1^0 \times 0.9^{30} = 1 \times 1 \times 0.9^{30} = 0.04$

　　$x = 1$ の時，${}_{30}C_1 \times 0.1^1 \times 0.9^{30} = 30 \times 0.1 \times 0.9^{29} = 0.14$

　　$x = 2$ の時，${}_{30}C_2 \times 0.1^2 \times 0.9^{30} = 435 \times 0.01 \times 0.9^{28} = 0.23$

　これらによって，求める確率（合格確率）は，

　　$L = 0.04 + 0.14 + 0.23 = 0.41$

　二項分布は，$p \le 0.1$ であればポアソン分布で近似できます。また，これらの計算はかなり面倒ですので，累積確率曲線（ソーンダイク‐芳賀曲線）という図を用いれば容易に合格確率を求めることができます。その図を巻末（p 313）に載せますが，その利用法を簡単に解説しておきたいと思います。

累積確率曲線（ソーンダイク‐芳賀曲線）の使用法（p 313）

手順1　$n \times p = np$ の値を計算します。（図の横軸です。例題では$30 \times 0.1 = 3$)

手順2　横軸の np 値から縦に線を伸ばして，合格判定個数 c の曲線（例題では $x = 2$）との交点を求めます。

手順3　その交点の縦軸の値を読んで，合格確率とします。（例題では0.41）

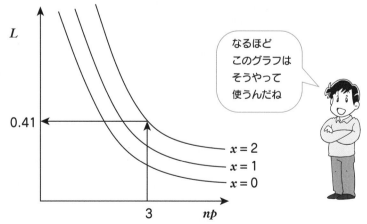

図3－7　累積確率曲線（ソーンダイク‐芳賀曲線）の使用例

227

6 無検査と全数検査の比較

　極端な場合ですが，無検査（全く検査しない場合）と全数検査（全製品検査の場合）を比較してみます。不良率を p として，費用を計算しますと，

A）無検査で出荷した場合の製品1個当たりの損失 L_A

　　$L_A =$ クレームになった場合の1個当たりの費用 $\times p$

B）出荷検査を全数について行う時の製品1個当たりの損失 L_B

　　$L_B =$ 検査費用 + 不良品1個当たりの処置費用 $\times p$

　これを図にすると次のようになります。

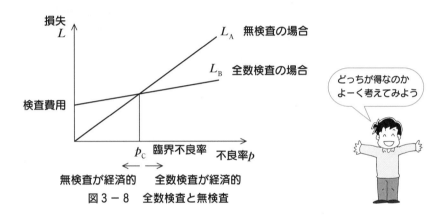

図3-8　全数検査と無検査

臨界不良率：全数検査と無検査の場合の費用が等しくなる点の不良率です。

7 信頼性と信頼度

　信頼性とは，JIS において，対象となる機器やシステム，装置，部品などが，与えられた条件で規定の期間の中で，要求された機能を果たすことのできる性質と定義されています。機能を果たすことのできる確率を信頼度といい，時間 t における信頼度を $R(t)$ と書きます。

　故障した時にも安全な状態になるように設計することを**フェールセーフ**，不適切な行為や過失があっても信頼性や安全性を保持する性質を**フールプルーフ**といいます。

8 故障発生の傾向

機器やシステムに故障の起こる確率（**故障率**）を，時間の関数とみて**ハザード関数**ともいいます。ハザード関数は，一般に図3-9のようなバスタブ曲線になるとされています。大きく次のような期間に分類されます。

a) 初期故障期（**DFR型**, Decreasing Failure Rate）

初期には，主に設計上の問題などで故障が多くて徐々に減っていきます。

b) 偶発故障期（**CFR型**, Constant Failure Rate）

次に，次第に故障が偶発的に起こる段階に進みます。故障率がほぼ一定という状態です。

c) 摩耗故障期（**IFR型**, Increasing Failure Rate）

その後，長時間の使用によって摩耗や機械疲労によって故障が徐々に増える時期を迎えます。この時期には，予防保全の対策によって故障の増える程度を緩和することも一般に可能です。

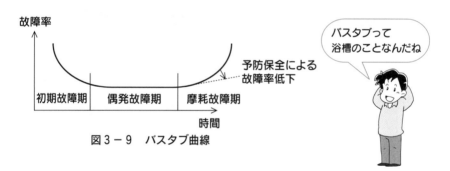

図3-9　バスタブ曲線

9 保全性について

保全とは，故障が生じた際，あるいは，生じる可能性のある場合に，修理や予防対策をとって信頼性を維持向上する処置のことをいいます。故障が起こってとる保全を**事後保全**，予防対策として行う保全を**予防保全**と呼んでいます。

次の用語がよく用いられます。

・**MTTF（平均故障寿命）**：消耗品など修理をしないもの（非修理アイテム）の，故障までの平均時間（mean time to failure）いわゆる平均寿命に当たります。

・**MTBF**：修理を行う機器システム（修理アイテム）の，故障し修理してから

次の故障までの**平均動作時間**（mean operating time between failure）
- **MTTR：平均修復時間**（mean time to repair）

これらの間には基本的に次の関係があります。

MTBF＋MTTR＝全体の時間

- **B₁₀ライフ(信頼性特性値)**：全体の10%が故障に至るまでの時間，すなわち，故障確率の累積が10%になるまでの時間。ビーテンライフと読みます。

また，次のような用語もあります。

陽故障：機器やシステムが停止している故障の状態

陰故障：機器やシステムは停止していないが，正常には機能していない状態

無記憶性：過去にそのトラブルがいつどのくらい起こったかに無関係に，そのトラブルが起こる性質

🔟 寿命分布

　機器などの寿命分布は一般に，次に述べるような指数分布やワイブル分布が仮定されます。

a）指数分布

　偶発故障期においては，故障率 λ が一定として，信頼度関数が次の形で仮定されます。

$$R(t) = e^{-\lambda t} = \exp(-\lambda t)$$

b）ワイブル分布

　偶発故障期に限らず，故障パターンの多くのものに適用できるものとして，次のものがあります。

$$R(t) = \exp\left\{-\left(\frac{t-\gamma}{\eta}\right)^m\right\}$$

　ここで，$m\,(>0)$ を形状パラメータ，$\eta\,(>0)$ を尺度パラメータ，γ を位置パラメータと呼んでいます。この式は，$m=1$ の時には指数分布を，$m<1$ の時初期故障型（DFR）を，$m>1$ の時摩耗故障型（IFR）を表わすことができます。

　実際のデータをもとにワイブル分布を利用する際には，計算はかなり大変ですので，市販のワイブル確率紙を用いると便利です。

11 故障の木解析 (FTA, Fault Tree Analysis)

　故障の木解析とは，若干変わった術語ですが，ある項目の下位項目や外部項目，あるいは，これらの組合せからやってくる欠陥（故障）状態が，自身の欠陥に及ぼす影響を木（ツリー）の形で表現する解析手法です。言葉ではややむつかしく感じますが，図3-10のようなものをイメージして下さい。ゲートとは日本語では「関門」というような意味です。論理的な関門なので**論理ゲート**と呼んでいます。

　図3-10において⬭で示される事象を基本事象といい，▭で示されるものをトップ事象あるいは（より上の事象との間の）中間事象といいます。

（1）ANDゲート：すべての入力事象（図の下位項目など）が起きる時（信頼される時）に出力事象（図のトップ項目）が起きる（信頼される）ゲート。トップ項目の信頼性確率は，入力事象の信頼性確率の積になります。

（2）ORゲート：入力事象のうち，少なくとも一つが起きると（信頼されると）出力事象が起きる（信頼される）ゲート。トップ項目の信頼性確率は，入力事象の信頼性確率の和になります。

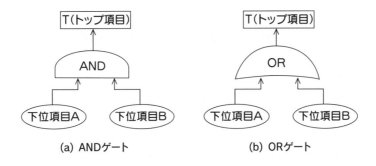

(a) ANDゲート　　　　　(b) ORゲート

図3-10　2種類の論理ゲート

ANDで結ばれたトップ項目は
下位項目のAとBが両方とも起きた時にはじめて起きるけど
ORで結ばれたトップ項目は
下位項目のAとBのどちらか一方でも起きた時に起きるんだね

12　故障モードと影響解析
（FMEA, Failure Modes and Effects Analysis）

　種々の故障項目に対して，それらの相互関係に着目して解析し，システム全体の故障を未然防止することを目指します。具体的には，予測される故障，影響の重大性，発生頻度，検知の難易度，検知方法などを検討していくことになります。

トラブルを予防するためには
いろんな影響を
解析しておかなければ
ならないんだね

13　システムの信頼性

　複数のシステムを組み合わせた場合の信頼性を考えます。二つのシステムがあり，それぞれの信頼度が時間の関数として，$R_1(t)$ および$R_2(t)$ であるとしますと，総合された信頼度 $R(t)$ は，場合に応じて以下のようになります。

a）直列接続モデル

　2システムがともに正常の時に全体が正常とされる場合です。

$$R(t) = R_1(t) \times R_2(t)$$

　信頼度が掛け算になっている理由は，直列の場合二つのシステムがともに正常である場合にのみ正常であるからです。例えば $R_1(t) = R_2(t) = 0.9$ の時は，$R(t) = 0.9 \times 0.9 = 0.81$ となります。

　次のような図を**信頼性ブロック図**といいます。

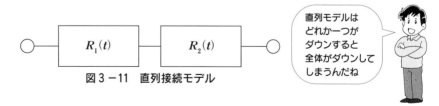

図3－11　直列接続モデル

直列モデルは
どれか一つが
ダウンすると
全体がダウンして
しまうんだね

b）冗長系並列接続モデル

　並列の形ですが，二つのシステムのうち一方が機能していれば全体として機能する場合もあります。これを冗長系（安全等のため少し余分のものを持つシステム）といいます。「冗長」という言葉は，安全など一定の目的のために余分のものを持つことを意味しています。

　冗長系並列接続モデルの場合は，次のような不信頼度を定義して考えます。

$$F(t) = 1 - R(t)$$

　両方のシステムが故障の場合に全体が故障となりますので，不信頼度が掛け算になります。それぞれの不信頼度を $F_1(t)$ および $F_2(t)$ として，次のようになります。

$$R(t) = 1 - F(t) = 1 - F_1(t)F_2(t)$$
$$= 1 - \{1 - R_1(t)\}\{1 - R_2(t)\}$$
$$= R_1(t) + R_2(t) - R_1(t)R_2(t)$$

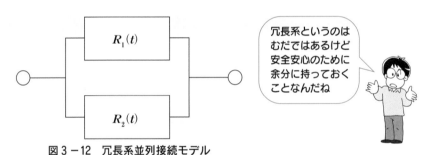

冗長系というのはむだではあるけど安全安心のために余分に持っておくことなんだね

図3－12　冗長系並列接続モデル

c）m out of n システム

　一種の冗長系システムで，n 個の機器のうち m 個が正常に機能するときに全体が機能するシステムのことをいいます。

例 2 out of 3 システム

　三つのシステムのうち，二つが正常の場合に全体が正常であるというものです。次のような表をもとに考えます。1 を正常，0 を故障として，それぞれの信頼度を R_1，R_2，R_3 としますと，

各システムの故障状態			全体の状態	信頼度
システム1	システム2	システム3		
1	1	1	1	$R_1 R_2 R_3$
1	1	0	1	$R_1 R_2 (1-R_3)$
1	0	1	1	$R_1 (1-R_2) R_3$
1	0	0	0	
0	1	1	1	$(1-R_1) R_2 R_3$
0	1	0	0	
0	0	1	0	
0	0	0	0	
システムが機能する場合の合計				$R_1 R_2 + R_2 R_3 + R_1 R_3 - 2R_1 R_2 R_3$

14 生産管理，設備管理，資材管理

　生産管理とは，資材の購入，製品の開発・設計・製造，顧客への引渡し，工場・設備の管理など生産活動全般に関わる管理を行う仕事のことをいいます。設備管理とは，生産設備の日常の運転・定期点検・補修などを行い，機能維持を行うことです。また。資材管理とは，工場において生産の対象となる資材の計画，購買（調達），保管，消費を合理的に遂行するために行う管理活動をいいます。

15 **VE, IE**

　VE（バリュー・エンジニアリング，価値工学）とは，製品の品質や信頼性という機能的価値を低下させずに，製品の生産コストの低減を行う方法をいいます。逆に言えば，製品やサービスの価値（すなわち，製造・提供コスト当たりの機能・性能・満足度など）を最大にする手法とも言えます。生産コストの低減のためには，必要とされる機能を最小コストで確保するために複数の代替案の中から最もコストの低いものを選択していくVA（バリュー・アナリシス，価値分析）を，部品段階から実施することになります。

　結局，VEは，次式のV（価値）を最大にすることが目的と言えます。

　　$V = F/C$　　　　（F：機能，C：コスト）

　また，IE（インダストリアル・エンジニアリング，経営工学）とは，企業経営・生産管理などを数学・自然科学・工学などの手法を用いて行うことをいいます。

　これらはいずれも，顧客価値創造技術（顧客に与える価値を作り出す技術）ということになるでしょう。

16 **商品企画七つ道具**

　商品企画七つ道具とは，（一財）日本科学技術連盟の研究グループが，商品企画に関しても品質管理七つ道具（Q7）のような手法として七つを選び出し，整理したものです。詳細は割愛しますが，①インタビュー調査，②アンケート調査，③ポジショニング分析，④アイデア発想法，⑤アイデア選択法，⑥コンジョイント分析，⑦品質表の七つからなり，商品のニーズ探索と検証，コンセプトの発想と決定，設計への関係づけというステップで進みます。

　この七つのうち，コンジョイント分析とは，少しむつかしい手法ですが，最適な商品コンセプトを決定するための代表的な多変量解析を用いた分析法で，個別の要素を評価するのではなく，商品全体の評価をすることで，個々の要素の購買に影響する度合いを求める手法です。また，品質表（QFD，品質機能展開）では，まず顧客要求を徹底して洗い出して顧客表現のままに整理し，別途整理した品質特性との関連性をマトリクス図法で明確にすることで，要求品質重要度を品質要素重要度に転換して，要求に対応した機能，性能を設計することになります。

確認問題

知識・実力の確認をしましょう。○か×か考えてみて下さい。

（　）**問1**：ロットの中よりサンプルを採って検査するサンプリング検査
の流れは図のようになっている。

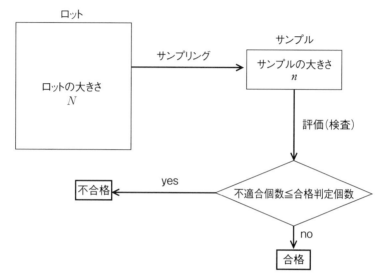

（　）**問2**：OC 曲線の例を図に示すが，この図では生産者危険と消費者
危険とが逆になっていて正しくないものとなっている。

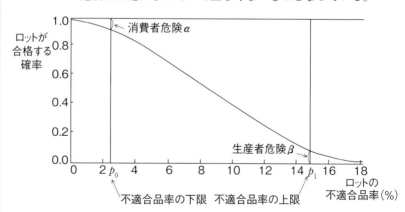

（　）**問 3**：臨界不良率とは，全数検査と無検査の場合の費用が等しくなる点の不良率をいう。

（　）**問 4**：一般に機器の故障状態に関する分類において，初期故障期の次に摩耗故障期が来て，その後に偶発故障期が到来することが普通である。

（　）**問 5**：なみ検査で不合格となった場合，その次からは，きつい検査を適用する。

●●● 正解と解説 ●●●

正解　問 1 ：×　問 2 ：○　問 3 ：○　問 4 ：×　問 5 ：×

問 1　**解説**（×）

　図では不適合個数と合格判定個数の判定部分の yes と no が逆になっています。不適合個数が少ないことが yes の時に合格でなければなりません。

問 2　**解説**（○）

　記述の通りです。図の α の部分は生産者危険でなければなりません。不適合品率の下限というかなり良好なロットを不合格にしてしまう危険ですので，生産者にとって困る事態のことになります。それに対して β は不適合品率の上限というあまりよくないロットを消費者に出してしまう危険ですので，生産者の危険ではなくて消費者の危険に当たります。

問 3　**解説**（○）

　p 228，図 3 − 8 をよく見ておいて下さい。「臨界」とは，「境界に臨む点（世界が変わる点）」ということで，つまり，臨界不良率とは，検査費用のどちらが大きいか，という領域が変化する点の不良率を意味しています。

問 4　**解説**（×）

　初期故障期の次に来るのは偶発故障期です。その後に摩耗故障期となります。

問 5　**解説**（×）

　なみ検査で不合格となっても，1 回だけの不合格ではきつい検査に移行しません。連続する 5 ロットのうち 2 回以上が不合格になった段階で，その次からきつい検査を適用します。

問題1

　機器やシステムの保全に関する次の各々の文章において，正しいものには〇を，正しくないものには×を解答欄に記入せよ。

① MTBF は修理されることのない機器や部品について定義される信頼性の評価指標である。　　　　　　　　　　　　　　　　　　　　　(1)

② MTBF は日本語の用語としては，平均故障寿命と呼ばれる。　　(2)

③ MTBF は，一定期間内における総動作時間をその期間における総故障回数で割ったものである。　　　　　　　　　　　　　　　　　(3)

④ MTBF とは，mean operating time between failure の略であって，時間を正規化した無名数である。　　　　　　　　　　　　　　　(4)

⑤ ＭＴＢＦの値が小さいものほど，単位期間における故障回数は少ない。
　　　　　　　　　　　　　　　　　　　　　　　　　　　　　　(5)

⑥ MTTF が小さい部品にあっても，寿命の長い部品がありうる。　(6)

⑦ MTTF と MTBF との間には密接な関係がある。　　　　　　　(7)

⑧ MTTR と MTBF からアベイラビリティという指標が計算されることがある。　　　　　　　　　　　　　　　　　　　　　　　　　(8)

【解答欄】

(1)	(2)	(3)	(4)	(5)	(6)	(7)	(8)

問題2

　エンジンを4基搭載している航空機において，エンジンのうち2基までが故障しても飛行できるという。各エンジンの故障確率が p である時，この飛行機の信頼度はどのように表わされるか。適切なものを選択肢欄から選んでその記号を解答欄に記入せよ。

【選択肢】

ア．$1-2p^3+p^4$

イ．$1-4p^3+3p^4$

ウ．$1-4p^3+6p^3-4p^3+p^4$

エ．$1-3p^2-3p^3+p^4$

オ．$2p^4$

カ．$3p^4$

【解答欄】

(9)

うむ
　うむ
　　うむ

実戦問題 解答と解説

問題1

解答

(1)	(2)	(3)	(4)	(5)	(6)	(7)	(8)
×	×	○	×	×	○	×	○

解説

① MTBF は修理しながら用いられる機器や部品（修理アイテムといいます）について定義される信頼性の評価指標です。

② 平均故障寿命は MTTF に対応しています。MTBF は平均故障間動作時間と呼ばれます。

④ MTBF が mean operating time between failure の略であることは正しいですが，時間を正規化した無名数という記述は誤りです。正規化とは normalize の訳で，確率などにおいて，全体を1とするように調整された係数を掛ける操作を意味しますが，MTBF の単位は時間であって，正規化のような操作はなされていません。

⑤ MTBF は故障しないものほど大きい値を取りますので，MTBF の値が大きいものほど単位期間における故障回数は少なくなります。

⑥ MTTF は統計的な平均値ですので，平均より長いものも短いものもありえます。

⑦ MTTF は非修理アイテムを対象とする評価指標であって，MTBF は修理アイテムを対象とする評価指標ですので，それぞれ別物です。密接な関係はありません。

⑧ アベイラビリティは全体の時間のうちの動作している時間の割合ですので，次式のような関係があります。

$$アベイラビリティ = \frac{MTBF}{MTTR + MTBF}$$

問題2

解答

(9)
イ

解説

冗長系の場合の問題です。次の5つの場合に分けて検討してみます。

1）4基とも正常である場合の確率　⇒　$(1-p)^4$

2）3基が正常である場合の確率　⇒　$4(1-p)^3p$

3）2基が正常である場合の確率　⇒　$6(1-p)^2p^2$

　　係数の6は4基の中から2基を選ぶ組合せ数となっています。

4）1基だけが正常である場合の確率　⇒　$4(1-p)p^3$

5）4基とも故障する確率　⇒　p^4

　以上のケースの中で，飛行が可能である場合は，1），2），および，3）のケースです。従って，これらを加えればよいのですが，計算の簡便のために，1から4）と5）のケースを引いて，

$$1-4(1-p)p^3-p^4 = 1-4p^3+3p^4$$

　もちろん，1），2）および3）を合計しても同じ結果となります。計算の練習のために挑戦していただいてもよろしいかと思います。

場合にわけて
目的のものを積み上げる計算にしても
目的に合致しないものを
全体から差し引くことでも
よいのですね

計算さえ正しければ
どちらも正解のはずですね
あとは，どちらが計算しやすいか
ということでえらべばよいのですね

2 統計的工程管理

学習ポイント

・管理図の手法と実際
・工程能力指数の考え方
・変更管理と変化点管理

重要度
A

●●● 試験によく出る重要事項 ●●●

1 管理図（シューハート管理図）

　アメリカ・ベル研究所のシューハート博士（Shewhart）の提唱による，工場などの工程における管理手法の一つで，工程での変動を管理するために使います。具体的には，1本の中心線（CL, Center Line）とその上下に合理的に決められた管理限界線（UCL, LCL）からなっています。

　これらの線は，正常な工程状態の時の十分な数のデータ（あるいは，完成試作品のデータなど）をもとに，その平均値と$\pm 3s$（sはデータの標準偏差）の位置に線引きされるものです。限界から外れる前に把握するために，$\pm 2s$の位置に線を追加的に引いて管理することもあります。

　・上方管理限界線（UCL, Upper Control Limit）　上の管理限界線です。
　・下方管理限界線（LCL, Lower Control Limit）　下の管理限界線です。

（1）管理状態

　工程の状態を示す特性値がプロットされた時，全ての点が上下2本の管理限界線内にあり，点の並び方に_{・・}クセ（p 245で説明します）がなければ，工程は「管理状態にある」といって正常と判断されます。ただし，$\pm 3s$を外れる確率も0.3%ほどありますので，管理限界線から外れた場合でも，かならずしも管理状態から外れたと決めつけることはできません。

（2）非管理状態

　一方，点が限界線からはみ出した時の多くの場合や，はみ出していなくても点の並び方に「何らかのクセ」が見える場合には，工程は「管理状態にない（つまり，非管理状態の）可能性がある」と考え，異常状態のおそれがあると見て，その原因を調べ必要なら対策をとります。

242

2　管理における誤り

　第2章の4の検定において，第1種の誤りと第2種の誤りという概念（p128）が出てきましたが，管理図の管理においても同様な種類の誤りが考えられます。表3-1のように，工程が管理状態にあるのに，管理図を見て管理状態から外れたと判断する誤りを**第1種の誤り（あわてものの誤り）**といい，その逆で，管理状態から外れているのに，工程が管理状態にあると判断して何もしない誤りを**第2種の誤り（ぼんやりものの誤り）**ということがあります。

表3-1　工程管理における第1種の誤りと第2種の誤り

判断＼真実	工程が管理状態の場合	工程が非管理状態の場合
工程が非管理状態と判断	第1種の誤り（あわてものの誤り）	正しい判断
工程が管理状態と判断	正しい判断	第2種の誤り（ぼんやりものの誤り）

3　管理図の種類とその内容

　管理図は，一般に工程管理のために用いられる場合に加えて，工程解析のために用いられる場合もあります。標準偏差sの3倍の位置に限界線を引くことから**3シグマ管理図**とも呼ばれます。

第3章

通常の管理図の横軸には日時がとられ，その一点は複数のデータの代表値となります。その複数のデータは**群**と呼ばれ，データ数を**群の大きさ**と呼びます。縦軸のとり方には多くの種類があり，以下のような名称が与えられています。

a）X 管理図

工程の個々の測定値 x をプロットする管理図です。以前は小文字で x 管理図と呼ばれていました。

b）$\overline{X}-R$ 管理図

最も多く用いられる管理図で，群の大きさが n 個のデータの平均値と範囲の管理を行います。測定値 X の群のデータの平均値 $\overline{X}$ の管理図である $\overline{X}$ 管理図を上側に，その群の範囲 R の管理図である R 管理図を下側に描いた管理図のことです。$\overline{X}$ の動きと R の動きを同時に管理します。

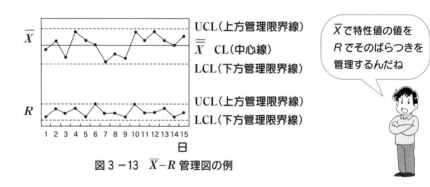

図 3－13　$\overline{X}-R$ 管理図の例

$\boxed{\text{Ⅰ）}\overline{X} \text{ 管理図の管理線}}$（$A_2$，$D_3$，$D_4$ などは定数で，群の大きさ n による数値表があります）

CL：$\overline{X}$ の平均値である $\overline{\overline{X}}$ （エックスダブルバー）

UCL：$\overline{\overline{X}}+A_2\overline{R}$

LCL：$\overline{\overline{X}}-A_2\overline{R}$

$\boxed{\text{Ⅱ）} R \text{ 管理図の管理線}}$

CL：$\overline{R}$

UCL：$D_4\overline{R}$

LCL：$D_3\overline{R}$ （$n \leqq 6$ の場合には用いられません。）

表3-2　管理図の係数表

大きさ（n）	$\overline{X}$ 管理図	R 管理図	
	A_2	D_3	D_4
2	1.880	−	3.267
3	1.023	−	2.575
4	0.729	−	2.282
5	0.577	−	2.115
6	0.483	−	2.004
7	0.419	0.076	1.924
8	0.373	0.136	1.864
9	0.337	0.184	1.816
10	0.308	0.223	1.777

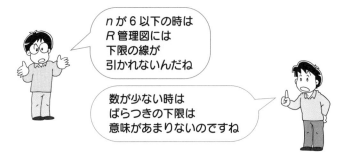

nが6以下の時はR管理図には下限の線が引かれないんだね

数が少ない時はばらつきの下限は意味があまりないのですね

Ⅲ）管理図の異常あるいはクセの例

　次のようなクセがあった場合に，これがあると必ず非管理状態とは限りませんが，工程異常の有無などを検討します。中心線に対して上か下のいずれかに連続して並んだ点の集まりを**連**，その点の数を**連の長さ**と呼んでいます。

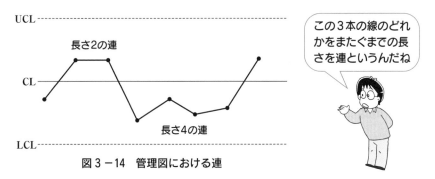

この3本の線のどれかをまたぐまでの長さを連というんだね

図3-14　管理図における連

- 限界線から外れている。(これが外れている場合にすべて異常とは判定されません。異常の確率は高いですが，統計的に±3sを外れただけということもまれにはあります。)
- 長さ9以上の連が出たら「工程異常」と判定します。(長さ7以上で工程異常と判定する立場もあります。) 調査検討が必要なことは勿論です。以下同じです。
- 連続6点が単調増加，あるいは，単調減少している場合に工程異常と判定します。(連続7点で判定する立場もあります。)
- 局所的には多少の上下があっても，全体として上昇あるいは下降している場合にも「傾向がある」といって工程異常と判定します。
- 連続14点が，完全に交互に上下している場合や，週の曜日に相関がありそうな傾向の場合に「周期性がある」といって工程異常と判定します。
- 連続3点中の2点が±2sから外れている場合に工程異常と判定します。
- 連続5点中の4点，あるいは，連続する8点が±sから外れている場合に工程異常と判定します。
- 連続15点が，±s内にある。(これは，測定上の問題がある場合も考えらますが，場合によっては，むしろ工程が安定した「良い異常」とも見られ，管理限界線を新たに引きなおすことなども考えられます。)

> なるほど
> 管理図の点の動きを
> よく見ることで
> いろいろなことが
> わかるのですね

c) $\overline{X}-s$ 管理図：平均値と標準偏差の管理図

d) $Me-R$ 管理図：メディアン－R管理図

　　$\overline{X}-R$管理図の平均値の代わりに，平均値より素早く求められるメディアンをグラフ化します。近年では電卓が普及していますので，ほとんど用いられていません。

e) X 移動範囲管理図：$X-R$管理図，$X-Rs$管理図

　　測定上の理由で，データの大きさnが1である場合などに得られたデータをそのまま用いるケースです。移動範囲(RまたはRs)とは隣り合ったデータの差のことをいいます。グラフは，上側にX管理図を，下側に移動範

囲管理図を描きます。

f）np 管理図：不適合品数の管理図

　　生産個数や検査個数が一定の場合などにおける不適合品数というような計数値の管理図です。

　　この管理図での管理線は，平均不適合品率を $\overline{p}$ として，次のようになります。

　・中心線　　　　　　　$\mathrm{CL} = n\overline{p}$

　・上方管理限界線　　　$\mathrm{UCL} = n\overline{p} + 3\sqrt{n\overline{p}\,(1-\overline{p})}$

　・下方管理限界線　　　$\mathrm{LCL} = n\overline{p} - 3\sqrt{n\overline{p}\,(1-\overline{p})}$

　　ただし，下方管理限界線で LCL の値が負になる場合には，グラフ上に限界線は記載されません。以下の管理図についても同様です。

g）p 管理図：不適合品率の管理図

　　生産個数や検査個数が一定でない場合などにおける計数値を率にしてグラフ化する管理図です。

　　同様に，平均不適合品率が $\overline{p}$ の時，管理線は，以下のように求められます。

　・中心線　　　　　　　$\mathrm{CL} = \overline{p}$

　・上方管理限界線　　　$\mathrm{UCL} = \overline{p} + 3\sqrt{\dfrac{\overline{p}\,(1-\overline{p})}{n}}$

　・下方管理限界線　　　$\mathrm{LCL} = \overline{p} - 3\sqrt{\dfrac{\overline{p}\,(1-\overline{p})}{n}}$

h）c 管理図：不適合数の管理図

　　これは，「率」ではなくて「数」の管理図となります。ロットの中の平均不適合品数を $\overline{c}$ として，

　・中心線　　　　　　　$\mathrm{CL} = \overline{c}$

　・上方管理限界線　　　$\mathrm{UCL} = \overline{c} + 3\sqrt{\overline{c}}$

　・下方管理限界線　　　$\mathrm{LCL} = \overline{c} - 3\sqrt{\overline{c}}$

i）u 管理図：単位当たり不適合数の管理図

　　$\overline{u}$ を単位当たりの不適合数として，同様に，次のようになります。

　・中心線　　　　　　　$\mathrm{CL} = \overline{u}$

　・上方管理限界線　　　$\mathrm{UCL} = \overline{u} + 3\sqrt{\dfrac{\overline{u}}{n}}$

・下方管理限界線　　$\text{LCL} = \overline{u} - 3\sqrt{\dfrac{\overline{u}}{n}}$

4 工程能力指数

　許容限界幅（定められた管理幅）と工程のばらつき幅の比を指数にして評価することがあります。これを**工程能力指数**といい，PCI あるいは C_p と書きます。工程変数（x）の標準偏差を s（サンプルから求めるので，σ でなくて s）とし，$\pm 3s$ に x のほとんどの点（99.7％の点）が入ることを考慮して次式を用います。上限と下限のある両側規格において，その上限を S_U，下限を S_L としますと，

$$C_p = \frac{S_U - S_L}{6s}$$

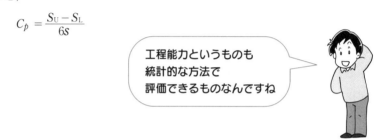

工程能力というものも
統計的な方法で
評価できるものなんですね

　工程能力指数の数値と工程の特性値の分布との関係を図にしてみます。

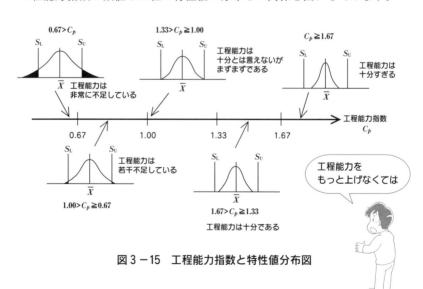

図 3 − 15　工程能力指数と特性値分布図

　この指数は通常1.33以上の場合には工程能力は十分と判断されます。しかし，1より小さい場合は，工程の管理能力が不足していると見られますので改善が必要ですし，0.67より小さい場合には能力が大幅に不足していますので抜本的な改善が必要です。

工程能力は
大きいほどいいのですか？

そうとも言えないんだよね
必要以上に大きいのも問題で
そういう場合には
例えば，管理コストを下げて
コストダウンすることもありうるのですよ

　なお，平均値 $\overline{X}$ が規格の中心と大きく離れている（ずれている）場合には，修正された工程能力指数 C_{pk} を用いることがあります。次に定義します**かたより度** k を用いて求めます。

$$k = \frac{\left|\dfrac{S_U + S_L}{2} - \overline{X}\right|}{\dfrac{S_U - S_L}{2}} = \frac{|(S_U + S_L) - 2\overline{X}|}{S_U - S_L}$$

$$C_{pk} = (1 - k)\frac{S_U - S_L}{6s}$$

　k を表わす第一式は，分母が規格範囲の半分，分子は規格上下限値の平均とデータの平均との差を意味しています。

　工程能力指数 C_{pk} には，平均値に近いほうの規格（上限または下限）を S_N として次のように求める定義もあります。

$$C_{pk} = \frac{|S_N - \overline{X}|}{3s}$$

この定義では，次のようにも書かれます。

$$C_{pk} = \min\left(\frac{S_U - \overline{X}}{3s}, \frac{\overline{X} - S_L}{3s}\right)$$

この式で，$\min(A, B)$ は，A と B のうちの小さいほうを採用するという記号です。

特別なケースですが，場合によっては，規格が上限だけ，あるいは，下限だけということ（片側規格）もあります。その場合の工程能力指数は次のように求めます。

a）上限片側規格の場合

$$C_p = \frac{S_\mathrm{U} - \overline{X}}{3s}$$

b）下限片側規格の場合

$$C_p = \frac{\overline{X} - S_\mathrm{L}}{3s}$$

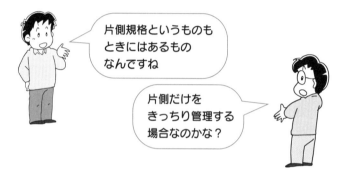

片側規格というものもときにはあるものなんですね

片側だけをきっちり管理する場合なのかな？

5　3H管理

次の三つの場合における管理を3H管理ということがあります。いずれの場合も，予期しないトラブルなどが起きやすいので，そのようなトラブルの影響を最小限にするように細心の注意を必要とするとされています。

① はじめの管理（初期流動管理）

新しい設備などのスタートにおいて，当然のことながら経験のないことが起きることが多いので，その中でのトラブルをできるだけ防ぐように，またトラブルが起こっても，その影響を最小限に抑える努力をしましょうということがはじめの管理（初期流動管理）です。

単に，生産のスタート時点というだけでなく，販売のはじまりや量産の開始など，定常状態から次の状態に移る場合の管理も同様です。このような管理を確実に実施することは，問題の早期発見や解決，あるいは，望ましくない事態の拡大防止にとくに有効です。

② **変更管理**

　プロセスに対して何らかの変更を加える際に，予測しなかったトラブルの発生がよくあります。したがって，そのような場合にできるだけ未然にトラブル防止対策を打っておくことが重要です。変更管理とは，工程の変更時における問題点対策ということです。

③ **変化点管理**

　変更管理と似ているようですが，プロセスにおいて何かが変化したと判断された際に，それによってトラブルが起きないかどうかを十分に管理することをいいます。一般に，外部からの変化や4M（p 62）に関係する変化などに対して対応をとります。変更管理は自ら変更する際の管理で，変化点管理は変化の原因が他にある際の管理になります。

第3章

知識・実力の確認をしましょう。○か×か考えてみて下さい。

( ) **問1**：管理状態から外れているのに工程が管理状態にあると判断して何もしない誤りを第2種の誤り（ぼんやりものの誤り）という。

( ) **問2**：管理図において管理限界線から外れた場合は，すべて非管理状態である。

( ) **問3**：R管理図には上方管理限界線は必ずあるが，下方管理限界線がないことがある。下方管理限界線がないのは，群の大きさが6より小さい場合である。

( ) **問4**：ある製品の特性値の現場データについて，その平均値が$\overline{X} = 1.9122$mm，標準偏差が$s = 0.163$であった。この工程では，上限規格のみが$S_U = 2.6$mmと与えられている。この工程の工程能力指数C_pは1.4程度である。

( ) **問5**：工程能力指数は，一般に1.00以上の場合に工程能力が十分であると判断される。

● ● ● 正解と解説 ● ● ●

正解 問1：○ 問2：× 問3：× 問4：○ 問5：×

問1 解説 （○）

　記述の通りです。管理状態から外れている場合は，急いで対策をとらなければなりませんが，管理状態にあると判断して対策をとらないことは「ぼんやりしている」というわけです。これに対して，管理状態にあるのに，管理状態から外れていると早合点してとらなくてもよい対策をとってしまうことは「あわてもの」という扱いになります。

問2 解説 （×）

　管理限界線から外れた場合でも，±3sから外れたというだけで（確率的には少ないにしても），かならずしも管理状態から外れたと決めつけることはできません。

問3 解説 （×）

　下方管理限界線がないのは，群の大きさが6以下の場合です。「6より小さい」と「6以下」とは違いますね。

問4 解説 （○）

　記述の通りです。標準偏差 σ の推定値 $\hat{\sigma}$ として s を用いることとします。ここでは，上限規格のみが与えられている場合ですので，C_p は上限規格と平均値との差を $3\hat{\sigma}$ で割って求めます。

$$C_p = \frac{S_U - \overline{X}}{3\hat{\sigma}} = \frac{S_U - \overline{X}}{3s} = \frac{2.6 - 1.9122}{3 \times 0.163} = 1.407$$

問5 解説 （×）

　工程能力指数が1.00という状態は，工程能力が「なんとかある」とか「かろうじてある」というレベルですので，「十分である」とは言い難いです。一般に工程能力指数は，1.33以上の場合に工程能力が十分であると判断されます。0.33の部分は「余裕」です。やはり，工程にはある程度の余裕が必要ですね。

工程能力指数が1.00というのは
全く余裕がないということ
なんですね

実戦問題

　管理図について述べられた次の記述について，正しいものには○を，正しくないものには×を解答欄に記入せよ。

① 管理図でいう R とは，データの変動幅のことである。
(1)

② R 管理図では，サンプルのデータの大きさである n が 7 より小さい場合には R の下方管理限界線 LCL は引かれない。
(2)

③ 管理図において，連続して多くの点が単調増加したり単調減少したりすることがあると，工程の状況に注意を払うべきである。
(3)

④ 管理図において，$\pm 3s$ の限界線である LCL や UCL から外れると問題にする必要があるが，それより早い段階で $\pm 2s$ から外れた場合にも注意をする必要がある。
(4)

⑤ $\overline{X}-R$ は計数値に用いる管理図であるが，管理図には他に計量値を扱うものがあり，np 管理図，p 管理図，c 管理図，u 管理図などが挙げられる。
(5)

【解答欄】

(1)	(2)	(3)	(4)	(5)

問題2

重要度 Ⓒ

　あるＲ管理図の平均が1.23，その上方管理限界が2.81であるとき，$\overline{X}-R$管理図中の$\overline{X}$の管理限界は中心線の上下にどれだけの幅で確保することが望ましいか。選択肢の中で最も適切なものを一つ選んで解答欄に記入せよ。ただし，$\overline{X}$管理図の管理限界線は，Xの平均の平均$\overline{\overline{X}}$を中心線として，$\pm A_2\overline{R}$のところにあり，R管理図においては，上方および下方の管理限界線が，それぞれ$D_4\overline{R}$および$D_3\overline{R}$で与えられるものとする。また，$\overline{X}-R$管理図用の係数表の一部を下に示す。

n	A_2	D_3	D_4
2	1.880	－	3.267
3	1.023	－	2.575
4	0.729	－	2.282
5	0.577	－	2.115
6	0.483	－	2.004
7	0.419	0.076	1.924

【選択肢】

　ア．±0.5　　　イ．±0.6　　　ウ．±0.7

　エ．±0.8　　　オ．±0.9　　　カ．±1.0

【解答欄】

(6)

?…

第3章

実戦問題 解答と解説

問題1

解答

(1)	(2)	(3)	(4)	(5)
○	○	○	○	×

解説

① R とはデータの最大値と最小値の差のことでしたね。

② R 管理図では，n が7より小さい場合，すなわち，6以下の時に R の下方管理限界線 LCL は扱わないことになっています。このことは試験に出やすいので，注意しておいて下さい。

⑤ 記述は計数値と計量値が逆になっています。$\overline{X}-R$ 管理図は計量値の管理であり，その他に挙げられているものは主に計数値のためのものです。それぞれの使用分野は以下の通りです。詳細はともかく，名前だけでも知っておきましょう。

np 管理図（不適合品数の管理）

p 管理図（不適合品率の管理）

c 管理図（不適合数の管理）

u 管理図（単位当たりの不適合数の管理）

問題2

解答

(6)
オ

解説

測定値群の中で，最大のもの X_{max} と最小のもの X_{min} の差を範囲 R と呼び，毎日のデータの R をグラフにしたものを R 管理図といいます。データ X の毎日の平均 $\overline{X}$ の管理図と合わせて，$\overline{X}-R$ 管理図と呼ばれます。

$\overline{X}$ の管理限界線は，X の平均の平均 $\overline{\overline{X}}$ を中心線として，$\pm A_2\overline{R}$ のところにあ

り，R 管理図において，上方および下方の管理限界線は，それぞれ $D_4\overline{R}$ および $D_3\overline{R}$ で与えられると，問題文で示されています。A_2 や D_3，D_4 は統計学的に求められている定数です。

この問題では，$\overline{R} = 1.23$ がわかっていますので，それと $D_4\overline{R} = 2.81$ とから，$D_4 = 2.285$ が求まります。（数表では 2.282 になっていますが，2.285 との差については，この程度の差は大勢に影響ありません。）これをもとに与えられた表より，$n = 4$ であることがわかりますので，$A_2 = 0.729$ となります。従って，$\overline{X}$ の管理限界幅は，

$$\pm A_2\overline{R} = \pm 0.729 \times 1.23 = \pm 0.897 \fallingdotseq \pm 0.9$$

もし，母集団の標準偏差 σ がわかっていれば，R の平均と分散は（統計理論により）それぞれ次の公式で求められます。

$$E(R) = d_2\sigma$$
$$V(R) = d_3^2\sigma^2 \quad \text{（標準偏差が $d_3\sigma$）}$$

d_2，d_3 は表より求めます。表の $1/d_2$ は下の σ の推定値 $\hat{\sigma}$ を求める際に使います。

表 3 - 3　範囲 R に関する係数 d_2, d_3

n	d_2	$1/d_2$	d_3
2	1.288	0.8862	0.853
3	1.693	0.5908	0.888
4	2.059	0.4857	0.880
5	2.326	0.4299	0.864
6	2.534	0.3946	0.848
7	2.704	0.3698	0.833

範囲の期待値 $E(R)$ を $\overline{R}$ で代表させれば，σ の推定値 $\hat{\sigma}$ は次のように求めることができます。

$$\hat{\sigma} = \frac{\overline{R}}{d_2}$$

管理図は
工程管理の
有力な武器
なんだね

3 問題および課題の解決

学習ポイント

・問題と課題の違い
・QC ストーリーとは？
・職場における各種の小集団活動

重要度
A

●●● 試験によく出る重要事項 ●●●

1 問題と課題

　近代的な品質管理においては，事実に基づく管理が基本です。データで事実を示して現状を把握し，原因と結果の関係を調べて，統計的手法を活用して改善方向を検討します。そのような中で**問題**や**課題**を解決していきます。

　問題と課題は，似た言葉として受け取られることもありますが，品質管理においては次のように区別しています。ここでいう「差」は**ギャップ**ともいいます。

a）問題：あるべき姿（達成された実績もあり，現状がそうなっているはずの姿，そうなっていなければならない姿）と現状の姿との差

b）課題：ありたい姿（まだ達成された実績はないが，そうあることが望ましいという姿）と現状の姿との差

　問題の解決の手順としては一般に check（現状との差の確認）から入りますが，課題の達成手順としては plan（望ましい姿の設定）から入ることが多くなっています。

　なお，問題というもののとらえ方には，「発生する問題（発生した問題）」と「自ら探す問題（自ら作り出す問題）」という立場もあります。否応なく与えられる問題などは前者に属しますし，あるべき姿がはっきりしない場合に自ら問題を認識して設定する問題が後者という見方になります。

問題と課題とは
似たような言葉だけど
微妙に区別されているんだね

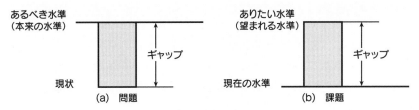

図 3 − 16　問題と課題の比較

問題と課題には
どちらにも
ギャップがあるんだね

2 QC ストーリー

　従来から，問題や課題を解決した事例の結果を，他の人にわかりやすく説明するための報告書の構成として **QC ストーリー**（品質管理の解決物語）がありました。しかし，これは問題や課題を解決するための標準的な手順でもあることから，最近では，解決や改善のためのアプローチとして「解決手順」や「改善手順」の意味で用いられるようになっています。

　QC ストーリーは，問題に関して「問題解決型 QC ストーリー」，課題について「課題達成型 QC ストーリー」と呼ばれることがあります。

表 3 − 4　QC ストーリーの比較

QC ストーリーの分類	問題解決型	課題達成型
目標の設定	既に存在している問題を定量的に把握すること	明確になっていない課題を明確に設定すること
解決のポイント	解決のための要因解析によって問題の原因を追及すること	達成のための手段・方策を立案すること
解決後の進め方	原因に対する対策の立案	達成のための最適策の設計

　問題解決型の QC ストーリーでは，問題点の原因を追及して解決してゆくことが基本となります。そのため，手順としては，「現状と本来の姿の差」の認識，すなわち「PDCA の C（確認）」から入ることが一般的です。これに対し

て課題達成型の QC ストーリーにおいては，従来の方法では解決できないことが多いものが対象となりますので，まずは「PDCA の P（計画）」から取り掛かることが多く，新しい工夫や知恵を必要とすることになります。

　いずれにしても，これらの問題や課題を解決するための手法として，既に述べてきましたような QC 七つ道具や新 QC 七つ道具などが大きな武器となります。

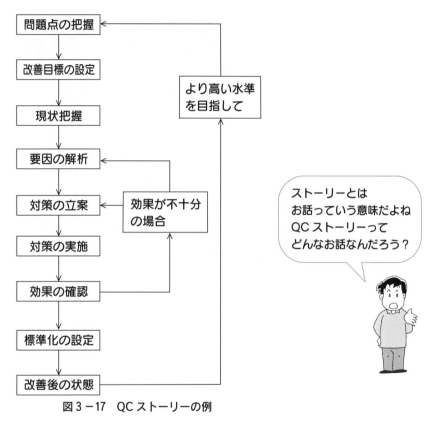

図 3 −17　QC ストーリーの例

③　小集団活動

　職場の第一線で働く人々の中のグループで，QC の基本的知識を活用して継続的に製品やサービスなどの質の管理や改善を行う小グループ（小集団）を**QC サークル**と呼んでいます。この小集団は，運営を自主的に行って QC の考え方や手法を活用し，創造性を発揮しながら自己啓発や相互啓発をはかり活動

を進めていくことに特徴があります。日本で生まれて発展してきた活動であって，日本製品の高度な品質を作りだした基礎として，世界からも注目を集めています。

　QCサークル活動には多くの形がありますが，その基本理念として主に次のようなものが挙げられています。

① 　各人の能力を発揮して，かつ可能性を最大限に引き出すこと
② 　人間性を尊重して，生きがいある職場にすること
③ 　企業の体質改善や発展に寄与すること

　また，QCサークル活動で取り上げられているものとして，有名なものに3Sあるいは5S活動があります。

3S：整理，整頓，清掃
5S：整理，整頓，清掃，清潔，躾

　これらだけで製品の質が向上するわけではありませんが，よい品質の製品を作るための前提として，まずこういう「きちんとした職場」が重要であるという考え方の上に立っています。

　組織としてもこのような活動をバックアップして，援助をしたり，表彰制度を設けたりすることが多くなっています。

4 職場におけるその他の活動・行動

a）KY 活動

　最近世の中では KY は「空気が読めない」とか「漢字が読めない」などの意味で使う例が見られますが，その前からある用語として KY は「危険予知」の頭文字を取った言葉だったのです。もともとは，むしろ「空気が読める」「事前に察知できる」という前向きな意味だったのです。

　職場において，訓練を積み重ねて危険を予知することを身につけて安全対策などをする活動を **KY 活動**（**危険予知活動**）と呼んでいます。また，そのための訓練を **KYT**（**危険予知訓練**）と言っています。

b）指差呼称（しさこしょう，あるいは，ゆびさしこしょう）

　危険予知活動の一環として位置づけられるもので，標識，信号，計器，作業対象などを安全確認の意味で，その名前と状態を声に出してそのものを指差しながら確認することをいいます。例えば，道路を横断する際にも，右を差して車が来ないことを確認して「右よし」と声を出し，次に左を差して確認して「左よし」と声を出してから横断するという作業になります。

第3章

c）HHK 活動

　HHK とは，「ヒヤリ，ハッと，気がかり」の頭文字です。幸い怪我はしなかったけれどもヒヤリとしたこととか，ハッとしたこととか，気にかかっていることなどを出し合って職場の全員で共通に認識し，必要なものについては対策をとるという活動を **HHK 活動**と言っています。

　ハインリッヒの法則というものがあります。経験的に 1 件の重大な事故や災害の背後には軽微な事故や災害が29件起きていて，ヒヤリ・ハットが300件あったという調査結果からきた法則です。ヒヤリ・ハットの段階でその芽を摘んでおくことで，事故や災害をなくそうという考え方です。

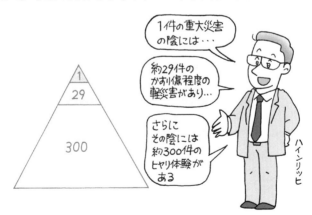

d）ほうれんそう

　これは野菜の名前ではありません。報告の「ほう」と連絡の「れん」，そして，相談の「そう」を合わせたものです。仕事の基本，あるいは，ビジネスマナーとして，上司や同僚とこれらを密に行うことで業務の円滑化が図られると

いうことです。

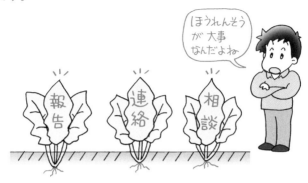

e）三現主義

　事実に基づく管理である「事実志向」と共通の考え方ですが，「現場」に出向いて，「現物に触れ」，「現実」を直視するという考え方です。このような立場を**三現主義**と言っています。

f）5ゲン主義

　三現主義に加えて，さらに，事象やそれについての認識のもとになる仕組みである「原理」にのっとって，多くの場合に当てはまる基本的な規則である「原則」を作ることを重視する考え方もあります。現場，現物，現実，原理，原則をまとめ（漢字が違いますのでカタカナにして）**5ゲン主義**と言います。

g）3ム

　ムダ，ムリ，ムラを合わせて，**3ム**といっています。改善の着眼点として極めて重要でよく用いられる考え方です。

　ムダ（無駄）な仕事や資源・エネルギーを減らし，仕事上のムリ（無理）を

なくし，仕事や品質のムラ（ばらつき）をなくしていくことが，改善につなが
るということを意味しています。

h）5W1H

　物事には，基本的に次の6つの側面が必ず存在します。通常はその内の目に
つくところだけを見がちですが，抜けがないようにこの6つを確認すること
が，多くの場面で重要であるということです。第2章の1（p64）でも出てき
たものですね。

① 　What 　（対象）：何を，何について，何のために
② 　When 　（日時）：いつ，いつまでに
③ 　Who 　　（人物）：誰が，誰と
④ 　Where 　（場所）：どこで
⑤ 　Why 　　（目的）：なぜ，どうして
⑥ 　How 　　（方法）：どのように

5W1Hで事実を整理すると
原因追及が
やりやすくなるんだってね

What　　When　　Who　　Where　　Why　　How

i）マナー，あるいは，ビジネスマナー

　当たり前とも言えることですが，組織を円滑に運営していくためには，基本
的なルールがあります。これが改善だけでなく日常の仕事の基本ですね。

① 　時間を守る
② 　挨拶をする
③ 　言葉使いに注意する
④ 　服装をきちんとする
⑤ 　公私のけじめをつける
⑥ 　業務をしっかり遂行する意志を持つ

（吹き出し内）
確認問題

知識・実力の確認をしましょう。○か×か考えてみて下さい。

（　）問1：一般に問題とは「そうあることが望ましいという姿と現状の
　　　　　姿との差」をいうものであり，課題とは「現状がそうなって
　　　　　いるはずの姿と現状の姿との差」をいう。

（　）問2：問題の解決の手順としては一般にcheckから入り，課題の達
　　　　　成手順としてはplanからスタートすることが多い。

（　）問3：職場の第一線で働く人々の中のグループで，QCの基本的知
　　　　　識を活用して，継続的に製品やサービスなどの質の管理や改
　　　　　善を行う小グループをQCサークルと呼んでいる。

（　）問4：清掃，清潔，躾を一般に3Sとみなして，3S活動に取り組
　　　　　む職場があるが，これに整理，整頓を加えて5Sとして活動
　　　　　している職場も多い。

（　）問5：QCストーリーにおいて一応の完成を見た段階においては，
　　　　　次にさらに改善するために再び初めに戻る。

● ● ● 正解と解説 ● ● ●

正解 問1：×　問2：○　問3：○　問4：×　問5：○

問1 解説 （×）

　記述は逆になっています。通常は問題が「現状がそうなっているはずの姿
と現状の姿との差」をいい，課題が「そうあることが望ましいという姿と現
状の姿との差」をいうものとなっています。

（吹き出し内）
問題も課題も
結局は「差」ということなんだね

問2 解説 （○）

　これは記述の通りです。問題の解決の手順としては一般にcheck（現状と
の差の確認）からスタートしますが，課題の達成手順としてはplan（望ま

しい姿の設定）から入ることが多くなっています。

問3 解説 （○）

　これも記述の通りです。ここで使われているサークルという言葉は，大学などのサークルと同じことで，仲間あるいはグループという意味で用いられています。

問4 解説 （×）

　3Sについては通常は，「清掃，清潔，躾」とはされず，「整理，整頓，清掃」をいいます。これがまずは職場の基本とされているのでしょうね。これに清潔，躾を加えて5Sにすることが多いことは当然です。3Sおよび5Sの中味については，よく確認しておいて下さい。

　最近では，5Sに対して，さらに自社の考えで新たな独自のSを追加して6S運動として展開している企業も見られます。たとえば，「習慣」あるいは「作法」などの例があります。一方，中には，「整理，整頓，清掃」をきっちり行うことによって，「躾」や「清潔」は自然に実現されるという考えによって，再び3Sで実施している職場もあるようです。

問5 解説 （○）

　記述の通りです。繰返し改善していきます。それがスパイラルアップということですね。

第3章

実戦問題

問題1

問題と課題に関する次の各々の文章において，正しいものには○を，正しくないものには×を解答欄に記入せよ。

① 問題には「発生する問題」と「自ら探す問題」とがあるといわれる。前者は，上司や外部から否応なく与えられる問題であり，後者は自らあるべき姿を設定して作りだす問題を意味する。

(1)

② 一般に「課題」には原因があり，「問題」には障壁があるとされる。

(2)

③ 問題も課題も現状と望ましい姿との差であり，課題は現状がそうなっているべき姿との差，問題は目標として達成したい姿との差を意味している。

(3)

④ 問題の解決に当たっては，まず現状との差の確認をしてその差の原因を追及することから始められ，課題の達成については，望ましい姿の設定から始めるという特徴がある。

(4)

【解答欄】

(1)	(2)	(3)	(4)

問題2

QCストーリーに関する次の文章において，(5)～(8)のそれぞれに対して適切なものを選択肢欄から選んでその記号を解答欄に記入せよ。ただし，各選択肢を複数回用いることはない。

QCストーリーとは，もとは (5) の (6) をわかりやすく説明するために工夫された (7) の構成そのものであったが，その (7) の組み立て順序が問題を解決するために行う手順の順序そのものであるとの認識から， (5) のための (8) として広く用いられるようになったものである。

【選択肢】

ア．成功事例　　　イ．失敗事例　　　ウ．報告書

エ．解説書　　　　オ．アプローチ法　　カ．問題解決

【解答欄】

(5)	(6)	(7)	(8)

実戦問題 解答と解説

問題1

解答

(1)	(2)	(3)	(4)
○	×	×	○

解説

② 記述は逆になっています。外部からやってくる問題には，基本的に問題になった原因があり，自ら設定する課題には，原因というよりも達成を阻害する要因（障壁）があるということになります。

③ これも記述が反対です。問題も課題も現状と望ましい姿との差であることはその通りですが，現状がそうなっているべき姿との差が「問題」であり，目標として達成したい姿との差は「課題」といわれます。

問題2

解答

(5)	(6)	(7)	(8)
カ	ア	ウ	オ

解説

それぞれの 　　　　 に正解となる用語を入れて，あらためて文章を掲げます。

> QCストーリーとは，もとは問題解決の成功事例をわかりやすく説明するために工夫された報告書の構成そのものであったが，その報告書の組み立て順序が問題を解決するために行う手順の順序そのものであるとの認識から，問題解決のためのアプローチ法として広く用いられるようになったものである。

QCストーリーとは
面白い名前ですね

4 品質の保証

学習ポイント

・品質要求と品質保証
・苦情処理について
・段階別品質保証活動

重要度
B

●●● 試験によく出る重要事項 ●●●

1 品質要求

　品質要求は品質に対する顧客の要求のことですが，一般にそれを把握することが重要であることはいうまでもありませんが，それを正しく把握することはなかなか難しいことも多いのが実情です。品質要求には，**顕在的品質要求**と**潜在的品質要求**とがありますが，図面や仕様書などの形で明示される顕在的品質要求は把握しやすい傾向にあります。しかし，一般にすべての品質要求が明示されているわけではありませんので，潜在的品質要求を正確に把握することは難しいものです。アンケートなどによって把握する努力もなされますが，それでもすべてを掴（つか）むことは至難の技（わざ）です。

2 品質保証とは

　品質保証は，QA（Quality Assurance）と略され，文字通り品質を保証することです。損害などを金銭等によって補うことを（保証と同じ発音ですが）補償といいます。
　品質保証には次のような側面があります。

① 顧客は基本的に生産者（製造者）を信用して商品を買うものです。したがって，生産者は本来顧客に対して品質を保証すべきものです。（市場型商品）
② 特定顧客にあっては，生産者と顧客との話し合い（契約）で取引されるものがありますが，生産者にはその契約を守る義務があります。（契約型商品）
③ JIS に認定されている生産者には，JIS が品質の保証を求めています。
④ 本来的に品質保証は，企業の社会的責任を果たすための基本条件です。
　いずれにしても，効果的な品質保証を実施するためには，顧客や社会のニー

ズを満足する製品やサービスを提供できるプロセスを確立することが必要です。

私は品質保証の担当です

そうなの？
ちゃんと保証してよね

　第1章の2（p 32）で出てきました製造物責任（PL）も品質保証の一環と言えます。PLの予防を**製造物責任予防**（PLP, Product Liability Prevention）ということがあります。

　品質保証では，基本的に結果を保証しなければなりませんので，製造工程ごとに作業標準書が確立されていて製造工程のプロセスごとに品質保証の考え方を入れる必要がありますし，製品の一生を通じた，ライフサイクルとしての品質保証が重要です。

　また，QAネットワーク（品質保証網，Quality Assurance Network）とか品質ネットワーク（Product Quality Assurance Network）というものがあります。製品の品質保証を目的に，サービス態勢を整備し何処でも容易に消費者にサービス出来るようにネットワーク（連絡網，組織連携網）を形成したものをいいます。

3 品質保証体系図および QC 工程図（表）

　品質保証においては，製品の設計や開発段階からアフターサービスまでの一連の流れの中で，全ての関係部門が果たすべき役割を明確にすることが必要です。

　製品の設計，開発，製造，検査，出荷，販売，アフターサービス，クレーム処理までの関係各部門に対して，品質保証に関する業務を割り振った図を**品質保証体系図**といっています。

　製品品質が，設計仕様に適合しているかどうかを確認する目的で，製品ごとに材料や部品の供給から完成品として出荷されるまでの工程を図示して，それぞれの工程での管理項目や管理方式について図あるいは表にしたものを**QC工程図（表）**といいます。これを流れ図の形にしたものは，QC フローチャートと呼ばれます。QC 工程表の例を表 3 - 5 に示します。

　これらは組織ごとに工夫されたものですが，これによって製造条件などの管理をどのように実施するのがよいかを一目で把握できるようにしています。なお，製造工程において製品を生産しながら品質管理を行うことを**オンライン管理**と，これに対して，直接製造に関与していないところで管理することを**オフライン管理**と言っています。

第3章

表 3 - 5　QC 工程表の例

No.	工程			管理条件			責任課				測定方法	記録の方法	異常時処置		関連する標準	参考事例	その他
	内容	機器設備	重要度	管理項目	管理水準	サンプリング	資材課	製造課	技術課	品質管理課			責任者	処置方法			
1																	
2																	
・・・																	

図 3 - 18　製造工程

4　苦情処理

　苦情（Complaint）とは，コンプレインといわれることもありますが，製品あるいは苦情対応プロセスにおいて，組織に対する不満足の表現で，その対応あるいは解決法が明示的または暗示的に期待されているものをいいます。この中で，とくに，修理，取替え，値引き，解約，あるいは，損害賠償などの具体的請求を伴うものを**クレーム**（Claim）と呼ぶこともあります。生産者あるいは販売者の側に具体的に持ち込まれるクレームを**顕在クレーム**，持ち込まれずに顧客の側に留まるクレームを**潜在クレーム**といいます。

　苦情やクレームは，顧客満足に関係する重要な情報ですので，大事にしなければなりません。これらは次のような意味を持っています。

① 使用者（消費者）の不満を解消し，信頼を維持するための応急措置の出発点となります。

② 同種の苦情が再び生じないようにするための重要な手掛かりです。

③ 自らの組織の技術的，組織的不備を知り，顧客の要望を知ることができます。

④ 自らの組織の品質保証システムの不備を知ることができます。

5　段階別品質保証活動

　一般に生産の各段階において品質保証活動が必要です。具体的には次のような各段階における活動が行われます。

a）市場調査段階（要求品質の把握など）

b）製品企画段階（マーケットイン型の製品企画，製品企画の評価など）

c）設計段階（設計審査（DR, Design Review）など）

d）生産準備段階（工程設計における品質保証，資材管理における品質保証など）

e）生産段階（製造工程管理による品質保証，設備管理による品質保証，製品検査など）

f）販売・サービス段階（苦情処理など）

いろいろな段階での
品質保証活動が
あるんだね

6　品質技術の展開

　品質を作り込み，また，保証するために多くの技術が使われます。設計品質を実現する機能が，現状において考えられる仕組みで達成できるかどうかを検討し，**ボトルネック技術**（BNE, Bottleneck Engineering）を抽出することを**技術展開**といいます。ボトルネックとは，びん（ボトル）の狭い口の部分が，中味の自由な出入りを制約していることから，隘路（狭い道，制約条件）のことを意味しています。

①　品質展開

　要求品質を，品質特性に変換して，製品の設計品質を定め，各々の機能部品や個々の構成部品の品質や工程の要素に展開することをいいます。とくに品質機能に着目した展開を**品質機能展開**（QFD, Quality Function Deployment）といっています。

②　コスト展開

　目標コストを要求品質や機能に応じて配分することによって，コスト低減やコスト上の問題点を抽出します。

③　信頼性展開

　要求品質に対して，信頼性に関する保証項目を明確化します。

④　業務機能展開

　品質を形成する業務を階層的に分析して，その機能を明確にします。

知識・実力の確認をしましょう。○か×か考えてみて下さい。

( ) 問1：製造物責任は PL とも書かれるが，それを予防することを文字通り製造物責任予防といい，PLL と略記される。

( ) 問2：苦情とはコンプレインともいわれ，クレームより狭い概念である。

( ) 問3：潜在クレームは具体的に生産者側にもたらされないクレームであるので，コンプレインと結局同義語となる。

( ) 問4：設計段階における設計審査は DR（デザイン・レビュー）と呼ばれる。

( ) 問5：クレームによって，生産者側は自らの組織の品質保証システムの不備を知ることができる。

● ● ● 正解と解説 ● ● ●

| 正解 | 問1：× | 問2：× | 問3：× | 問4：○ | 問5：○ |

問1 解説 （×）

　製造物責任が PL とも書かれ，それを予防することを製造物責任予防ということは正しいですが，製造物責任予防はプリベンションということで PLP と略記されます。

問2 解説 （×）

　苦情がコンプレインと呼ばれることは正しいのですが，クレームのほうが苦情の中のとくに具体的な要求を伴うものをいいますので，通常はクレームのほうが狭い概念となります。

問3 解説 （×）

　コンプレインとは生産者側にもたらされるものであって，具体的要求を伴うクレーム（顕在クレーム）とそうでないものとに分けられますが，潜在クレームは具体的に生産者側にもたらされないクレームですので，コンプレインとは別物です。

問4 解説 （○）

　設計審査は，よい製品を作り出すためにとても重要です。

問5 解説 （○）

　クレームというシステムは，自分の組織の欠点を見つけてもらえる「制度」ともいえます。

実戦問題

問題1
重要度

第3章

　品質保証に関する次の文章において，(1)～(5)のそれぞれに対して適切なものを選択肢欄から選んでその記号を解答欄に記入せよ。ただし，各選択肢を複数回用いることはない。

　品質保証については，日本品質管理学会における定義として，「顧客・社会の ⎿(1)⏌ を満たすことを確実にし，確認し，実証するために，組織が行う体系的な活動」とされている。近年では，1970年代初頭に大きく問題となった ⎿(2)⏌ に端を発して，生産者と ⎿(3)⏌ に限らず，第三者を含む社会に迷惑をかけない製品という概念が広く浸透することとなった。つまり，製品の生産，使用，そして，⎿(4)⏌ の段階に至るまでの ⎿(5)⏌ 全体に渡った広い意味での品質保証が重視される時代となっている。

【選択肢】

ア．ライフスタイル	イ．ライフサイクル	ウ．廃棄
エ．シーズ	オ．ニーズ	カ．公害問題
キ．環境問題	ク．消費者	ケ．回収者

【解答欄】

(1)	(2)	(3)	(4)	(5)

問題2

　顧客対応に関する次の文章において，(6)～(11)のそれぞれに対して適切なものを選択肢欄から選んでその記号を解答欄に記入せよ。ただし，各選択肢を複数回用いることはない。

　苦情，または，　(6)　と呼ばれるものは，製品あるいは苦情対応　(7)　において，組織に対する　(8)　の表現であり，その対応あるいは解決法が明示的または暗示的に期待されているものをいう。とくに，修理，取替え，値引き，解約，あるいは，損害賠償などの具体的請求を伴うものを　(9)　と呼んでいる。生産者あるいは販売者の側に具体的に持ち込まれる　(9)　を　(10)　，持ち込まれずに顧客の側に留まる　(9)　を　(11)　という言い方がされることもある。

【選択肢】

ア．満足	イ．不満足	ウ．システム
エ．クレーム	オ．プロセス	カ．コンプレイン
キ．潜在クレーム	ク．顕在クレーム	ケ．アイデア

【解答欄】

(6)	(7)	(8)	(9)	(10)	(11)

実戦問題 解答と解説

問題1

解答

(1)	(2)	(3)	(4)	(5)
オ	カ	ク	ウ	イ

解説

　それぞれの □ に正解となる用語を入れ，あらためて文章を掲載しますと，次のようになります。

> 　品質保証については，日本品質管理学会における定義として，「顧客・社会のニーズを満たすことを確実にし，確認し，実証するために，組織が行う体系的な活動」とされている。近年では，1970年代初頭に大きく問題となった公害問題に端を発して，生産者と消費者に限らず，第三者を含む社会に迷惑をかけない製品という概念が広く浸透することとなった。つまり，製品の生産，使用，そして，廃棄の段階に至るまでのライフサイクル全体に渡った広い意味での品質保証が重視される時代となっている。

問題2

解答

(6)	(7)	(8)	(9)	(10)	(11)
カ	オ	イ	エ	ク	キ

解説

　それぞれの □ に正解となる用語を入れて，あらためて文章を見てみましょう。コンプレインやクレームについて，その違いを確認しておいて下さい。(7)はウ．のシステムという考え方もありかもしれませんが，手続きという意味ではシステムよりもオ．のプロセスのほうが適していると考えられます。

　苦情，または，コンプレインと呼ばれるものは，製品あるいは苦情対応プロセスにおいて，組織に対する不満足の表現であり，その対応あるいは解決法が明示的または暗示的に期待されているものをいう。とくに，修理，取替え，値引き，解約，あるいは，損害賠償などの具体的請求を伴うものをクレームと呼んでいる。生産者あるいは販売者の側に具体的に持ち込まれるクレームを顕在クレーム，持ち込まれずに顧客の側に留まるクレームを潜在クレームという言い方がされることもある。

これで本文の学習は終わりです
いかがでしたか？
少しゆっくりされてから
模擬問題で実力を
試してみられてはいかがでしょう

問題や課題の取り組み方

　私たちが取り組むテーマには，p259の図3－16に示しましたように，問題という性格のものや課題という性格のものなどがあります。

　ここでいう問題とは，もともと実現できていた状態（あるべき水準，本来の水準）が，何らかの原因によって悪化しているところを回復させるというテーマに相当します。そのような場合の取り組み方としては，悪くなった原因の追求をしなければなりません。原因がはっきりすれば対策も立てられ，回復もしやすくなります。その際の原因追究のためには，5W1H（p265）などを手がかりとして事実を集め整理し，事実を矛盾なく説明できるストーリーを（先入観なしに）導くことがポイントとなります。それは，事実を重視して犯人捜しをするという，犯罪捜査における刑事さんの行動とも共通するところがあります。実験事実を重視する科学者の行動とも通ずるところがあります。

　一方，課題というテーマでは，原因探しというより，これまで実現できていなかった水準（ありたい水準，望まれる水準）に向上させるというのですから，これまでわかっていることだけでは到達できません。そこで必要なことは，いかに良いアイデアを生み出せるか，ということになります。良いアイデアさえ出せれば，状態は向上するはずです。それが知恵の出しどころと言ってよいでしょう。アイデア発想のためには，先人が多くの方法を提案してくれています。七つ道具のチェックリスト法や新七つ道具の親和図法（p198）をはじめ，ブレーンストーミング法（p60），（内容の説明は割愛しますが）NM法，希望点列挙法，等価交換法，夢記録法などがあります。

第3章

第4章

模擬問題と
解答解説

模擬問題の試験時間は
標準として本試験と同じ90分としています。
ただし，初めからこの時間で挑戦されるか
どうかはあなたの自信のほどと相談されるのが
よろしいのではないでしょうか？
少しずつ力をつけていきましょう！

1

模　擬　問　題

【問 1】

　実験計画法について述べられた以下の文章の中，　(1)　～　(5)　の空欄に入るべき適切な選択肢はどれか。ただし，同一の選択肢は複数回用いることはないものとする。

　ある製品の特性を向上させるために影響が大きいと見られるA因子およびB因子を取り上げて，それぞれ3水準ずつ，繰返し2回の合計18実験をランダムな順序で実施した。それぞれの因子の効果と交互作用A×Bを検討する場合，水準A_iB_jにつき，k番目のデータx_{ijk}について仮定するデータの構造式は次のようになると考えられる。

$$x_{ijk} = \mu + \alpha_i + \beta_j + (\alpha\beta)_{ij} + \varepsilon_{ijk}$$

　この式において，μは総平均，α_iおよびβ_jはそれぞれの因子の効果，$(\alpha\beta)_{ij}$は交互作用A×Bの効果，ε_{ijk}は誤差項である。

　この実験結果をもとに分散分析を行い，以下の分散分析表（の一部）を得た。

分散分析表（の一部）

要因	平方和	自由度	平均平方	分散比
A	6.0	(1)	V_A	(3)
B	5.0	ϕ_B	V_B	
A×B	2.4	(2)	V_{A+B}	(4)
E	S_E	ϕ_E	V_E	
合計	14.3	ϕ_T		

　交互作用A×Bの分散比を$F(\phi_{A\times B}, \phi_E ; 0.05) = 3.63$と比較すると，交互作用は有意で　(5)　。

【　(1)　～　(2)　の選択肢】

ア．1　　イ．2　　ウ．3　　エ．4　　オ．5
カ．6　　キ．7　　ク．8　　ケ．9　　コ．10

【　(3)　～　(5)　の選択肢】

ア．2.0　　イ．4.0　　ウ．6.0　　エ．8.0　　オ．10.0
カ．20.0　　キ．25.0　　ク．30.0　　ケ．ある　　コ．ない

【解答欄】

(1)	(2)	(3)	(4)	(5)

【問 2】

回帰分析に関する以下の文章において，$\boxed{(6)}$ ～ $\boxed{(10)}$ に入るべき適切な選択肢として最も近い数字を選べ。ただし，同一の選択肢を複数回用いることはない。

回帰分析において，そのデータの構造は次のような構造式で表わされる。

$$y_i = \alpha + \beta x_i + \varepsilon_i$$

この式において，α は切片，β は母回帰係数，ε_i は残差変量である。

いま，ε_i が正規分布 $N(0, \sigma^2)$ に従い，各々の ε_i は独立な変量であるとして，10個のサンプルの統計量が次のように得られている。

$$\bar{x} = 20, \quad S_{xx} = 100$$
$$\bar{y} = 50, \quad S_{yy} = 500$$
$$S_{xy} = 200$$

① β の推定値を最小2乗法によって求めると $\boxed{(6)}$ となる。
② α の推定値を最小2乗法によって求めると $\boxed{(7)}$ となる。
③ 寄与率（決定係数）は，$\boxed{(8)}$ となる。
④ 残差平方和は，$\boxed{(9)}$ となる。
⑤ 残差の標準偏差は，$\boxed{(10)}$ となる。

【選択肢】

ア．0.2	イ．0.4	ウ．0.6	エ．0.8	オ．1.0
カ．1.5	キ．2.0	ク．2.5	ケ．3.0	コ．3.5
サ．10	シ．15	ス．20	セ．25	ソ．30
タ．40	チ．50	ツ．60	テ．80	ト．100

【解答欄】

(6)	(7)	(8)	(9)	(10)

【問 3】

次の各システム（系）においてシステムの信頼性（信頼度）はどのようになるか。正しい数値を選んで解答せよ。なお，すべての構成要素の信頼性はいずれも0.900とし，同一の選択肢を複数回使用することはないものとする。

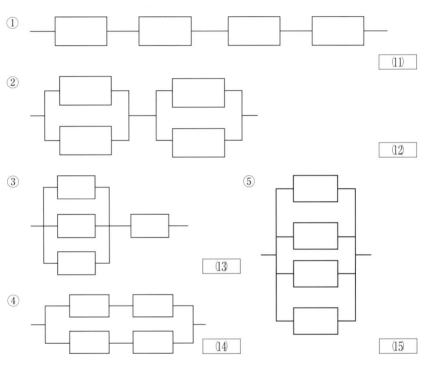

【選択肢】

ア．0.5000	イ．0.5587	ウ．0.6000
エ．0.6561	オ．0.7000	カ．0.7831
キ．0.8991	ク．0.9000	ケ．0.9316
コ．0.9639	サ．0.9711	シ．0.9801
ス．0.9889	セ．0.9980	ソ．0.9999

【解答欄】

(11)	(12)	(13)	(14)	(15)

【問 4】

標準化に関する次の文章において，正しいものには○を，正しくないものには×を解答欄に記入せよ。

① 標準には，国際標準（規格）を最上位として，次いで国際地域間標準（規格），国家標準（規格），団体標準（規格），社内標準（規格）となっている。 ⑯

② 国際貿易の障壁を取り払う目的で，電気分野では ISO，その他分野では IEC などで国際的な標準化が進められている。 ⑰

③ EN は国際標準に分類される。 ⑱

④ 業界団体などで行われる標準もあり，これを団体標準あるいは業界標準と呼んでいる。 ⑲

【解答欄】

⑯	⑰	⑱	⑲

【問 5】

サンプリングに関する次の文章において，①～⑤のそれぞれに対して適切なものを選択肢欄から選んでその記号を解答欄に記入せよ。ただし，各選択肢を複数回用いることはない。

① 母集団をいくつかの集落に分割し，全集落からいくつかの集落をランダムに選定し，選定した集落に含まれるサンプリング単位をすべて測定するサンプリング法 ⑳

② 複数のロットの中より，ランダムに一定数のロットを選定し，選定されたロットの中より，再びランダムにサンプリング単位を選定するサンプリング法 ㉑

③ 母集団中のサンプリング単位がなんらかの順序で並んでいる場合に，一定の間隔でサンプリング単位を選定するサンプリング法 ㉒

④ 母集団を層別し，各々の層から一つ以上のサンプリング単位をランダムに選定するサンプリング法 ㉓

⑤ 母集団から，あるサンプルサイズのサンプリング単位をランダムに選定するサンプリング法 ㉔

【選択肢】
　ア．単純サンプリング　　　　イ．バルクサンプリング
　ウ．系統サンプリング　　　　エ．二段サンプリング
　オ．集落サンプリング　　　　カ．層別サンプリング
　キ．ジグザグ・サンプリング

【解答欄】

⒇	㉑	㉒	㉓	㉔

【問　6】

　パレート図に関する次の各々の文章において，正しいものには○を，正しくないものには×を解答欄に記入せよ。

① 　パレート図とは，不適合品数や不適合数，故障などの発生件数を分類項目別に分けて，データ数の大きい順に並べ，棒グラフと累積折れ線グラフを併記した図である。　　　　　　　　　　　　　　　　　　　　　　　㉕

② 　パレート図において，データ数の大きい順に並べる理由は重点指向である。　　　　　　　　　　　　　　　　　　　　　　　　　　　　　㉖

③ 　パレート図において，最もデータ数の大きな項目を示す柱状図には，累積折れ線の打点は柱の中央頂部に打たれる。　　　　　　　　　　　㉗

④ 　一般に，その他という項目は最も頻度の小さいものにはならないので，最も右に記載されることは少ない。　　　　　　　　　　　　　　　　㉘

⑤ 　累積度数の折れ線は，パーセント表示されることが多い。　　㉙

【解答欄】

㉕	㉖	㉗	㉘	㉙

【問　7】

　統計分布に関する次の文章において，　(30)　～　(34)　のそれぞれに対して適切なものを選択肢欄から選んでその記号を解答欄に記入せよ。ただし，各選択肢を複数回用いることはない。

一般に，データ数 n が大きい統計量は，　⟨30⟩　に従うことが多い。品質管理では通常このことを基礎としている。　⟨30⟩　は母平均 μ と母分散 σ^2 によって定まり，記号で　⟨31⟩　と書かれる。すべての　⟨30⟩　は標準化を行うことによって，　⟨32⟩　である　⟨33⟩　に変換される。

　⟨31⟩　に従う確率変数 x について，ランダムにサンプリングされた大きさ n のサンプルの測定値平均 $\overline{x}$ は，n が大きくなるほど　⟨34⟩　に従う。

【選択肢】

ア．二項分布　　　　　イ．正規分布　　　　　ウ．ポアソン分布

エ．標準正規分布　　　オ．$N\left(\mu, \dfrac{\sigma^2}{n}\right)$　　　カ．$N\left(n\mu, \dfrac{\sigma^2}{n}\right)$

キ．$N(n\mu, \sigma^2)$　　　ク．$N(\sigma^2, n\mu)$　　　ケ．$N(\mu, \sigma^2)$

コ．$N(0, 1^2)$　　　サ．$N(1, 0^2)$　　　シ．$N(1, 1^2)$

【解答欄】

⟨30⟩	⟨31⟩	⟨32⟩	⟨33⟩	⟨34⟩

【問 8】

検定や推定に関する次の各々の文章において，正しいものには○を，正しくないものには×を解答欄に記入せよ。

① 帰無仮説を H_0，対立仮説を H_1 とする時，H_0 が $\mu = \mu_0$ の場合に，H_1 を $\mu \neq \mu_0$ とするならば，H_1 は片側仮説と呼ばれる。　　　⟨35⟩

② 検定の有意水準は一般に 5 ％が用いられ，時に 1 ％を用いることもある。　　　⟨36⟩

③ 検定とは，母集団の母数がどの程度であるかを推測する時の方法をいう。　　　⟨37⟩

④ 二つの母集団を対象とする検定・推定には，通常は，母分散の比に関する検定・推定や，母平均の差に関する検定・推定などがある。　　　⟨38⟩

⑤ 点推定とは，母平均や母分散などを一つの値として推定することであり，一般に平均値や分散が推定の対象とされる。　　　⟨39⟩

⑥ 二つの母集団の平均値の差の検定には一般に F 分布が用いられ，二つの母集団の母分散の比には t 分布が用いられる。　　　⟨40⟩

⑦ 帰無仮説が真であるのにもかかわらず対立仮説を真であると判断してしま

う誤りを第1種の過誤という。 (41)

⑧　第1種の過誤をぼんやりものの誤りと呼ぶことがある。 (42)

【解答欄】

(35)	(36)	(37)	(38)	(39)	(40)	(41)	(42)

【問　9】

相関および回帰に関する次の文章において，　(43)　～　(47)　のそれぞれに対して適切なものを選択肢欄から選んでその記号を解答欄に記入せよ。ただし，各選択肢を複数回用いることはない。

　　(43)　と　(44)　は，いずれも二つの変数の間の関係を把握するための手法であるが，　(43)　が二つの変数の間の関係を見ることに主眼があるのに対し，　(44)　は一方の変数で他方の変数を説明することを目的としている。

　　一般に互いに独立な二つの変数は，　(45)　が　(46)　となる。しかし，　(45)　が　(46)　であるからといってこれらの変数が互いに独立であるとは限らない。例えば，$y = x^2$ の放物線の上に x が正から負の領域において分布する　(47)　の場合には，　(45)　がほぼ　(46)　となるが，互いに独立とは言えない。　(45)　だけで判断してはいけない場合もある。その場合において，　(47)　が表わす情報は特に重要となる。

【選択肢】

ア．回帰　　　　　イ．相関　　　　ウ．回帰係数
エ．相関係数　　　オ．1　　　　　　カ．ゼロ
キ．−1　　　　　ク．散布図　　　　ケ．従属

【解答欄】

(43)	(44)	(45)	(46)	(47)

【問　10】

　　実験計画法では，実験に伴って起こる誤差をいかに制御するかという点が重要である。そのために実験の場を管理するためのフィッシャーの3原則に関する次の文章において，①～③のそれぞれに対して適切なも

のを選択肢欄から選んでその記号を解答欄に記入せよ。ただし，各選択肢を複数回用いることはない。

① 因子を同一の水準組合せの状態で複数回の実験を実施し，誤差の大きさを把握する手法　⑷⑻

② 一定の傾向を示しながら，実験において発生する系統誤差を偶然誤差に転化するために，実験条件をランダムに割り付ける手法　⑷⑼

③ 系統誤差を避けるために，実験条件を適当なブロックに分け，ブロック内では条件をできるだけ均一になるようにする手法　⑸⓪

【選択肢】

ア．系統化	イ．分岐化	ウ．進化
エ．高所管理化	オ．局所管理化	カ．ブロック化
キ．反復	ク．無作為化	ケ．有作為化

【解答欄】

⑷⑻	⑷⑼	⑸⓪

【問 11】

新 QC 七つ道具に関する次の各々の文章において，正しいものには〇を，正しくないものには×を解答欄に記入せよ。

① 基本的に QC 七つ道具は数量データを扱い，新 QC 七つ道具は言語データを扱う手法になっているが，それぞれ一つずつ例外の手法が含まれている。QC 七つ道具における例外は管理図であり，新 QC 七つ道具はマトリックス図法である。　⑸①

② TKJ 法とはトランプ KJ 法のことであり，KJ 法とは創始者である川喜田二郎博士の名を冠した命名となっている。　⑸②

③ マトリックス図法とは，問題に関連して着目すべき要素を，碁盤の目のような行列図の行と列の項目に並べて，要素と要素の交点において互いの関連の検討を行うための手法である。　⑸③

④ 系統図法とは，枝分かれした系統図によって，着眼点をもとに問題を分類しながら主に論理的に考えてゆくことによって問題を解析したり解決するための案を得たりする手法である。　⑸④

⑤　アロー・ダイヤグラム法は，問題解決や新製品開発などの初めてのプロジェクトの進行過程において，あらかじめ予想される障害などに対する対策を盛り込みながら，望ましい方向に推進する手法である。　[55]

⑥　最適な日程計画を立てたり効率よく進度を管理したりするための手法はPDPC法である。　[56]

【解答欄】

(51)	(52)	(53)	(54)	(55)	(56)

【問 12】

次の文章における下線部のうち誤っている箇所はどれか。該当する下線部の番号を解答欄に記入せよ。

　ある製品の試作機器が 5 基準備できたのでそれらを順次試験したところ，それぞれ，2，5，8，10，20時間で故障した。この結果から求められる①平均故障寿命は9.0時間，②平均故障率は22.2%／時間，③稼働時間 8 時間に対する信頼度は60%，④稼働時間10時間に対する信頼度は40%，⑤稼働時間20時間に対する信頼度は20%となる。

【解答欄】

(57)

【問 13】

タイプAおよびタイプBの2種の装置部分がそれぞれ同一の機器2基ずつよりなるシステムにおいて，AおよびBの装置部分がそれぞれ1基ずつ稼働するなら，このシステムは機能するという。AおよびBの個々の機器の稼働信頼度がそれぞれ p および q である時，システム全体としての信頼度はどのように表わされるか。適切なものを選択肢から選んで解答欄に記入せよ。

【選択肢】

　ア．p^2q^2　　　　　　　イ．$pq^2(1-q)$　　　　　ウ．$p^2q(1-p)$
　エ．$pq^2(1-p)$　　　　　オ．$p^2q(1-q)$　　　　　カ．$pq(1-p)(1-q)$

キ．$pq\,(2-p)\,(1-q)$　　ク．$pq\,(1-p)\,(2-q)$　　ケ．$pq\,(2-p)\,(2-q)$

【解答欄】

(58)

【問 14】

　変量 $x_i\,(i=1\sim n)$ について，その平均値を $\overline{x}$ と書き，またその偏差 $\mathit{\Delta}x$ を次式で定義する時，

$$\mathit{\Delta}x = x_i - \overline{x}$$

選択肢欄の各式の中で，誤っているものを選んで解答欄に記入せよ。

　ただし，x と y は互いに独立で，a は定数とする。

【選択肢】

ア．$\overline{x+y} = \overline{x}+\overline{y}$　　イ．$\overline{x+a} = \overline{x}$　　ウ．$\overline{\mathit{\Delta}x} = 0$

エ．$\overline{xy} = \overline{x}\,\overline{y}$　　オ．$\overline{\mathit{\Delta}x\mathit{\Delta}y} = 0$

【解答欄】

(59)

【問 15】

　管理図において次のような特徴がある場合に，工程管理上もっとも好ましいものはどれか。該当する選択肢の記号を解答欄に記入せよ。ただし，管理範囲を6等分した6領域において，中心線 CL に最も近い二つの領域を C 域，中心線から最も遠い二つの領域を A 域，それらの間の二つの領域を B 域と呼ぶものとする。

【選択肢】

　ア．連続する9点が中心線の上側にある場合

　イ．連続する5点の中で，4点が C 域にない場合

　ウ．連続する15点が C 域にある場合

　エ．連続する3点の中で，2点が A 域または A〜C のいずれにもない場合

　オ．連続して6点が減少している場合

【解答欄】

(60)

【問 16】

　工程管理において重要な基礎として，3S，5S，あるいは，4M，5M
ということが言われるが，次の記述の　(61)　～　(64)　のそれぞれ
に対して適切なものを選択肢欄から選んでその記号を解答欄に記入せ
よ。ただし，各選択肢を複数回用いることはない。

3S：整理，整頓，　(61)
5S：整理，整頓，　(61)　，　(62)　，清潔
4M：人，材料，機械，　(63)
5M：人，材料，機械，　(63)　，　(64)

【選択肢】
　ア．躾　　　イ．方法　　　ウ．統制　　　エ．測定　　　オ．清掃

【解答欄】

(61)	(62)	(63)	(64)

【問 17】

　二項分布に関する次の文章の　(65)　～　(71)　に入るべき最も適
切なものを，選択肢より選んで，その記号を解答欄に記入せよ。ただ
し，同一の選択肢を複数回用いることもあるものとする。

　二項分布は，投げた硬貨の表裏の出る確率のように 2 つの事象しかない時の
確率分布である。2 つの事象の確率を s および t とすると，$s+t=$ (65) で
あるから，その試行を n 回繰返した時に，s が x 回，t が y 回起こる確率は，
次式のようになる。($x+y=$ (66))

$$(67)\ s^x t^y = (67)\ s^x (1-s)^{n-x}$$

　汚れや欠損のない硬貨を無作為に投げて，表が上を向くか，裏が上を向くか
を判定する場合，表の出る確率は (68) であり，裏の出る確率は (69) で
ある。その硬貨を 5 回投げて 5 回とも表が出る確率は (70) であり，5 回の

うち2回だけ表が出る確率は　(71)　である。

【選択肢】

ア．$_nP_x$　　　イ．$_nC_x$　　　ウ．n　　　エ．$2n$　　　オ．$3n$

カ．0.1　　　キ．0.25　　　ク．0.5　　　ケ．0.5^2　　　コ．0.5^3

サ．0.5^4　　　シ．0.5^5　　　ス．0.75　　　セ．0.8　　　ソ．1.0

タ．10×0.5^2　　チ．10×0.5^3　　ツ．10×0.5^4　　テ．10×0.5^5　　ト．10×0.5^6

【解答欄】

(65)	(66)	(67)	(68)	(69)	(70)	(71)

【問 18】

　JIS Z 9015-1の各表（巻末p323付表10〜p326付表13）を用いて，次の①〜④の抜取検査方式を求めたい。空欄　(72)　〜　(88)　に入るものを選択肢より選んで答えよ。ただし，同一の選択肢を複数回用いることもあるものとする。

① 検査水準Ⅱ，AQL＝1.0％の製品につき，ロットサイズ$N=1,500$である時，サンプル文字は　(72)　である。ここで，なみ検査の1回抜取検査方式を採用するなら，その場合の抜き取り方式は，$n=$　(73)　，Ac＝　(74)　，Re＝　(75)　となる。この検査でサンプル中に2個の不適合品があった場合，このロットの検査判定は　(76)　となる。

② 検査水準Ⅱ，AQL＝1.0％の製品につき，ロットサイズ$N=1,500$のものについて，ゆるい検査の1回抜取検査を採用する時，$n=$　(77)　，Ac＝　(78)　，Re＝　(79)　となる。

③ 同様に検査水準Ⅱ，AQL＝1.0％の製品につき，ロットサイズ$N=1,500$で，きつい検査を行うなら，1回抜取検査方式では，$n=$　(80)　，Ac＝　(81)　，Re＝　(82)　となる。

④ 検査水準Ⅱ，AQL＝1.0％の製品において，ロットサイズ$N=1,500$の時，なみ検査の2回抜取検査方式を採用するなら，

$n_1=$　(83)　，Ac$_1=$　(84)　，Re$_1=$　(85)

$n_2=$　(86)　，Ac$_2=$　(87)　，Re$_2=$　(88)

第4章

【選択肢】

ア．合格	イ．不合格	ウ．H	エ．I	オ．J
カ．K	キ．L	ク．1	ケ．2	コ．3
サ．4	シ．5	ス．6	セ．7	ソ．8
タ．10	チ．20	ツ．30	テ．40	ト．50
ナ．60	ニ．70	ヌ．80	ネ．90	ノ．100
ハ．110	ヒ．120	フ．125	ヘ．130	ホ．150

【解答欄】

(72)	(73)	(74)	(75)	(76)	(77)	(78)

(79)	(80)	(81)	(82)	(83)	(84)	(85)

(86)	(87)	(88)

【問 19】

　検定について述べた以下の文章①〜⑤において，空欄　(89)　〜
　(93)　に入るものを選択肢より選んで答えよ。ただし，同一の選択肢を複数回用いることはないものとする。

　ある製造工程で，部品 A の工程平均重量について検討する。

　帰無仮説　$H_0 : m = 5.0\,\text{kg}$ とする。

① 　帰無仮説　$H_0 : m = 5.0\,\text{kg}$ が誤りであるにもかかわらず，これを棄却しない誤りを　(89)　という。

② 　帰無仮説　$H_0 : m = 5.0\,\text{kg}$ が正しいにもかかわらず，これを棄却する誤りを　(90)　という。

③ 　その対立仮説が正しいとき，これを採択する確率を　(91)　という。

④ 　帰無仮説　$H_0 : m = 5.0\,\text{kg}$，対立仮説　$H_1 : m \neq 5.0\,\text{kg}$ とする検定方式は　(92)　である。

⑤ 　この工程を改善した後に，サンプルを採って母平均の変化の有無を検討したい。母分散が変化している可能性があるとみるなら，その場合に用いる検

定統計量は 〔93〕 である。

【選択肢】

ア. $\dfrac{\text{標本平均値}-\text{母平均値}}{\sqrt{\dfrac{\text{母分散}}{\text{標本数}}}}$　　イ. $\dfrac{\text{標本平均値}-\text{母平均値}}{\sqrt{\dfrac{\text{不偏分散}}{\text{標本数}}}}$

ウ. $\dfrac{\text{標本平均値}-\text{母平均値}}{\sqrt{\dfrac{\text{標本数}}{\text{母分散}}}}$　　エ. $\dfrac{\text{標本平均値}-\text{母平均値}}{\sqrt{\dfrac{\text{標本数}}{\text{不偏分散}}}}$

オ. 片側検定　カ. 両側検定　　キ. 排出力　　ク. 検出力　ケ. 棄却力
コ. 採択力　サ. 第一種の誤り　シ. 第二種の誤り

【解答欄】

(89)	(90)	(91)	(92)	(93)

模擬試験は以上です
おつかれさまでした
少し休まれてから
採点してみましょうか

わからなかったところがあれば
解説や本文を復習してみて下さい

第4章

2 模擬問題の解答

【問 1】

(1)	(2)	(3)	(4)	(5)
イ	エ	ク	ウ	ケ

【問 2】

(6)	(7)	(8)	(9)	(10)
キ	サ	エ	ト	コ

【問 3】

(11)	(12)	(13)	(14)	(15)
エ	シ	キ	コ	ソ

【問 4】

(16)	(17)	(18)	(19)
○	×	×	○

【問 5】

(20)	(21)	(22)	(23)	(24)
オ	エ	ウ	カ	ア

【問 6】

(25)	(26)	(27)	(28)	(29)
○	○	×	×	○

【問 7】

(30)	(31)	(32)	(33)	(34)
イ	ケ	エ	コ	オ

【問 8】

(35)	(36)	(37)	(38)	(39)	(40)	(41)	(42)
×	○	×	○	○	×	○	×

【問 9】

(43)	(44)	(45)	(46)	(47)
イ	ア	エ	カ	ク

【問 10】

(48)	(49)	(50)
キ	ク	オ

【問 11】

(51)	(52)	(53)	(54)	(55)	(56)
×	○	○	○	×	×

【問 12】

(57)
②

【問 13】

(58)
ケ

【問 14】

(59)
イ

【問 15】

(60)
ウ

【問 16】

(61)	(62)	(63)	(64)
オ	ア	イ	エ

【問 17】

(65)	(66)	(67)	(68)	(69)	(70)	(71)
ソ	ウ	イ	ク	ク	シ	テ

【問 18】

(72)	(73)	(74)	(75)	(76)	(77)	(78)
カ	フ	コ	サ	ア	ト	ケ
(79)	(80)	(81)	(82)	(83)	(84)	(85)
コ	フ	ケ	コ	ヌ	ク	コ
(86)	(87)	(88)				
ヌ	サ	シ				

【問 19】

(89)	(90)	(91)	(92)	(93)
シ	サ	ク	カ	イ

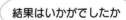

結果はいかがでしたか

第4章

3 模擬問題の解説

【問 1】

解答

(1)	(2)	(3)	(4)	(5)
イ	エ	ク	ウ	ケ

解説

実験計画法の中の，交互作用に関する出題です。因子 A および因子 B はそれぞれ 3 水準ということですから，それぞれの因子の自由度はいずれも 2 となります。

したがって， (1) を ϕ_A と書けば，$\phi_A = 3-1 = 2$，$\phi_B = 3-1 = 2$ （選択肢はイ）

交互作用 A×B の自由度は，$\phi_{A \times B} = \phi_A \times \phi_B = 2 \times 2 = 4$ なので， (2) は 4 で，選択肢はエとなります。

総平方和 S_T の自由度 ϕ_T は，$\phi_T = 3 \times 3 \times 2 - 1 = 17$

誤差の自由度 ϕ_E は，$\phi_E = \phi_T - (\phi_A + \phi_B + \phi_{A \times B}) = 17 - (2+2+4) = 9$

次に誤差の平方和 S_E は，

（因子 A および B，A×B の平方和を，それぞれ S_A および S_B，$S_{A \times B}$ として）

$$S_E = S_T - (S_A + S_B + S_{A \times B}) = 14.3 - (6.0 + 5.0 + 2.4) = 0.9$$

ここから平均平方を求めて，

$$V_A = S_A / \phi_A = 6.0 \div 2 = 3.0$$
$$V_B = S_B / \phi_B = 5.0 \div 2 = 2.5$$
$$V_{A \times B} = S_{A \times B} / \phi_{A \times B} = 2.4 \div 4 = 0.6$$
$$V_E = S_E / \phi_E = 0.9 \div 9 = 0.1$$

これらより，分散比 (3) は $V_A / V_E = 3.0 \div 0.1 = 30.0$ （選択肢はク）
分散比 (4) は $V_{A \times B} / V_E = 0.6 \div 0.1 = 6.0$ （選択肢はウ）

この値が，$F(\phi_{A \times B}, \phi_E ; 0.05) = F(4, 9 ; 0.05) = 3.63$ より大きいことがわかり，交互作用は有意であると言えます。 (5) は選択肢ケの「である」を選びます。

【問 2】

解答

(6)	(7)	(8)	(9)	(10)
キ	サ	エ	ト	コ

解説

① β の推定値 $\hat{\beta}$ は，S_{xy}/S_{xx} ですから，

$$\hat{\beta} = \frac{S_{xy}}{S_{xx}} = \frac{200}{100} = 2.0$$

② α の推定値 $\hat{\alpha}$ は，$\hat{\alpha} = \overline{y} - \hat{\beta}\overline{x}$ ですから，これに平均値を入れて，

$$\hat{\alpha} = \overline{y} - \hat{\beta}\overline{x} = 50 - 2 \times 20 = 10$$

③ 寄与率（決定係数）R^2 は，S_R/S_T ですから，

$$\frac{S_R}{S_T} = \frac{S_{xy}^2}{S_{xx}S_{yy}} = \frac{200^2}{100 \times 500} = 0.8$$

④ 残差平方和 S_E は，

$$S_E = S_T - S_R = S_{yy} - \frac{S_{xy}^2}{S_{xx}} = 500 - \frac{200^2}{100} = 100$$

⑤ 残差の標準偏差 s_E は，

$$s_E = \sqrt{\frac{S_E}{n-2}} = \sqrt{\frac{100}{10-2}} = 3.53$$

【問 3】

解答

(11)	(12)	(13)	(14)	(15)
エ	シ	キ	コ	ソ

解説

　信頼性工学の問題です。基本は，直列と並列の場合のそれぞれの合成計算法になります。直列では信頼性はそのまま掛け算になりますが，並列では不信頼度という信頼性の反対の概念の掛け算となります。例で示しますと，

1）直列

$$-\boxed{0.900}-\boxed{0.900}-$$

$$0.900 \times 0.900 = 0.810$$

2）並列

$$-\boxed{0.900}-$$
$$-\boxed{0.900}-$$

　　この場合は，それぞれの要素の不信頼度 $1 - 0.900 = 0.100$ の掛け算で，

$$0.100 \times 0.100 = 0.010$$

　これが総合の不信頼度ですので，総合の信頼度は1からこれを引いたものとなります。

$$1 - 0.010 = 0.990$$

① 4要素とも直列ですから，$0.900^4 = 0.6561$

② 前段が0.990，後段も0.990ですから，

$$0.990 \times 0.990 = 0.9801$$

③ 前段が $1 - (1 - 0.9)^3 = 0.999$，これと0.900が直列結合していますので，

$$0.999 \times 0.900 = 0.8991$$

④ それぞれの直列結合が0.810ですので，それを並列結合しますと，それぞれの不信頼度0.190から

$$0.190^2 = 0.0361$$

　これを1から引き算して，

$$1 - 0.0361 = 0.9639$$

⑤ すべてが並列ですから，不信頼度0.100の4乗で，

$$0.100^4 = 0.0001$$

　これを1から引き算して，

$$1 - 0.0001 = 0.9999$$

【問 4 】
解答

(16)	(17)	(18)	(19)
○	×	×	○

解説

② 国際的な標準化を国際標準化といいますが，電気分野でIEC，その他分野ではISOなどで国際標準化が進められています。

③ ENとは欧州規格ですので，国家を超えるという意味では国際的ではありますが，欧州という地域に限定されていますので，国際標準ではなくて，世界の中のある地域のものとして，国際地域間標準に分類されます。これらは，規格という目で見れば，国際規格，国際地域間規格などとも呼ばれます。

【問 5】

解答

⑳	㉑	㉒	㉓	㉔
オ	エ	ウ	カ	ア

解説

　サンプリング方法の問題は2級検定ではよく出題されますので，それぞれの意味を確認しておいて下さい。

【問 6】

解答

㉕	㉖	㉗	㉘	㉙
○	○	×	×	○

解説

② 記述の通りです。データ数の大きいものに対して先に対策をとったほうが早く大きな効果が得られるという考えに基づくものです。

③ 最もデータ数の大きな項目を示す柱状図とは，通常最も左に位置する柱状の長方形です。つまり最も件数（度）の大きな項目ですが，その場合には，柱状の長方形の右上端に打点されるのが正しいのです。最大頻度の項目の分が長方形の右端なので，その長方形には右上がりの対角線が引かれることになります。

④ その他という項目が最も頻度の小さいものにはならないことは一般的にあることですが，その場合でもその他の柱状図は最も右に記載されることが多

くなっています。その他の頻度が多くても対策はとりにくいからです。

【問 7】
解答

(30)	(31)	(32)	(33)	(34)
イ	ケ	エ	コ	オ

解説

　それぞれの　　　　　に正解となる用語等を入れて，あらためて文章を掲載しますと，次のようになります。n が大きくなるほど測定値平均 $\overline{x}$ が $N\left(\mu, \dfrac{\sigma^2}{n}\right)$ に従うことは，中心極限定理という重要な性質となります。

　一般に，データ数 n が大きい統計量は，正規分布に従うことが多い。品質管理では通常このことを基礎としている。正規分布は母平均 μ と母分散 σ^2 によって定まり，記号で $N(\mu, \sigma^2)$ と書かれる。すべての正規分布は標準化を行うことによって，標準正規分布である $N(0, 1^2)$ に変換される。

　$N(\mu, \sigma^2)$ に従う確率変数 x について，ランダムにサンプリングされた大きさ n のサンプルの測定値平均 $\overline{x}$ は，n が大きくなるほど $N\left(\mu, \dfrac{\sigma^2}{n}\right)$ に従う。

【問 8】
解答

(35)	(36)	(37)	(38)	(39)	(40)	(41)	(42)
×	○	×	○	○	×	○	×

解説

① そのような場合に，$\mu \neq \mu_0$ とする場合には，H_1 は両側仮説と呼ばれます。片側仮説は $\mu > \mu_0$ あるいは $\mu < \mu_0$ とするような場合となります。

③ 母集団の母数がどの程度であるかを推測する時の方法は，検定ではなくて，推定です。

⑥ 記述は逆になっています。平均値の差の検定には t 分布が用いられ，母分散の比には F 分布が用いられます。

⑧ 第1種の過誤（第1種の誤り）はあわてものの誤りといわれています。ぼんやりものの誤りは第2種の過誤（第2種の誤り）といわれます。

【問 9】
解答

⑷3	⑷4	⑷5	⑷6	⑷7
イ	ア	エ	カ	ク

解説

それぞれの ☐ に正解となる用語を入れて，あらためて文章を掲載しますと，次のようになります。相関と回帰の違いをよく見ておいて下さい。

> 相関と回帰は，いずれも二つの変数の間の関係を把握するための手法であるが，相関が二つの変数の間の関係を見ることに主眼があるのに対し，回帰は一方の変数で他方の変数を説明することを目的としている。
>
> 一般に互いに独立な二つの変数は，相関係数がゼロとなる。しかし，相関係数がゼロであるからといってこれらの変数が互いに独立であるとは限らない。例えば，$y = x^2$ の放物線の上に x が正から負の領域において分布する散布図の場合には，相関係数がほぼゼロとなるが，互いに独立とは言えない。相関係数だけで判断してはいけない場合もある。その場合において，散布図が表わす情報は特に重要となる。

【問 10】
解答

⑷8	⑷9	⑸0
キ	ク	オ

解説

本文で解説しました通りです。ク. の無作為化はランダム化ともいいます。

【問 11】

(51)	(52)	(53)	(54)	(55)	(56)
×	○	○	○	×	×

解説

① 　記述の前半はその通りですね。しかし，例外の例として挙げられているものが誤りです。QC 七つ道具における例外は特性要因図で，新 QC 七つ道具での例外はマトリックスデータ解析法でしたね。

⑤ 　記述の方法は，アロー・ダイヤグラム法のことではなくて，PDPC 法のことです。

⑥ 　最適な日程計画を立てたり効率よく進度を管理したりするための手法は，PDPC 法ではなくて，アロー・ダイヤグラム法です。

【問 12】
解答

(57)
②

解説

平均故障寿命は総動作時間を総故障数で割ったものですので，

$$\frac{2+5+8+10+20}{5} = 9.0 \text{時間}$$

また，平均故障率は総故障数を総動作時間で割ったものですので，

$$\frac{5}{2+5+8+10+20} \times 100 = 0.111 \times 100 = 11.1\,\% ／時間$$

さらに，稼働時間 8 時間に対する信頼度は，5 基の中で 3 基が 8 時間を稼働できましたので，

$$3 \div 5 \times 100 = 60\,\%$$

同様に，稼働時間10時間（2 基が稼働），および，20時間（1 基が稼働）のそれは，それぞれ，

$$2 \div 5 \times 100 = 40\,\%$$

$$1 \div 5 \times 100 = 20\%$$

【問 13】
解答

⒀
ケ

解説

　Ａの装置群およびＢの装置群はそれぞれ独立なので，それぞれの信頼度を求めて掛け算すればよいと考えます。まず，タイプＡについてその信頼度は少なくとも１基が稼働していればよいので，次の３つのケースがある中で，①と②が該当します。

① 　２基とも稼働するケース ⇒ 確率は p^2

② 　どちらか１基だけが稼働するケース ⇒ 確率は $2p(1-p)$

③ 　いずれも稼働しないケース ⇒ 確率は $(1-p)^2$

　このうち，①＋②が信頼度を与える場合ですから，その合計は $p^2 + 2p(1-p) = p(2-p)$，タイプＢも全く同様で，その信頼度合計は $q(2-q)$

　以上より，全体のシステムの信頼度はこれらの積となりますので，次のようになります。$p(2-p) \times q(2-q) = pq(2-p)(2-q)$

【問 14】
解答

⒁
イ

解説

　平均をとるという操作は，「加減算に対して線形」と言われます。それは次のような性質を持つからです。

$$\overline{ax \pm by} = a\overline{x} \pm b\overline{y} \quad \text{(複号同順)}$$

　この式は，加減算をしてから平均をとっても，平均をとってから加減算をしても結果は同じであるということを表わしています。

　これを使えば，ア．は正しいことが分かりますね。$a=1$，$b=1$として，±

のうち＋を採用すればよいのですね

　次に，イ．は上の式で，＝1，$b=1$ として，y を新たな a（つまり，y は常に a という定数の値をとる変量）にすればよいのですが，その場合，右辺でも a が消えては困りますね。

$$\overline{x+a}=\overline{x}+a$$

とならなければなりません。

　ウ．については，$\overline{\overline{x}}=\overline{x}$（平均の平均は，平均と同じ）ですから，

$$\begin{aligned}\overline{\Delta x}&=\overline{x_i-\overline{x}}\\&=\overline{x}_i-\overline{\overline{x}}\\&=\overline{x}-\overline{x}=0\end{aligned}$$

　また，x と y とが互いに独立であるということは，それらの間の相関係数 r がゼロということですから，

$$r=0$$

　一方，相関係数は次のように書けますから，

$$r=\frac{S_{xy}}{\sqrt{S_{xx}S_{yy}}}$$

　この式で，S_{xx}, S_{xy}, S_{yy} は，偏差平方和（S_{xx}, S_{yy}）および偏差積和（S_{xy}）で，それぞれ次のように定義されています。

$$\begin{aligned}S_{xx}&=\sum_{i=1}^{n}\left(x_i-\overline{x}\right)^2\\S_{xy}&=\sum_{i=1}^{n}=\left(x_i-\overline{x}\right)\left(y_i-\overline{y}\right)\\S_{yy}&=\sum_{i=1}^{n}=\left(y_i-\overline{y}\right)^2\end{aligned}$$

偏差積和とは
x と y の偏差を掛け算して
そのあと全部足し合わせるということで
わかりやすい名前ですね

　従って，$S_{xy}=0$ の場合には，

$$\sum_{i=1}^{n}\left(x_i-\overline{x}\right)\left(y_i-\overline{y}\right)=0$$

　これを展開して，

$$\sum_{i=1}^{n}\left(x_iy_i-\overline{x}y_i-x_i\overline{y}+\overline{x}\ \overline{y}\right)=0$$

さらに，次の式を使って整理します。

$$\sum_{i=1}^{n} x_i y_i = n\overline{xy}$$

$$\sum_{i=1}^{n} x_i = n\bar{x}$$

$$\sum_{i=1}^{n} y_i = n\bar{y}$$

$$\sum_{i=1}^{n} \bar{x}\,\bar{y} = n\bar{x}\,\bar{y}$$

結局，

$$\overline{xy} = \bar{x}\,\bar{y}$$

となって，エ．も正しいことになります。

最後にオ．は，次のようになってこれも正しいことがわかります。

$$\begin{aligned}
\overline{\Delta x \Delta y} &= \overline{(x_i - \bar{x})(y_i - \bar{y})} \\
&= \overline{x_i y_i - \bar{x}y_i - x_i\bar{y} + \bar{x}\,\bar{y}} \\
&= \overline{x_i y_i} - \bar{\bar{x}}\,\bar{y} - \bar{x}\,\overline{\bar{y}} + \overline{\bar{x}\,\bar{y}} \\
&= \bar{x}\,\bar{y} - \bar{x}\,\bar{y} - \bar{x}\,\bar{y} + \bar{x}\,\bar{y} \\
&= 0
\end{aligned}$$

【問 15】

解答

⑥
ウ

解説

　問題における ABC の帯は整理してみますと，次のようになります。ここで，s はサンプルの標準偏差です。

A 域	管理範囲の最上端の領域（$+2s \sim +3s$）
B 域	中間の領域（$+s \sim +2s$）
C 域	中心線のすぐ上の領域（$0 \sim +s$）
C 域	中心線のすぐ下の領域（$-s \sim 0$）
B 域	中間の領域（$-2s \sim -s$）
A 域	管理範囲の最下端の領域（$-3s \sim -2s$）

第4章

選択肢をよく読めば，イ．およびエ．は「ばらつき」が大きくなったことが疑われる場合であるとわかります。また，ア．およびオ．は「かたより」が疑われる場合ですね。ウ．は「ばらつき」が小さくなった可能性を示すものなので，望ましい状態と言えます。検討して，管理幅を縮小できる可能性があると思われます。

問題で示された管理図の特徴の他に，次のような場合などにも注目して対処します。

・1点が中心線から遠い側のA域の外側にある場合
・連続して6点が増加している場合
・連続して14点が交互に増減している場合

【問 16】
解答

(61)	(62)	(63)	(64)
オ	ア	イ	エ

解説

正解を入れて，正しくまとめますと，次のようになります。

```
3S：整理，整頓，清掃
5S：整理，整頓，清掃，躾，清潔
4M：人，材料，機械，方法
5M：人，材料，機械，方法，測定
```

【問 17】
解答

(65)	(66)	(67)	(68)	(69)	(70)	(71)
ソ	ウ	イ	ク	ク	シ	テ

解説

コインの表裏の出る確率が0.5であることはわかりやすいと思います。それが5回とも表の出る確率は0.5^5となります。2回だけ表の出る確率は，

$_5C_2 = 10$ですので，次のようになります。

$$_nC_xs^xt^y = {}_5C_20.5^20.5^3 = 10 \times 0.5^5$$

【問 18】

解答

(72)	(73)	(74)	(75)	(76)	(77)	(78)
カ	フ	コ	サ	ア	ト	ケ

(79)	(80)	(81)	(82)	(83)	(84)	(85)
コ	フ	ケ	コ	ヌ	ク	コ

(86)	(87)	(88)
ヌ	サ	シ

図や表やイラストを書いてみることは，問題を解くのに結構役立つものなんだね

解説

① 　検査水準については，サンプル（サイズ）文字の表（p 322，付表9）より，特に指定や特別な理由のない限り，「通常検査水準Ⅱ」を使用します。サンプルサイズを小さくしたい時には，「特別検査水準S−1〜4」あるいは，「通常検査水準Ⅰ」を選択しますが，サンプルサイズを大きくしたい時には，「通常検査水準Ⅲ」を選びます。特に指定のない時は「通常検査水準Ⅱ」とします。

　これによって，サンプルサイズ文字はKとなります。次に，なみ検査の1回抜取検査の表（p 323，付表10）より，このKから，$n = 125$，Ac $= 3$，Re $= 4$を得ます。

　Ac $= 3$とは，サンプル中に不適合品が3個以下の場合に合格判定をすることを意味します。Re $= 4$はサンプル中に不適合品が4個以上ある時に不合格と判定することを意味します。ここでは不適合品が2個ということですから，合格です。

② 　は，ゆるい検査の場合です。p 325，付表12より，Kの場合は，$n = 50$，Ac $= 2$，Re $= 3$となります。

③ 　は，きつい検査です。p 324，付表11より，Kの場合は，$n = 125$，Ac $= 2$，Re $= 3$となります。

④ 　では，なみ検査の2回抜取検査ということですので，p 326，付表13より，

$n_1 = 80$,　$\text{Ac}_1 = 1$,　$\text{Re}_1 = 3$

$n_2 = 80$,　$\text{Ac}_2 = 4$,　$\text{Re}_2 = 5$

【問 19】

解答

⑧⑨	⑨⓪	⑨①	⑨②	⑨③
シ	サ	ク	カ	イ

解説

① 帰無仮説が誤りである時に，これを棄却しない誤りは，第二種の誤りといいます。誤りをほっておく誤りですので，別名を「ぼんやりものの誤り」といいます。

② 帰無仮説が正しい時に，これを棄却してしまう誤りが，第一種の誤りです。これは，捨てなくてもいいものを捨てる誤りですので，「あわてものの誤り」ともいいます。

③ 対立仮説が正しい時，これが採択できる力（確率）を検出力と言っています。

④ 帰無仮説　$\text{H}_0 : m = 5.0\,\text{kg}$，対立仮説　$\text{H}_1 : m \neq 5.0\,\text{kg}$ とする検定方式は，m の大小の両方を含んでいますので，両側検定となります。

⑤ この工程を改善した後に，サンプルを採って母平均の変化の有無を検討する場合，母分散が変化している可能性があると考えられるならば，母分散を使ってはいけませんね。サンプルから得られる分散である不偏分散を用います。その分散を標本数で割るべきですから，正解はイ．の式となります。

模擬問題は
以上ですべて終わりですよ
たいへんおつかれ様でした

付図・付表

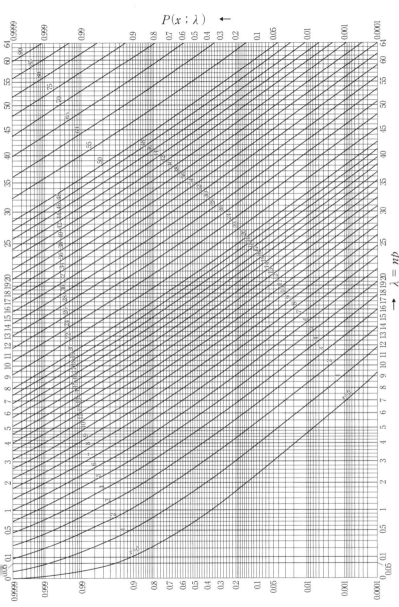

付図 1　累積確率曲線（ソーンダイク—芳賀曲線）

累積確率曲線はポアソン分布．不良率 p である無限母集団から抜き取った n 個のサンプル中に x 個以下の不良の起こる確率を求めるための関数

（出典：山内二郎他編，「簡約統計数値表」日本規格協会，p. 98, 1977年，B. S. T. J., October, 1926年に Miss. F. Thorndike によって与えられた図表を修正）

$\leftarrow P(x ; \lambda)$

$\rightarrow \lambda = np$

付
図

付表 1　正規分布表

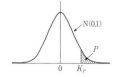

（Ⅰ）　K_p から P を求める表

K_p	*=0	1	2	3	4	5	6	7	8	9
0.0*	.5000	.4960	.4920	.4880	.4840	.4801	.4761	.4721	.4681	.4641
0.1*	.4602	.4562	.4522	.4483	.4443	.4404	.4364	.4325	.4286	.4247
0.2*	.4207	.4168	.4129	.4090	.4052	.4013	.3974	.3936	.3897	.3859
0.3*	.3821	.3783	.3745	.3707	.3669	.3632	.3594	.3557	.3520	.3483
0.4*	.3446	.3409	.3372	.3336	.3300	.3264	.3228	.3192	.3156	.3121
0.5*	.3085	.3050	.3015	.2981	.2946	.2912	.2877	.2843	.2810	.2776
0.6*	.2743	.2709	.2676	.2643	.2611	.2578	.2546	.2514	.2483	.2451
0.7*	.2420	.2389	.2358	.2327	.2296	.2266	.2236	.2206	.2177	.2148
0.8*	.2119	.2090	.2061	.2033	.2005	.1977	.1949	.1922	.1894	.1867
0.9*	.1841	.1814	.1788	.1762	.1736	.1711	.1685	.1660	.1635	.1611
1.0*	.1587	.1562	.1539	.1515	.1492	.1469	.1446	.1423	.1401	.1379
1.1*	.1357	.1335	.1314	.1292	.1271	.1251	.1230	.1210	.1190	.1170
1.2*	.1151	.1131	.1112	.1093	.1075	.1056	.1038	.1020	.1003	.0985
1.3*	.0968	.0951	.0934	.0918	.0901	.0885	.0869	.0853	.0838	.0823
1.4*	.0808	.0793	.0778	.0764	.0749	.0735	.0721	.0708	.0694	.0681
1.5*	.0668	.0655	.0643	.0630	.0618	.0606	.0594	.0582	.0571	.0559
1.6*	.0548	.0537	.0526	.0516	.0505	.0495	.0485	.0475	.0465	.0455
1.7*	.0446	.0436	.0427	.0418	.0409	.0401	.0392	.0384	.0375	.0367
1.8*	.0359	.0351	.0344	.0336	.0329	.0322	.0314	.0307	.0301	.0294
1.9*	.0287	.0281	.0274	.0268	.0262	.0256	.0250	.0244	.0239	.0233
2.0*	.0228	.0222	.0217	.0212	.0207	.0202	.0197	.0192	.0188	.0183
2.1*	.0179	.0174	.0170	.0166	.0162	.0158	.0154	.0150	.0146	.0143
2.2*	.0139	.0136	.0132	.0129	.0125	.0122	.0119	.0116	.0113	.0110
2.3*	.0107	.0104	.0102	.0099	.0096	.0094	.0091	.0089	.0087	.0084
2.4*	.0082	.0080	.0078	.0075	.0073	.0071	.0069	.0068	.0066	.0064
2.5*	.0062	.0060	.0059	.0057	.0055	.0054	.0052	.0051	.0049	.0048
2.6*	.0047	.0045	.0044	.0043	.0041	.0040	.0039	.0038	.0037	.0036
2.7*	.0035	.0034	.0033	.0032	.0031	.0030	.0029	.0028	.0027	.0026
2.8*	.0026	.0025	.0024	.0023	.0023	.0022	.0021	.0021	.0020	.0019
2.9*	.0019	.0018	.0018	.0017	.0016	.0016	.0015	.0015	.0014	.0014
3.0*	.0013	.0013	.0013	.0012	.0012	.0011	.0011	.0011	.0010	.0010

K_p	
3.5	.2326 E-3
4.0	.3167 E-4
4.5	.3398 E-5
5.0	.2867 E-6
5.5	.1899 E-7

（Ⅱ）　P から K_p を求める表（1）

P	.001	.005	0.01	.025	.05	.1	.2	.3	.4
K_p	3.090	2.576	2.326	1.960	1.645	1.282	.842	.524	.253

（Ⅲ）　P から K_p を求める表（2）

P	*=0	1	2	3	4	5	6	7	8	9
0.00*	∞	3.090	2.878	2.748	2.652	2.576	2.512	2.457	2.409	2.366
0.0*	∞	2.326	2.054	1.881	1.751	1.645	1.555	1.476	1.405	1.341
0.1*	1.282	1.227	1.175	1.126	1.080	1.036	.994	.954	.915	.878
0.2*	.842	.806	.772	.739	.706	.674	.643	.613	.583	.553
0.3*	.524	.496	.468	.440	.412	.385	.358	.332	.305	.279
0.4*	.253	.228	.202	.176	.151	.126	.100	.075	.050	.025

付表 2　　t 分布

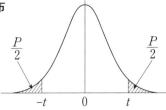

$$\frac{P}{2} \qquad \frac{P}{2}$$

$-t \qquad 0 \qquad t$

自由度 ϕ と両側確率 P とから t を求める表

ϕ \ P	0.50	0.40	0.30	0.20	0.10	0.05	0.02	0.01	0.001	P \ ϕ
1	1.000	I.376	1.963	3.078	6.314	12.706	31.821	63.657	636.619	1
2	0.816	1.061	1.386	1.886	2.920	4.303	6.965	9.925	31.599	2
3	0.765	0.978	1.250	1.638	2.353	3.182	4.541	5.841	12.924	3
4	0.741	0.941	1.190	1.533	2.132	2.776	3.747	4.604	8.610	4
5	0.727	0.920	1.156	1.476	2.015	2.571	3.365	4.032	6.869	5
6	0.718	0.906	1.134	1.440	1.943	2.447	3.143	3.707	5.959	6
7	0.711	0.896	1.119	1.415	1.895	2.365	2.998	3.499	5.408	7
8	0.706	0.889	1.108	1.397	1.860	2.306	2.896	3.355	5.041	8
9	0.703	0.883	1.100	1.383	1.833	2.262	2.821	3.250	4.781	9
10	0.700	0.879	1.093	1.372	1.812	2.228	2.764	3.169	4.587	10
11	0.697	0.876	1.088	1.363	1.796	2.201	2.718	3.106	4.437	11
12	0.695	0.873	1.083	1.356	1.782	2.179	2.681	3.055	4.318	12
13	0.694	0.870	1.079	1.350	1.771	2.160	2.650	3.012	4.221	13
14	0.692	0.868	1.076	1.345	1.761	2.145	2.624	2.977	4.140	14
15	0.691	0.866	1.074	1.341	1.753	2.131	2.602	2.947	4.073	15
16	0.690	0.865	1.071	1.337	1.746	2.120	2.583	2.921	4.015	16
17	0.689	0.863	1.069	1.333	1.740	2.110	2.567	2.898	3.965	17
18	0.688	0.862	1.067	1.330	1.734	2.101	2.552	2.878	3.922	18
19	0.688	0.861	1.066	1.328	1.729	2.093	2.539	2.861	3.883	19
20	0.687	0.860	1.064	1.325	1.725	2.086	2.528	2.845	3.850	20
21	0.686	0.859	1.063	1.323	1.721	2.080	2.518	2.831	3.819	21
22	0.686	0.858	1.061	1.321	1.717	2.074	2.508	2.819	3.792	22
23	0.685	0.858	1.060	1.319	1.714	2.069	2.500	2.807	3.768	23
24	0.685	0.857	1.059	1.318	1.711	2.064	2.492	2.797	3.745	24
25	0.684	0.856	1.058	1.316	1.708	2.060	2.485	2.787	3.725	25
26	0.684	0.856	1.058	1.315	1.706	2.056	2.479	2.779	3.707	26
27	0.684	0.855	1.057	1.314	1.703	2.052	2.473	2.771	3.690	27
28	0.683	0.855	1.056	1.313	1.701	2.048	2.467	2.763	3.674	28
29	0.683	0.854	1.055	1.311	1.699	2.045	2.462	2.756	3.659	29
30	0.683	0.854	1.055	1.310	1.697	2.042	2.457	2.750	3.646	30
40	0.681	0.851	1.050	1.303	1.684	2.021	2.423	2.704	3.551	40
60	0.679	0.848	1.046	1.296	1.671	2.000	2.390	2.660	3.460	60
120	0.677	0.845	1.041	1.289	1.658	1.980	2.358	2.617	3.373	120
∞	0.674	0.842	1.036	1.282	1.645	1.960	2.326	2.576	3.291	∞

例：$\phi = 9$ の両側 5 ％点（$P = 0.05$）に対する t の値は 2.262 となります

付表 3 χ^2 表

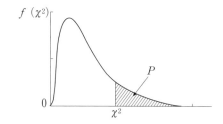

自由度 ϕ と両側確率 P とから χ^2 を求める表

P / ϕ	.995	.99	.975	.95	.90	.75	.50	.25	.10	.05	.025	.01	.005	P / ϕ
1	0.0^4393	0.0^3157	0.0^3982	0.0^2393	0.0158	0.102	0.455	1.323	2.71	3.84	5.02	6.63	7.88	1
2	0.0100	0.0201	0.0506	0.103	0.211	0.575	1.386	2.77	4.61	5.99	7.38	9.21	10.60	2
3	0.0717	0.115	0.216	0.325	0.584	1.213	2.37	4.11	6.25	7.81	9.35	11.34	12.84	3
4	0.207	0.297	0.484	0.711	1.064	1.923	3.36	5.39	7.78	9.49	11.14	13.28	14.86	4
5	0.412	0.544	0.831	1.145	1.610	2.67	4.35	6.63	9.24	11.07	12.83	15.09	16.75	5
6	0.676	0.872	1.237	1.635	2.20	3.45	5.35	7.84	10.64	12.59	14.45	16.81	18.55	6
7	0.989	1.239	1.690	2.17	2.83	4.25	6.35	9.04	12.02	14.07	16.01	18.48	20.3	7
8	1.344	1.646	2.18	2.73	3.49	5.07	7.34	10.22	13.36	15.51	17.53	20.1	22.0	8
9	1.735	2.09	2.70	3.33	4.17	5.90	8.34	11.39	14.68	16.92	19.02	21.7	23.6	9
10	2.16	2.56	3.25	3.94	4.87	6.74	9.34	12.55	15.99	18.31	20.5	23.2	25.2	10
11	2.60	3.05	3.82	4.57	5.58	7.58	10.34	13.70	17.28	19.68	21.9	24.7	26.8	11
12	3.07	3.57	4.40	5.23	6.30	8.44	11.34	14.85	18.55	21.0	23.3	26.2	28.3	12
13	3.57	4.11	5.01	5.89	7.04	9.30	12.34	15.98	19.81	22.4	24.7	27.7	29.8	13
14	4.07	4.66	5.63	6.57	7.79	10.17	13.34	17.12	21.1	23.7	26.1	29.1	31.3	14
15	4.60	5.23	6.26	7.26	8.55	11.04	14.34	18.25	22.3	25.0	27.5	30.6	32.8	15
16	5.14	5.81	6.91	7.96	9.31	11.91	15.34	19.37	23.5	26.3	28.8	32.0	34.3	16
17	5.70	6.41	7.56	8.67	10.09	12.79	16.34	20.5	24.8	27.6	30.2	33.4	35.7	17
18	6.26	7.01	8.23	9.39	10.86	13.68	17.34	21.6	26.0	28.9	31.5	34.8	37.2	18
19	6.84	7.63	8.91	10.12	11.65	14.56	18.34	22.7	27.2	30.1	32.9	36.2	38.6	19
20	7.43	8.26	9.59	10.85	12.44	15.45	19.34	23.8	28.4	31.4	34.2	37.6	40.0	20
21	8.03	8.90	10.28	11.59	13.24	16.34	20.3	24.9	29.6	32.7	35.5	38.9	41.4	21
22	8.64	9.54	10.98	12.34	14.04	17.24	21.3	26.0	30.8	33.9	36.8	40.3	42.8	22
23	9.26	10.20	11.69	13.09	14.85	18.14	22.3	27.1	32.0	35.2	38.1	41.6	44.2	23
24	9.89	10.86	12.40	13.85	15.66	19.04	23.3	28.2	33.2	36.4	39.4	43.0	45.6	24
25	10.52	11.52	13.12	14.61	16.47	19.94	24.3	29.3	34.4	37.7	40.6	44.3	46.9	25
26	11.16	12.20	13.84	15.38	17.29	20.8	25.3	30.4	35.6	38.9	41.9	45.6	48.3	26
27	11.81	12.88	14.57	16.15	18.11	21.7	26.3	31.5	36.7	40.1	43.2	47.0	49.6	27
28	12.46	13.56	15.31	16.93	18.94	22.7	27.3	32.6	37.9	41.3	44.5	48.3	51.0	28
29	13.12	14.26	16.05	17.71	19.77	23.6	28.3	33.7	39.1	42.6	45.7	49.6	52.3	29
30	13.79	14.95	16.79	18.49	20.6	24.5	29.3	34.8	40.3	43.8	47.0	50.9	53.7	30
40	20.7	22.2	24.4	26.5	29.1	33.7	39.3	45.6	51.8	55.8	59.3	63.7	66.8	40
50	28.0	29.7	32.4	34.8	37.7	42.9	49.3	56.3	63.2	67.5	71.4	76.2	79.5	50
60	35.5	37.5	40.5	43.2	46.5	52.3	59.3	67.0	74.4	79.1	83.3	88.4	92.0	60
70	43.3	45.4	48.8	51.7	55.3	61.7	69.3	77.6	85.5	90.5	95.0	100.4	104.2	70
80	51.2	53.5	57.2	60.4	64.3	71.1	79.3	88.1	96.6	101.9	106.6	112.3	116.3	80
90	59.2	61.8	65.6	69.1	73.3	80.6	89.3	98.6	107.6	113.1	118.1	124.1	128.3	90
100	67.3	70.1	74.2	77.9	82.4	90.1	99.3	109.1	118.5	124.3	129.6	135.9	140.2	100

付表4 F表 (0.025)

$F(\phi_1, \phi_2 ; \alpha)\ \alpha = 0.025$

$\phi_1 = $ 分子の自由度　$\phi_2 = $ 分母の自由度

2.5%

$\phi_2 \backslash \phi_1$	1	2	3	4	5	6	7	8	9	10	12	15	20	24	30	40	60	120	∞
1	648.	800.	864.	900.	922.	937.	948.	957.	963.	969.	977.	985.	993.	997.	1001.	1006.	1010.	1014.	1018.
2	38.5	39.0	39.2	39.2	39.3	39.3	39.4	39.4	39.4	39.4	39.4	39.4	39.4	39.5	39.5	39.5	39.5	39.5	39.5
3	17.4	16.0	15.4	15.1	14.9	14.7	14.6	14.5	14.5	14.4	14.3	14.3	14.2	14.1	14.1	14.0	14.0	13.9	13.9
4	12.2	10.6	9.98	9.60	9.36	9.20	9.07	8.98	8.90	8.84	8.75	8.66	8.56	8.51	8.46	8.41	8.36	8.31	8.26
5	10.0	8.43	7.76	7.39	7.15	6.98	6.85	6.76	6.68	6.62	6.52	6.43	6.33	6.28	6.23	6.18	6.12	6.07	6.02
6	8.81	7.26	6.60	6.23	5.99	5.82	5.70	5.60	5.52	5.46	5.37	5.27	5.17	5.12	5.07	5.01	4.96	4.90	4.85
7	8.07	6.54	5.89	5.52	5.29	5.12	4.99	4.90	4.82	4.76	4.67	4.57	4.47	4.42	4.36	4.31	4.25	4.20	4.14
8	7.57	6.06	5.42	5.05	4.82	4.65	4.53	4.43	4.36	4.30	4.20	4.10	4.00	3.95	3.89	3.84	3.78	3.73	3.67
9	7.21	5.71	5.08	4.72	4.48	4.32	4.20	4.10	4.03	3.96	3.87	3.77	3.67	3.61	3.56	3.51	3.45	3.39	3.33
10	6.94	5.46	4.83	4.47	4.24	4.07	3.95	3.85	3.78	3.72	3.62	3.52	3.42	3.37	3.31	3.26	3.20	3.14	3.08
11	6.72	5.26	4.63	4.28	4.04	3.88	3.76	3.66	3.59	3.53	3.43	3.33	3.23	3.17	3.12	3.06	3.00	2.94	2.88
12	6.55	5.10	4.47	4.12	3.89	3.73	3.61	3.51	3.44	3.37	3.28	3.18	3.07	3.02	2.96	2.91	2.85	2.79	2.72
13	6.41	4.97	4.35	4.00	3.77	3.60	3.48	3.39	3.31	3.25	3.15	3.05	2.95	2.89	2.84	2.78	2.72	2.66	2.60
14	6.30	4.86	4.24	3.89	3.66	3.50	3.38	3.29	3.21	3.15	3.05	2.95	2.84	2.79	2.73	2.67	2.61	2.55	2.49
15	6.20	4.77	4.15	3.80	3.58	3.41	3.29	3.20	3.12	3.06	2.96	2.86	2.76	2.70	2.64	2.59	2.52	2.46	2.40
16	6.12	4.69	4.08	3.73	3.50	3.34	3.22	3.12	3.05	2.99	2.89	2.79	2.68	2.63	2.57	2.51	2.45	2.38	2.32
17	6.04	4.62	4.01	3.66	3.44	3.28	3.16	3.06	2.98	2.92	2.82	2.72	2.62	2.56	2.50	2.44	2.38	2.32	2.25
18	5.98	4.56	3.95	3.61	3.38	3.22	3.10	3.01	2.93	2.87	2.77	2.67	2.56	2.50	2.44	2.38	2.32	2.26	2.19
19	5.92	4.51	3.90	3.56	3.33	3.17	3.05	2.96	2.88	2.82	2.72	2.62	2.51	2.45	2.39	2.33	2.27	2.20	2.13
20	5.87	4.46	3.86	3.51	3.29	3.13	3.01	2.91	2.84	2.77	2.68	2.57	2.46	2.41	2.35	2.29	2.22	2.16	2.09
21	5.83	4.42	3.82	3.48	3.25	3.09	2.97	2.87	2.80	2.73	2.64	2.53	2.42	2.37	2.31	2.25	2.18	2.11	2.04
22	5.79	4.38	3.78	3.44	3.22	3.05	2.93	2.84	2.76	2.70	2.60	2.50	2.39	2.33	2.27	2.21	2.14	2.08	2.00
23	5.75	4.35	3.75	3.41	3.18	3.02	2.90	2.81	2.73	2.67	2.57	2.47	2.36	2.30	2.24	2.18	2.11	2.04	1.97
24	5.72	4.32	3.72	3.38	3.15	2.99	2.87	2.78	2.70	2.64	2.54	2.44	2.33	2.27	2.21	2.15	2.08	2.01	1.94
25	5.69	4.29	3.69	3.35	3.13	2.97	2.85	2.75	2.68	2.61	2.51	2.41	2.30	2.24	2.18	2.12	2.05	1.98	1.91
26	5.66	4.27	3.67	3.33	3.10	2.94	2.82	2.73	2.65	2.59	2.49	2.39	2.28	2.22	2.16	2.09	2.03	1.95	1.88
27	5.63	4.24	3.65	3.31	3.08	2.92	2.80	2.71	2.63	2.57	2.47	2.36	2.25	2.19	2.13	2.07	2.00	1.93	1.85
28	5.61	4.22	3.63	3.29	3.06	2.90	2.78	2.69	2.61	2.55	2.45	2.34	2.23	2.17	2.11	2.05	1.98	1.91	1.83
29	5.59	4.20	3.61	3.27	3.04	2.88	2.76	2.67	2.59	2.53	2.43	2.32	2.21	2.15	2.09	2.03	1.96	1.89	1.81
30	5.57	4.18	3.59	3.25	3.03	2.87	2.75	2.65	2.57	2.51	2.41	2.31	2.20	2.14	2.07	2.01	1.94	1.87	1.79
40	5.42	4.05	3.46	3.13	2.90	2.74	2.62	2.53	2.45	2.39	2.29	2.18	2.07	2.01	1.94	1.88	1.80	1.72	1.64
60	5.29	3.93	3.34	3.01	2.79	2.63	2.51	2.41	2.33	2.27	2.17	2.06	1.94	1.88	1.82	1.74	1.67	1.58	1.48
120	5.15	3.80	3.23	2.89	2.67	2.52	2.39	2.30	2.22	2.16	2.05	1.94	1.82	1.76	1.69	1.61	1.53	1.43	1.31
∞	5.02	3.69	3.12	2.79	2.57	2.41	2.29	2.19	2.11	2.05	1.94	1.83	1.71	1.64	1.57	1.48	1.39	1.27	1.00

例：$\phi_1 = 5$，$\phi_2 = 10$ の F $(\phi_1, \phi_2 ; 0.025)$ の値は，$\phi_1 = 5$ の列と $\phi_2 = 10$ の行の交わる点の値 4.24 で与えられます。

付表5　F表 (0.05　0.01)

$F(\phi_1, \phi_2; \alpha)$　$\alpha = 0.05$（細字）　$\alpha = 0.01$（太字）
ϕ_1 ＝ 分子の自由度　ϕ_2 ＝ 分母の自由度

各セルは上段（細字）が $\alpha=0.05$、下段（太字）が $\alpha=0.01$ の値を表す。

$\phi_2 \backslash \phi_1$	1	2	3	4	5	6	7	8	9	10	12	15	20	24	30	40	60	120	∞
1	161.	200.	216.	225.	230.	234.	237.	239.	241.	242.	244.	246.	248.	249.	250.	251.	252.	253.	254.
	4052.	5000.	5403.	5625.	5764.	5859.	5928.	5981.	6022.	6056.	6106.	6157.	6209.	6235.	6261.	6287.	6313.	6339.	6366.
2	18.5	19.0	19.2	19.2	19.3	19.3	19.4	19.4	19.4	19.4	19.4	19.4	19.4	19.5	19.5	19.5	19.5	19.5	19.5
	98.5	99.0	99.2	99.2	99.3	99.3	99.4	99.4	99.4	99.4	99.4	99.4	99.4	99.5	99.5	99.5	99.5	99.5	99.5
3	10.1	9.55	9.28	9.12	9.01	8.94	8.89	8.85	8.81	8.79	8.74	8.70	8.66	8.64	8.62	8.59	8.57	8.55	8.53
	34.1	30.8	29.5	28.7	28.2	27.9	27.7	27.5	27.3	27.2	27.1	26.9	26.7	26.6	26.5	26.4	26.3	26.2	26.1
4	7.71	6.94	6.59	6.39	6.26	6.16	6.09	6.04	6.00	5.96	5.91	5.86	5.80	5.77	5.75	5.72	5.69	5.66	5.63
	21.2	18.0	16.7	16.0	15.5	15.2	15.0	14.8	14.7	14.5	14.4	14.2	14.0	13.9	13.8	13.7	13.7	13.6	13.5
5	6.61	5.79	5.41	5.19	5.05	4.95	4.88	4.82	4.77	4.74	4.68	4.62	4.56	4.53	4.50	4.46	4.43	4.40	4.36
	16.3	13.3	12.1	11.4	11.0	10.7	10.5	10.3	10.2	10.1	9.89	9.72	9.55	9.47	9.38	9.29	9.20	9.11	9.02
6	5.99	5.14	4.76	4.53	4.39	4.28	4.21	4.15	4.10	4.06	4.00	3.94	3.87	3.84	3.81	3.77	3.74	3.70	3.67
	13.7	10.9	9.78	9.15	8.75	8.47	8.26	8.10	7.98	7.87	7.72	7.56	7.40	7.31	7.23	7.14	7.06	6.97	6.88
7	5.59	4.74	4.35	4.12	3.97	3.87	3.79	3.73	3.68	3.64	3.57	3.51	3.44	3.41	3.38	3.34	3.30	3.27	3.23
	12.2	9.55	8.45	7.85	7.46	7.19	6.99	6.84	6.72	6.62	6.47	6.31	6.16	6.07	5.99	5.91	5.82	5.74	5.65
8	5.32	4.46	4.07	3.84	3.69	3.58	3.50	3.44	3.39	3.35	3.28	3.22	3.15	3.12	3.08	3.04	3.01	2.97	2.93
	11.3	8.65	7.59	7.01	6.63	6.37	6.18	6.03	5.91	5.81	5.67	5.52	5.36	5.28	5.20	5.12	5.03	4.95	4.86
9	5.12	4.26	3.86	3.63	3.48	3.37	3.29	3.23	3.18	3.14	3.07	3.01	2.94	2.90	2.86	2.83	2.79	2.75	2.71
	10.6	8.02	6.99	6.42	6.06	5.80	5.61	5.47	5.35	5.26	5.11	4.96	4.81	4.73	4.65	4.57	4.48	4.40	4.31
10	4.96	4.10	3.71	3.48	3.33	3.22	3.14	3.07	3.02	2.98	2.91	2.85	2.77	2.74	2.70	2.66	2.62	2.58	2.54
	10.0	7.56	6.55	5.99	5.64	5.39	5.20	5.06	4.94	4.85	4.71	4.56	4.41	4.33	4.25	4.17	4.08	4.00	3.91
11	4.84	3.98	3.59	3.36	3.20	3.09	3.01	2.95	2.90	2.85	2.79	2.72	2.65	2.61	2.57	2.53	2.49	2.45	2.40
	9.65	7.21	6.22	5.67	5.32	5.07	4.89	4.74	4.63	4.54	4.40	4.25	4.10	4.02	3.94	3.86	3.78	3.69	3.60
12	4.75	3.89	3.49	3.26	3.11	3.00	2.91	2.85	2.80	2.75	2.69	2.62	2.54	2.51	2.47	2.43	2.38	2.34	2.30
	9.33	6.93	5.95	5.41	5.06	4.82	4.64	4.50	4.39	4.30	4.16	4.01	3.86	3.78	3.70	3.62	3.54	3.45	3.36
13	4.67	3.81	3.41	3.18	3.03	2.92	2.83	2.77	2.71	2.67	2.60	2.53	2.46	2.42	2.38	2.34	2.30	2.25	2.21
	9.07	6.70	5.74	5.21	4.86	4.62	4.44	4.30	4.19	4.10	3.96	3.82	3.66	3.59	3.51	3.43	3.34	3.25	3.17
14	4.60	3.74	3.34	3.11	2.96	2.85	2.76	2.70	2.65	2.60	2.53	2.46	2.39	2.35	2.31	2.27	2.22	2.18	2.13
	8.86	6.51	5.56	5.04	4.69	4.46	4.28	4.14	4.03	3.94	3.80	3.66	3.51	3.43	3.35	3.27	3.18	3.09	3.00
15	4.54	3.68	3.29	3.06	2.90	2.79	2.71	2.64	2.59	2.54	2.48	2.40	2.33	2.29	2.25	2.20	2.16	2.11	2.07
	8.68	6.36	5.42	4.89	4.56	4.32	4.14	4.00	3.89	3.80	3.67	3.52	3.37	3.29	3.21	3.13	3.05	2.96	2.87

例：$\phi_1=5$、$\phi_2=10$ に対する $F(\phi_1, \phi_2；0.05)$ の値は、$\phi_1＝5$ の列と $\phi_2＝10$ の行の交わる点の上段の値（細字）3.33 で与えられます。

F 表（つづき）

各セルは上段が上側確率、下段の値を示す（φ₁：列、φ₂：行）。

ϕ_2 \ ϕ_1	1	2	3	4	5	6	7	8	9	10	12	15	20	24	30	40	60	120	∞
16	4.49 / 8.53	3.63 / 6.23	3.24 / 5.29	3.01 / 4.77	2.85 / 4.44	2.74 / 4.20	2.66 / 4.03	2.59 / 3.89	2.54 / 3.78	2.49 / 3.69	2.42 / 3.55	2.35 / 3.41	2.28 / 3.26	2.24 / 3.18	2.19 / 3.10	2.15 / 3.02	2.11 / 2.93	2.06 / 2.84	2.01 / 2.75
17	4.45 / 8.40	3.59 / 6.11	3.20 / 5.18	2.96 / 4.67	2.81 / 4.34	2.70 / 4.10	2.61 / 3.93	2.55 / 3.79	2.49 / 3.68	2.45 / 3.59	2.38 / 3.46	2.31 / 3.31	2.23 / 3.16	2.19 / 3.08	2.15 / 3.00	2.10 / 2.92	2.06 / 2.83	2.01 / 2.75	1.96 / 2.65
18	4.41 / 8.29	3.55 / 6.01	3.16 / 5.09	2.93 / 4.58	2.77 / 4.25	2.66 / 4.01	2.58 / 3.84	2.51 / 3.71	2.46 / 3.60	2.41 / 3.51	2.34 / 3.37	2.27 / 3.23	2.19 / 3.08	2.15 / 3.00	2.11 / 2.92	2.06 / 2.84	2.02 / 2.75	1.97 / 2.66	1.92 / 2.57
19	4.38 / 8.18	3.52 / 5.93	3.13 / 5.01	2.90 / 4.50	2.74 / 4.17	2.63 / 3.94	2.54 / 3.77	2.48 / 3.63	2.42 / 3.52	2.38 / 3.43	2.31 / 3.30	2.23 / 3.15	2.16 / 3.00	2.11 / 2.92	2.07 / 2.84	2.03 / 2.76	1.98 / 2.67	1.93 / 2.58	1.88 / 2.49
20	4.35 / 8.10	3.49 / 5.85	3.10 / 4.94	2.87 / 4.43	2.71 / 4.10	2.60 / 3.87	2.51 / 3.70	2.45 / 3.56	2.39 / 3.46	2.35 / 3.37	2.28 / 3.23	2.20 / 3.09	2.12 / 2.94	2.08 / 2.86	2.04 / 2.78	1.99 / 2.69	1.95 / 2.61	1.90 / 2.52	1.84 / 2.42
21	4.32 / 8.02	3.47 / 5.78	3.07 / 4.87	2.84 / 4.37	2.68 / 4.04	2.57 / 3.81	2.49 / 3.64	2.42 / 3.51	2.37 / 3.40	2.32 / 3.31	2.25 / 3.17	2.18 / 3.03	2.10 / 2.88	2.05 / 2.80	2.01 / 2.72	1.96 / 2.64	1.92 / 2.55	1.87 / 2.46	1.81 / 2.36
22	4.30 / 7.95	3.44 / 5.72	3.05 / 4.82	2.82 / 4.31	2.66 / 3.99	2.55 / 3.76	2.46 / 3.59	2.40 / 3.45	2.34 / 3.35	2.30 / 3.26	2.23 / 3.12	2.15 / 2.98	2.07 / 2.83	2.03 / 2.75	1.98 / 2.67	1.94 / 2.58	1.89 / 2.50	1.84 / 2.40	1.78 / 2.31
23	4.28 / 7.88	3.42 / 5.66	3.03 / 4.76	2.80 / 4.26	2.64 / 3.94	2.53 / 3.71	2.44 / 3.54	2.37 / 3.41	2.32 / 3.30	2.27 / 3.21	2.20 / 3.07	2.13 / 2.93	2.05 / 2.78	2.01 / 2.70	1.96 / 2.62	1.91 / 2.54	1.86 / 2.45	1.81 / 2.35	1.76 / 2.26
24	4.26 / 7.82	3.40 / 5.61	3.01 / 4.72	2.78 / 4.22	2.62 / 3.90	2.51 / 3.67	2.42 / 3.50	2.36 / 3.36	2.30 / 3.26	2.25 / 3.17	2.18 / 3.03	2.11 / 2.89	2.03 / 2.74	1.98 / 2.66	1.94 / 2.58	1.89 / 2.49	1.84 / 2.40	1.79 / 2.31	1.73 / 2.21
25	4.24 / 7.77	3.39 / 5.57	2.99 / 4.68	2.76 / 4.18	2.60 / 3.85	2.49 / 3.63	2.40 / 3.46	2.34 / 3.32	2.28 / 3.22	2.24 / 3.13	2.16 / 2.99	2.09 / 2.85	2.01 / 2.70	1.96 / 2.62	1.92 / 2.54	1.87 / 2.45	1.82 / 2.36	1.77 / 2.27	1.71 / 2.17
26	4.23 / 7.72	3.37 / 5.53	2.98 / 4.64	2.74 / 4.14	2.59 / 3.82	2.47 / 3.59	2.39 / 3.42	2.32 / 3.29	2.27 / 3.18	2.22 / 3.09	2.15 / 2.96	2.07 / 2.81	1.99 / 2.66	1.95 / 2.58	1.90 / 2.50	1.85 / 2.42	1.80 / 2.33	1.75 / 2.23	1.69 / 2.13
27	4.21 / 7.68	3.35 / 5.49	2.96 / 4.60	2.73 / 4.11	2.57 / 3.78	2.46 / 3.56	2.37 / 3.39	2.31 / 3.26	2.25 / 3.15	2.20 / 3.06	2.13 / 2.93	2.06 / 2.78	1.97 / 2.63	1.93 / 2.55	1.88 / 2.47	1.84 / 2.38	1.79 / 2.29	1.73 / 2.20	1.67 / 2.10
28	4.20 / 7.64	3.34 / 5.45	2.95 / 4.57	2.71 / 4.07	2.56 / 3.75	2.45 / 3.53	2.36 / 3.36	2.29 / 3.23	2.24 / 3.12	2.19 / 3.03	2.12 / 2.90	2.04 / 2.75	1.96 / 2.60	1.91 / 2.52	1.87 / 2.44	1.82 / 2.35	1.77 / 2.26	1.71 / 2.17	1.65 / 2.06
29	4.18 / 7.60	3.33 / 5.42	2.93 / 4.54	2.70 / 4.04	2.55 / 3.73	2.43 / 3.50	2.35 / 3.33	2.28 / 3.20	2.22 / 3.09	2.18 / 3.00	2.10 / 2.87	2.03 / 2.73	1.94 / 2.57	1.90 / 2.49	1.85 / 2.41	1.81 / 2.33	1.75 / 2.23	1.70 / 2.14	1.64 / 2.03
30	4.17 / 7.56	3.32 / 5.39	2.92 / 4.51	2.69 / 4.02	2.53 / 3.70	2.42 / 3.47	2.33 / 3.30	2.27 / 3.17	2.21 / 3.07	2.16 / 2.98	2.09 / 2.84	2.01 / 2.70	1.93 / 2.55	1.89 / 2.47	1.84 / 2.39	1.79 / 2.30	1.74 / 2.21	1.68 / 2.11	1.62 / 2.01
40	4.08 / 7.31	3.23 / 5.18	2.84 / 4.31	2.61 / 3.83	2.45 / 3.51	2.34 / 3.29	2.25 / 3.12	2.18 / 2.99	2.12 / 2.89	2.08 / 2.80	2.00 / 2.66	1.92 / 2.52	1.84 / 2.37	1.79 / 2.29	1.74 / 2.20	1.69 / 2.11	1.64 / 2.02	1.58 / 1.92	1.51 / 1.80
60	4.00 / 7.08	3.15 / 4.98	2.76 / 4.13	2.53 / 3.65	2.37 / 3.34	2.25 / 3.12	2.17 / 2.95	2.10 / 2.82	2.04 / 2.72	1.99 / 2.63	1.92 / 2.50	1.84 / 2.35	1.75 / 2.20	1.70 / 2.12	1.65 / 2.03	1.59 / 1.94	1.53 / 1.84	1.47 / 1.73	1.39 / 1.60
120	3.92 / 6.85	3.07 / 4.79	2.68 / 3.95	2.45 / 3.48	2.29 / 3.17	2.18 / 2.96	2.09 / 2.79	2.02 / 2.66	1.96 / 2.56	1.91 / 2.47	1.83 / 2.34	1.75 / 2.19	1.66 / 2.03	1.61 / 1.95	1.55 / 1.86	1.50 / 1.76	1.43 / 1.66	1.35 / 1.53	1.25 / 1.38
∞	3.84 / 6.63	3.00 / 4.61	2.60 / 3.78	2.37 / 3.32	2.21 / 3.02	2.10 / 2.80	2.01 / 2.64	1.94 / 2.51	1.88 / 2.41	1.83 / 2.32	1.75 / 2.18	1.67 / 2.04	1.57 / 1.88	1.52 / 1.79	1.46 / 1.70	1.39 / 1.59	1.32 / 1.47	1.22 / 1.32	1.00 / 1.00

注 $\phi > 30$ で、表にない F の値を求める場合には、$120/\phi$ を用いる 1 次補間により求めます。

付表 6　符号検定表

（表中の数字は少ないほうの符号の数，この数あるいはこれより少なければ有意である）

N	0.01	0.05	N	0.01	0.05	N	0.01	0.05
			36	9	11	66	22	24
			37	10	12	67	22	25
8	0	0	38	10	12	68	22	25
9	0	1	39	11	12	69	23	25
10	0	1	40	11	13	70	23	26
11	0	1	41	11	13	71	24	26
12	1	2	42	12	14	72	24	27
13	1	2	43	12	14	73	25	27
14	1	2	44	13	15	74	25	28
15	2	3	45	13	15	75	25	28
16	2	3	46	13	15	76	26	28
17	2	4	47	14	16	77	26	29
18	3	4	48	14	16	78	27	29
19	3	4	49	15	17	79	27	30
20	3	5	50	15	17	80	28	30
21	4	5	51	15	18	81	28	31
22	4	5	52	16	18	82	28	31
23	4	6	53	16	18	83	29	32
24	5	6	54	17	19	84	29	32
25	5	7	55	17	19	85	30	32
26	6	7	56	17	20	86	30	33
27	6	7	57	18	20	87	31	33
28	6	8	58	18	21	88	31	34
29	7	8	59	19	21	89	31	34
30	7	9	60	19	21	90	32	35
31	7	9	61	20	22			
32	8	9	62	20	22			
33	8	10	63	20	23			
34	9	10	64	21	23			
35	9	11	65	21	24			

（注1）$N = 90$ 以上では，次式で計算した数より小さい整数を用います。

$$\{(N-1)/2\} - K\sqrt{N-1}$$

K	Pr
1.2879	0.01
0.9800	0.05

［例］$N = 100$ では $P_r = 1\%$ のときは，

$$\frac{(100-1)}{2} - 1.2879\sqrt{100-1} = 49.5 - 1.288 \times 9.95 = 36.7$$

したがって，36以下ならば1％危険率で有意。

（注2）この表は，1/2の割合で出るいろいろの場合に利用できる応用範囲の非常に広い表です。

（注）　相関の検定，母平均の差の検定などを，（＋）（－）の符号の数より簡易に行う方法を"符号検定"といいます。

付表 7　計数規準型一回抜取検査表 （JIS Z 9002 : 1956）

細字は n，太字は c　　　　　　　　　　　　　　　　　　　　　　　　　　　　　$\alpha \fallingdotseq 0.05,\ \beta \fallingdotseq 0.10$

$p_0(\%)$ ＼ $p_1(\%)$	0.71~0.90	0.91~1.12	1.13~1.40	1.41~1.80	1.81~2.24	2.25~2.80	2.81~3.55	3.56~4.50	4.51~5.60	5.61~7.10	7.11~9.00	9.01~11.2	11.3~14.0	14.1~18.0	18.1~22.4	22.5~28.0	28.1~35.5
0.090~0.112	*	400 1	→	→	→	→	60 0	↓	↓	↓	↓	↓	↓	↓	↓	↓	↓
0.113~0.140	*	500 2	300 1	→	→	→	→	50 0	↓	↓	↓	↓	↓	↓	↓	↓	↓
0.141~0.180	*	*	400 2	250 1	→	→	→	→	40 0	↓	↓	↓	↓	↓	↓	↓	↓
0.181~0.224	*	*	500 3	300 2	200 1	→	→	→	→	30 0	↓	↓	↓	↓	↓	↓	↓
0.225~0.280	*	*	*	400 3	250 2	150 1	→	→	→	→	25 0	↓	↓	↓	↓	↓	↓
0.281~0.355	*	*	*	500 4	300 3	200 2	120 1	→	→	→	→	20 0	↓	↓	↓	↓	↓
0.356~0.450	*	*	*	*	400 4	250 3	150 2	100 1	→	→	→	→	15 0	↓	↓	↓	↓
0.451~0.560	*	*	*	*	500 6	300 4	200 3	120 2	80 1	→	→	→	→	15 0	↓	↓	↓
0.561~0.710	*	*	*	*	*	400 6	250 4	150 3	100 2	60 1	→	→	→	→	10 0	↓	↓
0.711~0.900	*	*	*	*	*	*	300 6	200 4	120 3	80 2	50 1	→	→	→	→	7 0	↓
0.901~1.12	*	*	*	*	*	*	*	250 6	150 4	100 3	60 2	40 1	→	→	→	→	5 0
1.13~1.40	*	*	*	*	*	*	*	*	200 6	120 4	80 3	50 2	30 1				
1.41~1.80	*	*	*	*	*	*	*	*	*	150 6	100 4	60 3	40 2	25 1			
1.81~2.24	*	*	*	*	*	*	*	*	300 10	→	120 6	70 4	50 3	30 2	20 1		
2.25~2.80	*	*	*	*	*	*	*	*	*	250 10	→	100 6	60 4	40 3	25 2	15 1	
2.81~3.55	*	*	*	*	*	*	*	*	*	*	200 10	→	80 6	50 4	30 3	20 2	10 1
3.56~4.50	*	*	*	*	*	*	*	*	*	*	*	150 10	→	60 6	40 4	25 3	15 2
4.51~5.60	*	*	*	*	*	*	*	*	*	*	*	*	120 10	→	50 6	30 4	20 3
5.61~7.10	*	*	*	*	*	*	*	*	*	*	*	*	*	100 10	→	40 6	25 4
7.11~9.00	*	*	*	*	*	*	*	*	*	*	*	*	*	*	70 10	→	30 6
9.01~11.2	*	*	*	*	*	*	*	*	*	*	*	*	*	*	*	60 10	

備考　矢印はその方向の最初の欄の n，c を用います。＊印は抜取検査設計補助表によります。空欄に対しては抜取検査方式はありません。

付表8　計数規準型一回抜取検査（JIS Z 9002：1956）抜取検査設計補助表

p_1/p_0	c	n
17以上	0	$2.56/p_0 + 115/p_1$
16　～7.9	1	$17.8/p_0 + 194/p_1$
7.8 ～5.6	2	$40.9/p_0 + 266/p_1$
5.5 ～4.4	3	$68.3/p_0 + 334/p_1$
4.3 ～3.6	4	$98.5/p_0 + 400/p_1$
3.5 ～2.8	6	$164.1/p_0 + 527/p_1$
2.7 ～2.3	10	$308/p_0 + 770/p_1$
2.2 ～2.0	15	$502/p_0 + 1065/p_1$
1.99～1.86	20	$704/p_0 + 1350/p_1$

（注）　この表で，p_0，p_1 は％の値を用います。

付表9　サンプル（サイズ）文字（JIS Z 9015-1：2006）

ロットサイズ	特別検査水準				通常検査水準		
	S－1	S－2	S－3	S－4	I	II	III
2～　　8	A	A	A	A	A	A	B
9～　　15	A	A	A	A	A	B	C
16～　　25	A	A	B	B	B	C	D
26～　　50	A	B	B	C	C	D	E
51～　　90	B	B	C	C	C	E	F
91～　　150	B	B	C	D	D	F	G
151～　　280	B	C	D	E	E	G	H
281～　　500	B	C	D	E	F	H	J
501～　1200	C	C	E	F	G	J	K
1201～　3200	C	D	E	G	H	K	L
3201～ 10000	C	D	F	G	J	L	M
10001～ 35000	C	D	F	H	K	M	N
35001～150000	D	E	G	J	L	N	P
150001～500000	D	E	G	J	M	P	Q
500001以上	D	E	H	K	N	Q	R

付表10 なみ検査の1回抜取方式（主抜取表）（JIS Z 9015-1：2006）

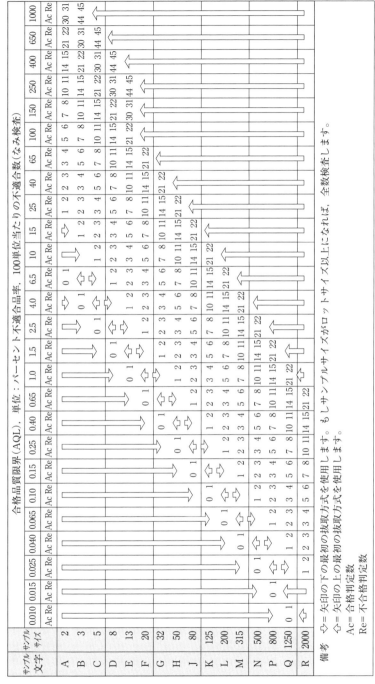

備考 ⇩＝矢印の下の最初の抜取方式を使用します。もしサンプルサイズがロットサイズ以上になれば，全数検査します。
　　 ⇧＝矢印の上の最初の抜取方式を使用します。
　　 Ac＝合格判定数
　　 Re＝不合格判定数

付表11　きつい検査の1回抜取方式（主抜取表）（JIS Z 9015-1：2006）

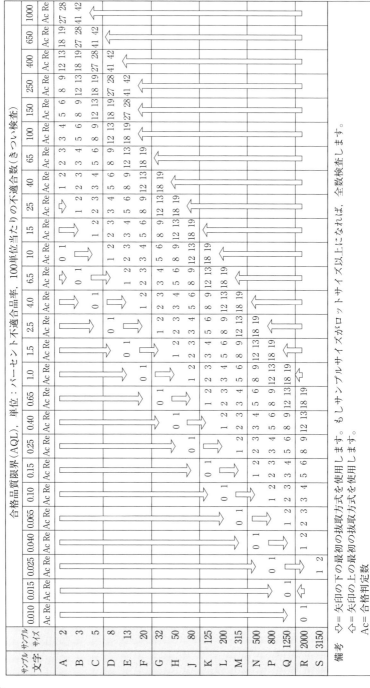

備考　⇩＝矢印の下の最初の抜取方式を使用します。もしサンプルサイズがロットサイズ以上になれば，全数検査します。
　　　⇧＝矢印の上の最初の抜取方式を使用します。
　　　Ac＝合格判定数
　　　Re＝不合格判定数

付表12　ゆるい検査の 1 回抜取方式（主抜取表）　（JIS Z 9015-1：2006）

合格品質限界（AQL），単位：パーセント不適合品率，100単位当たりの不適合数（ゆるい検査）

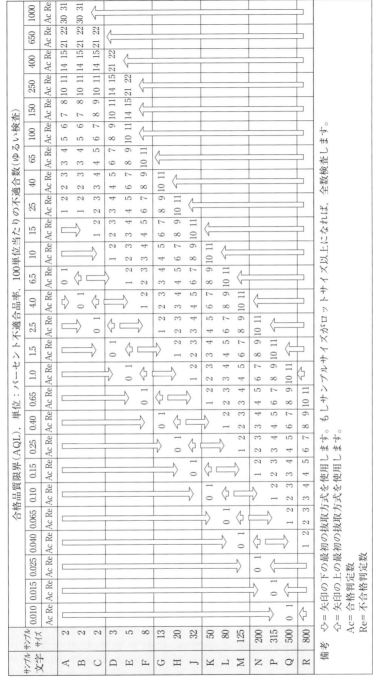

備考　⇩＝矢印の下の最初の抜取方式を使用します。もしサンプルサイズがロットサイズ以上になれば、全数検査します。
　　　⇧＝矢印の上の最初の抜取方式を使用します。
　　　Ac＝合格判定数
　　　Re＝不合格判定数

付表13　なみ検査の2回抜取方式（主抜取表）（JIS Z 9015-1：2006）

合格品質水準、AQL、不適合品パーセント及び100アイテム当たりの不適合数（各データセルは「Ac Re」）

サンプル文字	サンプル	サンプルサイズ	累計サンプルサイズ	0.010	0.015	0.025	0.040	0.065	0.10	0.15	0.25	0.40	0.65	1.0	1.5	2.5	4.0	6.5	10	15	25	40	65	100	150	250	400	650	1000
A		2	2	↓	↓	↓	↓	↓	↓	↓	↓	↓	↓	↓	↓	↓	↓	↓	↓	↓	*	0 2	0 3	1 4	2 5	3 7	5 9	7 11	11 16
B	第1	2	2	↓	↓	↓	↓	↓	↓	↓	↓	↓	↓	↓	↓	↓	↓	↓	↓	*	0 2	0 3	1 4	2 5	3 7	5 9	7 11	11 16	17 22
	第2	2	4																		1 2	3 4	4 5	6 7	8 9	12 13	18 19	26 27	37 38
C	第1	3	3	↓	↓	↓	↓	↓	↓	↓	↓	↓	↓	↓	↓	↓	↓	↓	*	0 2	0 3	1 4	2 5	3 7	5 9	7 11	11 16	17 22	25 31
	第2	3	6																	1 2	3 4	4 5	6 7	8 9	12 13	18 19	26 27	37 38	56 57
D	第1	5	5	↓	↓	↓	↓	↓	↓	↓	↓	↓	↓	↓	↓	↓	↓	*	0 2	0 3	1 4	2 5	3 7	5 9	7 11	11 16	17 22	25 31	↑
	第2	5	10																1 2	3 4	4 5	6 7	8 9	12 13	18 19	26 27	37 38	56 57	
E	第1	8	8	↓	↓	↓	↓	↓	↓	↓	↓	↓	↓	↓	↓	↓	*	0 2	0 3	1 4	2 5	3 7	5 9	7 11	11 16	17 22	25 31	↑	↑
	第2	8	16															1 2	3 4	4 5	6 7	8 9	12 13	18 19	26 27	37 38	56 57		
F	第1	13	13	↓	↓	↓	↓	↓	↓	↓	↓	↓	↓	↓	↓	*	0 2	0 3	1 4	2 5	3 7	5 9	7 11	11 16	17 22	25 31	↑	↑	↑
	第2	13	26														1 2	3 4	4 5	6 7	8 9	12 13	18 19	26 27	37 38	56 57			
G	第1	20	20	↓	↓	↓	↓	↓	↓	↓	↓	↓	↓	↓	*	0 2	0 3	1 4	2 5	3 7	5 9	7 11	11 16	17 22	25 31	↑	↑	↑	↑
	第2	20	40													1 2	3 4	4 5	6 7	8 9	12 13	18 19	26 27	37 38	56 57				
H	第1	32	32	↓	↓	↓	↓	↓	↓	↓	↓	↓	↓	*	0 2	0 3	1 4	2 5	3 7	5 9	7 11	11 16	17 22	25 31	↑	↑	↑	↑	↑
	第2	32	64												1 2	3 4	4 5	6 7	8 9	12 13	18 19	26 27	37 38	56 57					
J	第1	50	50	↓	↓	↓	↓	↓	↓	↓	↓	↓	*	0 2	0 3	1 4	2 5	3 7	5 9	7 11	11 16	17 22	25 31	↑	↑	↑	↑	↑	↑
	第2	50	100											1 2	3 4	4 5	6 7	8 9	12 13	18 19	26 27	37 38	56 57						
K	第1	80	80	↓	↓	↓	↓	↓	↓	↓	↓	*	0 2	0 3	1 4	2 5	3 7	5 9	7 11	11 16	17 22	25 31	↑	↑	↑	↑	↑	↑	↑
	第2	80	160										1 2	3 4	4 5	6 7	8 9	12 13	18 19	26 27	37 38	56 57							
L	第1	125	125	↓	↓	↓	↓	↓	↓	↓	*	0 2	0 3	1 4	2 5	3 7	5 9	7 11	11 16	17 22	25 31	↑	↑	↑	↑	↑	↑	↑	↑
	第2	125	250									1 2	3 4	4 5	6 7	8 9	12 13	18 19	26 27	37 38	56 57								
M	第1	200	200	↓	↓	↓	↓	↓	↓	*	0 2	0 3	1 4	2 5	3 7	5 9	7 11	11 16	17 22	25 31	↑	↑	↑	↑	↑	↑	↑	↑	↑
	第2	200	400								1 2	3 4	4 5	6 7	8 9	12 13	18 19	26 27	37 38	56 57									
N	第1	315	315	↓	↓	↓	↓	↓	*	0 2	0 3	1 4	2 5	3 7	5 9	7 11	11 16	17 22	25 31	↑	↑	↑	↑	↑	↑	↑	↑	↑	↑
	第2	315	630							1 2	3 4	4 5	6 7	8 9	12 13	18 19	26 27	37 38	56 57										
P	第1	500	500	↓	↓	↓	↓	*	0 2	0 3	1 4	2 5	3 7	5 9	7 11	11 16	17 22	25 31	↑	↑	↑	↑	↑	↑	↑	↑	↑	↑	↑
	第2	500	1000						1 2	3 4	4 5	6 7	8 9	12 13	18 19	26 27	37 38	56 57											
Q	第1	800	800	↓	↓	↓	*	0 2	0 3	1 4	2 5	3 7	5 9	7 11	11 16	17 22	25 31	↑	↑	↑	↑	↑	↑	↑	↑	↑	↑	↑	↑
	第2	800	1600					1 2	3 4	4 5	6 7	8 9	12 13	18 19	26 27	37 38	56 57												
R	第1	1250	1250	↓	↓	*	0 2	0 3	1 4	2 5	3 7	5 9	7 11	11 16	17 22	25 31	↑	↑	↑	↑	↑	↑	↑	↑	↑	↑	↑	↑	↑
	第2	1250	2500				1 2	3 4	4 5	6 7	8 9	12 13	18 19	26 27	37 38	56 57													

備考　⇩ ＝ 矢印の下の最初の抜取方式を使用します。もしサンプルサイズがロットサイズ以上になれば、全数検査します。

⇧ ＝ 矢印の上の最初の抜取方式を使用します。

Ac ＝ 合格判定数

Re ＝ 不合格判定数

* ＝ 対応する1回抜取方式を使用します（もし使用すれば、代わりに下の2回抜取方式を使用してかまいません）。

索　引

数字

1 因子実験　169
1 点鎖線　94
2 out of 3 システム　233
2 因子交互作用　177
2 点鎖線　94
3 H 管理　250
3 S，3 S 活動　261
3 シグマ管理図　243
3 ム　264
4 M　62
5 M，5 M+E　62
5 S，5 S 活動　261
5 W 1 H　64, 265
5 ゲン主義　264

アルファベット

A

A(アクト)　38
A_2　244
act　38
AND ゲート　231
ANSI　50
AQL　223

B

$B(n, p)$　116
B_{10}ライフ　230
BS　50
BNE　275

C

C(チェック)　38
${}_nC_x$(組合せ)　115
Center Line　242
CFR 型　229
CFT　42
check　38
CL　242
Claim　274
Complaint　274
Constant Failure Rate　229
Consumer Satisfaction　31
Cost　27
Cov　106
C_p　248
C_{pk}　249
CS　31
CT(修正項)　175
CV(変動係数)　71
Customer Satisfaction　31
c 管理図　247

D

D(ドゥー)　38
d_2　113, 257
D_3　244
d_3　113, 257
D_4　244
Decreasing Failure Rate　229
Delivery　27
Design Review　274
DFR 型　229
DIN　50
do　38
DR　274

E

E(平均値)　67, 73
e(自然対数の底)　74, 107
EN　50
Environment　62

F

Fault Tree Analysis　231
Fishbone Diagram　85
FMEA　232
FTA　231
F 表，*F* 分布表　111
F 分布　110

G

GB　50

H

H_0，H_1　127
HHK 活動　263
How　265

I

IE　235
IEC 規格　50
IFR 型　229
Increasing Failure Rate　229
International Electrotechnical Commission　50
International Organization for Standardization　19
IQ　195
ISO　19
ISO/IEC 17025　52
ISO 9000，ISO 9000 s　19
ISO 9000ファミリー規格　19
ISO 9001　19
ISO 9004　19
ISO 19011　19
ISO 規格　50

J

JAB　21
Japanese Industrial Standards　19
JAS　50
JIS　19, 50
JIS Q 17025　52
JIS Q 9000　19
JIS Q 9001　19
JIS マーク　51
JIS マーク表示制度　51

K

KJ 法　199
KYT，KY 活動　262

L

L_4　171
L_4 (2^3)　171

L_8 (2^7)	171
L_9 (3^4)	171
LCC	32
LCL	242
Life Cycle Cost	32
ln	13, 74, 79
L_n (p^k)	171
Lower Control Limit	242

Ⓜ

Machine	62
Man	62
Material	62
Me(メディアン)	68
$Me-R$ 管理図	246
mean operating time between failure	229
mean time to failure	229
mean time to repair	230
Measurement	62
Method	62
$\min(A, B)$	250
MLA	50
m out of n システム	233
MRA	50
MTBF	229
MTTF	229
MTTR	230
Multilateral recognition Agreement	50
Multilateral recognition Arrangement	50

Ⓝ

n^{+}, n^{-}	157
$N(0, 1^2)$	107
$N(\mu, \sigma^2)$	107
N 7	198
$_nC_x$(組合せ)	115
$_nP_x$(順列)	115
NM 法	281
np 管理図	247

Ⓞ

OC 曲線	221
Operating Characteristic Curve	221
OR ゲート	231

Ⓟ

P(プラン)	37

P(生産性)	62
PCI	248
PDCA	37
PDPC 法	207
PDS	37
PERT 図法	205
PL	32, 272
PL 法	32
plan	37
plan-do-see	37
PLP	272
Process Decision Program Chart	207
Product Liability	32
Product Liability Prevention	272
Productivity	62
p 管理図	247
p 値	128

Ⓠ

QA	271
QA ネットワーク	272
QC	18
QCD	27
QCDS	27, 62
QCDSPME	62
QC 検定	10
QC 工程図(表)	272
QC サークル	260
QC ストーリー	259
QC 七つ道具	84
QC フローチャート	273
QFD	235
QM, QMS	18
Quality Assurance	271
Quality Management System	18

Ⓡ

R(移動範囲)	246
R(範囲)	68
R^2(寄与率)	151
R の分布	113

Ⓢ

S(標準)	39
S(偏差平方和)	69
s(標準偏差)	70
Safety	27
SDCA	39
S_L, S_N, S_U	248
SQC	18
standard	39

standardization	73
Statistical Quality Control	18
S_{xx}	69, 149, 151
S_{xy}	149, 151
S_{yy}	151

Ⓣ

$\tanh$, $\tanh^{-1}$	154
TKJ 法	199
TQC, TQM	17
Total Quality Control	17
Total Quality Management	17
t 表, t 分布表	110, 315
t 分布	110

Ⓤ

UCL	242
Upper Control Limit	242
u 管理図	247

Ⓥ

V(分散)	70
VA	235
VE	235

Ⓦ

What	265
When	265
Where	265
Who	265
Why	265

Ⓧ

$\overline{X}$, $\overline{\overline{X}}$	244
$\bar{x}$	67
$\tilde{x}$	68
$X-R$ 管理図	246
$\overline{X}-R$ 管理図	244
$X-Rs$ 管理図	246
$\overline{X}-s$ 管理図	246
x_{max}, x_{min}	68
X 移動範囲管理図	246
X 管理図	244

Ⓩ

Z スコア	195
z 変換	154

ギリシャ文字，その他

μ（母平均）	67
$\hat{\mu}$	67
Σ（和の記号）	67
σ（母標準偏差）	67
$\hat{\sigma}$	67
χ^2 表，χ^2 分布表	113, 316
χ^2 分布	112
！（階乗記号）	115

あ

アイデア発想法	235
アクト	38
当たり前品質要素	29
後工程	16, 31
アフターサービス	17
ありたい姿	258
あるべき姿	258
アロー・ダイヤグラム法	205
あわてものの誤り	128, 243
安全性	27, 51
アンケート	271
アンケート調査	235

い

石川ダイヤグラム	85
一元的品質要素	28
一元配置分散分析，一元配置法	172
一次式	145
位置パラメータ	230
いつ，いつまでに	64, 265
一般型	89
一般財団法人日本科学技術連盟	10
一般財団法人日本規格協会	10
一般社団法人日本品質管理学会	10
一般電卓	11
移動範囲	246
陰故障	230
因子	169
インターフェースの確保	51
インダストリアル・エンジニアリング	235
インタビュー調査	235

う

上側確率	111

え

影響解析	232
絵グラフ	93
円グラフ	92

お

応急処置	41
大波の検定	157
大骨	85
お客様	16
オフライン管理	273
重み付き平均，重み付け平均	75
帯グラフ	92
親	199
折れ線グラフ	91
オンライン管理	273

か

回帰式	145
回帰係数	149
回帰直線	149
回帰分析，回帰分析法	145
下位項目	231
外部監査	43
外部項目	231
ガウス分布	107
価格	27
確認	38
確率分布	103
確率変数	103
確率密度関数	104
下限値	88
加工技術	52
加工方法	62
仮説	125
仮説の検定	125
仮説の設定	127
課題	258
課題達成型 QC ストーリー	258
かたより，かたより誤差	65
かたより度	249
片側仮説	126
片側検定	126
価値工学	235
価値分析	235
合致品質	28
下方管理限界線	242
環境	62
環境保護	51
環境保全	32

関係性管理	20
監査組織	43
関数相関	153
関数電卓	11
感性品質	28
監督者	17
ガントチャート	92
官能特性	28
官能評価データ	63
管理	37
管理限界線	242
管理項目一覧表	41
管理者	17
管理状態	242
管理線	244
管理図	94, 242
管理点	41
管理における誤り	243
管理のサイクル	37

き

木	231
機械・設備	62
規格，規格値	49
棄却域	128
企業標準，企業規格	50
危険域	127
危険区間	126
危険予知活動	262
危険率	125
擬似相関	153
技術展開	275
規準化	108
規準型抜取検査方式	221
基準値	49
期待値	105
きつい検査	223
機能横断組織	42
機能横断型チーム	42
機能系統図	201
希望点列挙法	281
基本規格	51
帰無仮説	127
逆関数	154
逆評価品質，逆品質要素	29
ギャップ	258
級	88
級間平方和	174
教育	17
業界規格，業界標準	50
供給生産量	27
共存性	51
共分散	106

共分散分析　172
業務機能展開　275
行列図，行と列の図　202
局所管理化　168
許容値　49
許容限界幅　248
許容限界値　49
寄与率　151
切替えルール　225

く

偶発故障期　229
区間　88
区間推定　129
くしの歯型　89
苦情，苦情処理　274
苦情対応プロセス　274
クセ　245
区分　88
グラフ　91
繰返しのある二元配置法　183
繰返しのない二元配置法　177
クリティカルパス　206
クレーム　274
クロスファンクショナルチーム　42
グローバル化　19
群，群の大きさ　244

け

ゲート　231
経営工学　235
経営者　17
計画　37
傾向がある　246
形状パラメータ　230
計数規準型一回抜取検査方式　222
計数値　63
計数抜取検査　218
計測・測定　62
計測管理　76
継続的改善　20
系統サンプリング　219
系統図，系統図法　200
契約型商品　271
計量値　63, 103
計量抜取検査　219
系列相関　157
結合点　205
決定係数　151
欠点発生位置調査用チェックシート　88
原価　27
限界的経路　206

研究・開発　17
言語データ　63
検査　17
原材料　62
顕在クレーム　274
顕在的品質要求　271
検査基準Ⅰ，Ⅱ，Ⅲ　223
検査特性曲線　221
検査ロット　218
検出力　128
検定　125
検定統計量　127
検定の手順　127
源流志向（指向）　40

こ

公益財団法人日本適合性認定協会　21
合格基準　11
合格判定個数　218
合格品質水準　223
広義の品質　27
工業分野　51
鉱工業製品　51
交互作用　169, 182
工場廃棄物　32
構造式　189
後続作業　205
工程異常　246
工程能力指数　248
工程能力図　94
工程分布調査用チェックシート　88
購買・外注　17
合否判定基準　223
合流点　206
互換性　51
顧客　16
顧客価値創造技術　235
顧客重視，顧客ニーズ　20
顧客の満足　31
国際規格　19, 50
国際地域間標準，国際地域間規格　50
国際電気標準会議　50
国際標準化機構　19
互恵関係　20
誤差　64
誤差分布　107
故障の木解析　231
故障発生の傾向　229
故障モード　232
故障率　229
コスト　27
コスト展開　275
国家標準，国家規格　50

小波の検定　158
コバリアンス　106
小骨（子骨）　86
コンシューマリズム　31
コンジョイント分析　235
コントロール　37
コンプレイン　274

さ

サービス　16
最小値　68
最小二乗法（自乗法）　145
最大値　68
採択域　128
最多値　68
再発防止　41
最頻値　68
財務　17
最尤原理　167
探す問題　258
魚の骨図　85
作業者　17, 62
作業標準書　272
三角グラフ，三角座標　93
産業標準化　51
産業標準化法　51
三現主義　264
残差　65
算術平均値　67
散布図　91, 153
サンプリング　63
サンプリング検査　218
サンプリング誤差　65
サンプル　63, 218

し

ジグザグ・サンプリング　219
資源・エネルギー　32
試験時間　11
試験所認定（登録）制度　52
資源調達　32
試験方式，試験要領　11
資源リサイクル　32
事後保全　229
資材管理　234
指差呼称　262
事実に基づく管理　39
事実志向（指向）　39
市場型商品　271
市場調査段階　274
指数分布　230
システムの信頼性　232

自然対数	13, 74
躾	261
実験計画法	168
実行力	20
実施	38
実線	94
始点	205
島	199
社会的影響	32
尺度パラメータ	230
尺度レベル	28
社内規格	50
社内基準，社内標準	53
社内標準化	53
シューハート管理図	242
重回帰分析	145, 152
周期性がある	246
修正項	175
重相関係数	152
従属変数	145
終点	205
重点志向(指向)	40
自由度	70
十分統計量	127
集落サンプリング	219
修理アイテム	229
受験資格	11
受験料	11
主効果	169, 182
主成分分析法	204
出荷検査	228
主抜取表	224
寿命分布	230
順位データ	63
順序分類データ	63
純分類データ	63
省エネルギー	32
上限値	88
小集団活動	260
冗長系並列接続モデル	233
消費者危険	221
消費者指向，消費者主義	31
商品企画七つ道具	235
使用品質	28
上方管理限界線	242
初期故障期	250
初期流動管理	250
職能別管理	42
職務分掌，職務分掌表	43
職務分掌規定	43
処置	38
ジョハリの窓	203
試料	63, 218
試料平均	65

新QC七つ道具	198
人材育成	43
審査登録機関	21
人事	17
振動	32
真の値	64
信頼限界	129
信頼性	228
信頼性展開	275
信頼性ブロック図	232
信頼度	228
信頼率	125
親和図法	198

す

水準	169
水準間変動	173
水準内変動	173
推定	125
推定値，推定量	126
数値データ	63
スコア	226
スチューデント分布	110
スパイラルアップ	38
スパイラルローリング	38

せ

精確さ	66
正確さ	66
正規化	108
正規分布	107
正規母集団	113
清潔	261
生産管理	234
生産者危険	221
生産準備	17
生産準備段階	274
生産性	62
生産段階	274
正常型	89
清掃	261
製造	17
製造品質	28
製造物責任	32, 272
製造物責任法	32
製造物責任予防	272
精度	66
整頓	261
正の相関	152
製品	16
製品安全	32
製品規格	51

製品企画段階	274
製品検査	218
製品使用段階	32
製品の企画	17
製品保護	57
精密さ	66
精密度	66
整理	261
世界規格，世界標準	50
設計	17
設計審査	274
設計段階	274
設計品質	28
設備管理	234
絶壁型	89
説明変数	145
背骨	86
全員の参加	18
先行作業	205
潜在クレーム	274
潜在トラブル	41
潜在的品質要求	271
全数検査	218, 228
選別型抜取検査方式	221

そ

ソーンダイク－芳賀曲線	227
騒音	32
相加平均値	67
相関係数	151
相関分析法	151
双曲線関数	154
総合精度	66
総合的なパフォーマンス	20
総合的品質管理	17
相互作用	169
相乗平均	73
層別	95
層別サンプリング	220
総変動	150
測定誤差	65
測定値	64
組織連携網	272
ソフトウエア	31
ソフトの品質	31

た

第1種の誤り	128, 243
第1種の過誤	128
第三者認証制度	21
大数の法則	103
対数平均	74

代数平均値 67
第2種の誤り 128, 243
第2種の過誤 128
代用特性 28
対立仮説 127
多因子実験 169
多国間の国際相互承認協定 50
打点 91
ダミー作業 205
多様性の制御 51
多様性の調整 51
誰が 64, 265
誰と 64, 265
単回帰分析 145
段階別品質保証活動 274
単純サンプリング 219
単純平均値 67
団体標準，団体規格 50
単調減少，単調増加 246

ち

チェック 38
チェック・マーク 88
チェックシート 88
チェックリスト 88
地図グラフ 93
知能指数 195
中央値 68
中間事象 231
柱状グラフ 88
柱状図 88
中心極限定理 124
中心線 242
中長期経営計画 37
調整型抜取検査方式 221, 223
調和平均 74
直線近似 145
直列接続モデル 232
直交，直交表 170
直交計画 170

つ

ツリー 231

て

データ 62
データシート 88
データの構造 189
データの誤差 64
データの標準化 73, 108
適合品質 28

できばえ品質 28
デミング・サイクル 30
デリバリー 27
点検結果確認用チェックシート 88
点検点 41
点推定 129
点線 94
電気分野 50

と

トータルコスト 32
ドーナツグラフ 92
ドゥー 38
どうして 64, 265
等価交換法 281
統計学的仮説検定 125
統計的工程管理 242
統計的推定 125
統計量 67
どこで 64, 265
度数分布図 88
特性要因図 85
特定側面 52
凸形分布 103
トップ監査 43
どのようにして 64, 265
トラブル対策 41
トランプKJ法 199

な

内部監査 43
中骨 86
なぜ 64, 265
何について 64, 265
何のために 64, 265
何を 64, 265
なみ検査 223
波線 94

に

二元配置法, 二元配置分散分析 172
二項分布 115
二国間の相互承認協定 50
二重円グラフ 92
二段サンプリング 219
日常管理 37
日本規格協会 3
日本産業規格 19, 50
日本農林規格 50
認証機関 21

ぬ

抜取検査 218, 221
抜取検査表 224
抜取り比 218

ね

ネットワーク 272
ねらい品質 28

の

納期 27

は

ハードウエア 31
ハードの品質 31
ハインリッヒの法則 263
破壊検査 221
ハザード関数 229
はじめの管理 250
バスタブ曲線 229
破線 94
発生した問題, 発生する問題 258
離れ小島型 89
歯抜け型 89
ばらつき 62, 65
ばらつき誤差 65
パラメータ 126
バリュー・アナリシス 235
バリュー・エンジニアリング 235
パレート図 87
パレートの法則 102
バルクサンプリング 220
範囲 68
判定 128
判定基準個数 218
販売・サービス段階 274
反復 168

ひ

ビーテンライフ 242
非管理状態 242
ビジネスマナー 263
非修理アイテム 229
ヒストグラム 88
非政府組織 19
左絶壁型 89
ヒヤリ・ハット 262
標準 39, 40

標準化	49, 108
標準化活動	50
標準正規分布	107
標準値	49
標準偏差	70, 105
標本	63, 126
標本相関係数	154
標本分散	70
品質	27
品質改善	18
品質監査	43
品質管理	16
品質管理教育	43
品質管理検定	10
品質規格	28
品質機能展開	235
品質教育	43
品質計画	18
品質系統図	201
品質水準	28
品質第一の行動	28
品質展開	28, 270
品質特性	28
品質ネットワーク	272
品質判定基準	223
品質表	235
品質方針	18
品質標準	28
品質保証	18, 271
品質保証体系図	272
品質保証網	272
品質マネジメント	20
品質マネジメントアプローチ	19
品質マネジメントシステム	19
品質マネジメントシステムの認証制度	21
品質マネジメントの7原則	20
品質目標	18
品質要求	271
品質要素	28

ふ

フールプルーフ	228
ファクトコントロール	39
フィードバック・ループ	63
フィッシャーの3原則	168
フェールセーフ	228
複号同順	105
符号検定，符号検定表	157, 320
二山型	89
不適合品数	226
不適合品率	218
負の相関	152

不偏分散	70
プラン	37
不良項目別調査用チェックシート	88
不良要因調査用チェックシート	88
不良率	218
ブレーンストーミング法	60
プロセスアプローチ	20
プロダクトアウト	31
ブロック化	169
プロット	91, 153
分割表	138
分岐点	206
分散	70, 105
分散の加法性(加成性)	76, 106
分散分析	172
分散分析表	173
分類データ	63

へ

平均	105
平均故障寿命	229
平均修復時間	230
平均寿命	229
平均値	73
平均動作時間	230
平均平方	70
並行作業	206
平方和	69
平方和の分解	150
ベル曲線	107
偏回帰係数	152
変化点管理	251
変更管理	251
偏差	65
偏差積和	149
偏差値	195
偏差平方和	69
変動	150
変動係数	71
偏微分法	146

ほ

ポアソン分布	118
貿易障害の除去	51
棒グラフ	91
方針管理，方針の管理	37, 42
方法規格	51
ほうれんそう	263
母集団	63, 126
保証	271
補償	271
母数	67, 125

保全性	229
ボトルネック技術	275
母標準偏差	67
母平均	65
母分散	67
母分散の比	136
ぼんやりものの誤り	128, 243

ま

マークシート方式	11
マーケットイン	31
孫骨	86
マトリックス管理	42
マトリックス組織	42
マトリックス図法	202
マトリックスデータ解析法	204
マナー	263
マネジメント	37
魔法陣	172
摩耗	229
摩耗故障期	229

み

見える化	41
右絶壁型	89
未然防止	41
魅力的品質要素	29

む

無過失責任	32
無関心品質要素	29
無記憶性	230
無検査	228
無限母集団	63
無作為化	168
無相関	152
無相関の検定	154

め

メディアン，メジアン	68
メディアン−R管理図	246

も

モード	68
目的	39
目的志向(指向)	39
目的適合性	51
問題	258
問題解決型QCストーリー	259

索 引

や

矢線 205
山形分布 103

ゆ

ユーザー 16
有意水準 125
有限母集団 63
有効数字 70
指差呼称 262
夢記録法 281
ゆるい検査 223

よ

要因効果図 182
要求事項 19
要求品質 28
陽故障 230
予防保全 229

ら

ライフサイクルコスト 32
螺旋的向上 38
ラテン方格法 170
ランダム・サンプリング 219
ランダム化 168

り

リーダー，リーダーシップ 20
離散分布 104
リスク 51
両側仮説 126
両側検定 126
両立性 51
臨界不良率 228

る

累積確率曲線 227
累積度数分布図 87

れ

レーダーチャート 93
連，連の長さ 245
連関図法 199
連続分布 103
連絡網 272

ろ

ロット 63，218
ロットの大きさ 218
ロットの不適合品率 218
論述・マークシート方式 11
論理ゲート 231

わ

ワイブル確率紙 230
ワイブル分布 230
割り付け表 170

著者
福井　清輔（ふくい　せいすけ）

＜略歴および資格＞
福井県出身
東京大学工学部卒業，および，同大学院修了
工学博士

＜著作＞
・「わかりやすい第２種冷凍機械責任者試験」（弘文社）
・「わかりやすい第３種冷凍機械責任者試験」（弘文社）
・「これだけ！２種冷凍機械合格大作戦」（弘文社）
・「これだけ！３種冷凍機械合格大作戦」（弘文社）

・「わかりやすい１級ボイラー技士試験」（弘文社）
・「わかりやすい２級ボイラー技士試験」（弘文社）
・「これだけ！１級ボイラー技士試験合格大作戦」（弘文社）
・「これだけ！２級ボイラー技士試験合格大作戦」（弘文社）
・「最速合格！１級ボイラー技士40回テスト」（弘文社）
・「最速合格！２級ボイラー技士40回テスト」（弘文社）

・「はじめて学ぶ公害防止管理者試験　水質関係」（弘文社）
・「はじめて学ぶ公害防止管理者試験　大気関係」（弘文社）
・「最速合格！公害防止管理者　水質関係50回テスト」（弘文社）
・「最速合格！公害防止管理者　大気関係50回テスト」（弘文社）

・「はじめて学ぶ環境計量士試験（濃度関係）」（弘文社）
・「はじめて学ぶ環境計量士試験（騒音・振動関係）」（弘文社）
・「わかりやすい環境計量士試験　共通科目（法規・管理）」（弘文社）
・「わかりやすい環境計量士試験　騒音・振動関係専門科目（環物・環音）」
（弘文社）
・「基礎からの環境計量士　濃度関係　合格テキスト」（弘文社）
・「基礎からの環境計量士　騒音・振動関係　合格テキスト」（弘文社）

弊社ホームページでは，書籍に関する様々な情報（法改正や正誤表等）を随時更新しております。ご利用できる方はどうぞご覧下さい。 http://www.kobunsha.org
正誤表がない場合，あるいはお気づきの箇所の掲載がない場合は，下記の要領にてお問合せ下さい。

よくわかる

2級 QC検定® 合格テキスト

著　　　者	福井　清輔（ふく　い　せい　すけ）	
印刷・製本	亜細亜印刷株式会社	

発 行 所	株式会社 弘 文 社	〒546-0012 大阪市東住吉区中野2丁目1番27号 ☎ (06)6797－7441 FAX (06)6702－4732 振替口座00940－2－43630 東住吉郵便局私書箱1号
代 表 者	岡﨑　靖	

ご注意
（1）本書は内容について万全を期して作成いたしましたが，万一ご不審な点や誤り，記載もれなどお気づきのことがありましたら，当社編集部まで書面にてお問い合わせください。その際は，具体的なお問い合わせ内容と，ご氏名，ご住所，お電話番号を明記の上，FAX，電子メール（henshu2@kobunsha.org）または郵送にてお送りください。
（2）本書の内容に関して適用した結果の影響については，上項にかかわらず責任を負いかねる場合がありますので予めご了承ください。
（3）落丁・乱丁本はお取り替えいたします。